RANGE

レンジ

知識の「幅」が
最強の武器になる

デイビッド・エプスタイン＝著
中室牧子＝解説　東方雅美＝訳

日経BP

エリザベスに捧げる。
本書も、今後書く本も。

彼は決して何か一つを専門にすることはなく、
部分よりも全体に目を配った。
ニコライのマネジメントは輝かしい結果をもたらした。
——レフ・トルストイ『戦争と平和』

万能のツールなどない。
すべてのドアを開けられるマスターキーもない。
——アーノルド・トインビー『歴史の研究』

RANGE〈レンジ〉contents

※本文中、［　　］内の説明は訳者注です。

はじめに
タイガー・ウッズvsロジャー・フェデラー

まずはスポーツの話から始めよう。最初の人物については、恐らくよくご存じのことと思う。

「この子はほかの子とは違う」と、父親は息子を見ていて思った。

生後6カ月の時、父親が自分の手のひらの上に載せるとそこでバランスをとり(注1)、父親はそのまま家の中を歩くことができた。7カ月になると、歩行器で歩く時には、おもちゃに与えたパターをどこにでも引きずっていった。そして10カ月で、子ども用のハイチェアから自分で下りては、その子の身長に合わせて短くしたゴルフクラブ目指して歩き、ガレージでスイングのまねをした。

息子はまだしゃべれなかったので、父親は絵を描いて、クラブをどうやって持つかを教えた。「小さくて話ができない頃には、パットの仕方を教えるのはすごく難しかったよ(注2)」と、父親はのちに語った。

2歳になると、全国放送のテレビに出演して、自分の肩くらいまであるクラブを使ってボールを打ち、俳優のボブ・ホープが感心して見ている中でボールを飛ばした。2歳といえば、米疾病対策センター（CDC）の発育指標では、やっと「ボールを蹴り、つま先立ちをする」くらいの年齢だ。その年、初めて競技会に参加して、10歳以下のクラスで優勝した。

時間をムダにしている暇はなかった。3歳になる頃には「バンカー（sand trap）」をまだうまく言えないのに、バンカーショットを練習していた。父親は将来の計画を立て始めた。「この子はゴルフのために生まれてきた。息子を導くのは自分の務めだ」

あなたも自分の子どもの才能を確信したら、いつか必ずメディアが押しかけてくると予想して、3歳の子どもにメディアへの対応を教え始めるかもしれない。その父親も記者のふりをして息子に質問をし、尋ねられた内容だけを答えるよう、短く返事をする方法を教えた。その年、息子はカリフォルニアのゴルフコースで9ホールをスコア48、11オーバーで回った。

4歳になると、父親は息子を朝9時にゴルフコースまで送り、8時間後に迎えに来るようになった。すると、息子は誰かに勝ってお金を稼いでいることもあった。

8歳の時、息子は初めて父親に勝った。父親は気にしなかった。息子にはとにかく才能がある。自分にも特別な資質があって、息子の力になれると信じていたからだ。

父親自身も傑出したスポーツ選手だった。大学では野球選手で、しかも所属リーグ唯一の黒人選手という非常に困難な状況で戦ってきた。父親は人間を理解し、規律を理解していた。社会学専攻で、ベトナム戦争ではエリート集団のグリーン・ベレー（アメリカ陸軍特殊部隊）の一員として従軍。その後、幹部候補生に心理戦を教えてきた。(注3) 前妻との間に3人の子どもをもうけたが、その子たちには十分なことができなかったと思っていた。だが、この4人目の子どもで、やり直すチャンスを与えられたと感じた。そして、すべてが計画通りに進んでいた。

息子は、スタンフォード大学に進学する頃にはすでに有名になっており、父親は息子の新たな存在意義を見いだした。息子はネルソン・マンデラよりも、ガンジーよりも、ブッダよりも大きな影響を及ぼすようになる。「彼らよりも、息子は多くの観衆を集めている。息子は東洋と西洋の架け橋だ［母親はタイ出身］。息子には導きがあるから無限の可能性がある。どんな形になるかはまだわからないが、選ばれた人間であることは確かだ(注4)」

二人目の人物も、恐らくご存じだろう。ただ、最初は誰の話だかわからないかもしれない。その少年の母親はコーチだった。だが、少年を教えたことはなかった。

少年は歩き始める頃にはボールを蹴るようになり、少し成長すると、日曜日には父親とスカッシュをした。スキーやレスリング、水泳、スケートボードもして遊んだ。バスケットボールやハンドボール、テニス、卓球もやり、近所の家のフェンスをネット代わりにバドミントンもやった。学校ではサッカーだ。こうしてさまざまなスポーツを経験したことで、運動能力や反射神経が養われたと、のちに彼は語っている。

少年は球技なら何でも好きで、「ボールを使うスポーツだったら、何でもやってみたいと思った(注5①)」と振り返った。遊ぶのが好きな少年だった。だが、両親は彼のスポーツの才能に関して特に期待しておらず、「何の計画もなかった（注5②）」と、母親は言う。両親は少年に、幅広くスポーツをしてみることを勧めた。実は、そうせざるを得なかった。じっとさせておこうとしても「我慢していられない（注6①）」からだ。

　母親はテニスのコーチだったが、少年のことは指導しないと決めていた。母親はこう語る。「結局、イライラするだけだから。変なストロークを端から試して、まともにボールを返した試しがなかった。母親としては、全く面白くなかったわ（注6②）」

　スポーツ・イラストレイテッド誌は、両親が「押しつける」のではなく、むしろ「引いていた（注7①）」と評する。13歳になる頃には次第にテニスに惹かれていったが、「もし両親が少しでも圧力をかけていたら、彼は真剣にテニスをしなくなっていただろう（注7②）」と同誌は記す。試合の時にも、母親は辺りをブラブラ歩いて友人とおしゃべりをしていた。父親は一つだけ、「ズルはするな（注7③）」というルールを守らせた。少年はこのルールを守り、メキメキと腕を上げた。

　やがて、地元の新聞がインタビューをしに来るようになった。だが、その記事を見て母親は仰天した。テニスで初めて賞金を獲得したら何を買いたいかと聞かれて、「メルセデス」と答えていたからだ。記者にインタビューの録音を聞かせてもらって、それが間違いだとわかると母親はホッとした。少年はスイス系のドイツ語で「Ｍｅｈｒ ＣＤｓ（注7④）」と答えていた。つまり、もっとＣＤが欲しいということだった。

　少年は間違いなく強かった。だが、インストラクターが少年を年長の選手と一緒のグループに入れると、少年は元のグループに戻してほしいと頼み込んだ。友達と一緒にいたかったからだ。レッスンのあとで音楽やプロレスについてしゃべったり、サッカーをしたりするのが楽しかった。

ようやく他のスポーツ、特にサッカーを諦めてテニスに集中するようになる頃には、同年代のテニス選手たちは、フィジカル・トレーナーやスポーツ心理学者、栄養士などをつけて長年トレーニングを積んできていた。しかし、こうした他の選手との差が、少年の成長に影響することはなかったようだ。普通であれば伝説的なテニス選手も引退していく30代半ばになっても、彼は世界ランキングで1位を獲得している。

2006年に、タイガー・ウッズとロジャー・フェデラーは初めて顔を合わせた。二人の力がまさに頂点に達している時だった。全米オープンテニスの決勝戦を見に、タイガーがプライベート・ジェットでやって来た。それを聞いてフェデラーはとても緊張したという。それでもフェデラーは3年連続の優勝を勝ち取った。ウッズはシャンパンで祝おうと、フェデラーのロッカールームを訪れた。

二人の結びつき方は、二人にしかあり得ないものだった。「無敵であることがどういうことか、彼ほどよく知っている人に会ったことがなかった（注8①）」と、フェデラーはのちに語っている。二人はすぐに親しくなり、また二人は「世界で最も強いスポーツ選手は誰か」という議論でもよく取り上げられていた。

それでも、フェデラーのほうはタイガーとの違いを感じていた。「タイガーの歩んできた道は僕とは全く違う」（注8②）と、フェデラーは2006年に伝記作家に話している。「タイガーが子どもの頃、目標はメジャー大会の最多優勝記録を塗り替えることだった。僕の夢は、一度でいいからボリス・ベッカーに会ってみたいとか、いつかウインブルドンでプレイしてみたいとかいうことだった」

両親が「引いていて」、しかも最初は気楽にスポーツをしていた子どもが、のちに史上最強とも言える選手に成長するとは、普通はまず考えられない。タイガーとは違って、フェデラーの場合は、少なくとも何千人もの子どもたちが彼よりも前にスタートを切っていた。

タイガーの育て方は、専門的な能力の伸ばし方をテーマとした本でよく取り上げられ、ベストセラーにもなっている。タイガーの父のアール・ウッズも1冊書いている。その本でも書かれているように、タイガーはただゴルフをしていただけではなく、「意識的な練習(deliberate practice)」に取り組んでいた。今ではよく知られている、「1万時間の法則」で重視される練習法だ。この「法則」の基本となっている考え方は、どんな分野であっても、専門に特化した練習の時間数がスキルの伸びを決める唯一の要因となる、ということだ。

この法則が生まれるもとになった、バイオリニスト30人の研究（注9）によると、「意識的な練習」とは、学習者に「最もよいやり方を明確に教え」、インストラクターが個別に指導して「やってみた結果に対して、すぐに有益なフィードバックと知識を提供し」「同じこと、あるいは同じようなことを何度も繰り返す」練習方法である。専門能力の開発に関するいくつもの研究によると、エリートと呼べるスポーツ選手は、低いレベルに留まる選手と比べて、非常に専門的で「意識的な」練習に、毎週多くの時間を費やしている（グラフ参照）。

タイガーは「意識的な練習の量で成功が決まる」という考え方を象徴する人物だ。その考え方に基づくと、当然ながら、訓練はできる限り早く始めなければならない。

早いうちに、何に取り組むかをしっかりと決めるべきだという考え方は、スポーツ以外の領域にも広がっている。世界が複雑化し競争が激しくなる中で、その世界を渡っていくためには、誰もが専門的な能力を身につけるべきだ（そして早く始めるべきだ）と言われる。成功者としてよく知られる人たちは、その早熟さと「ヘッドスタート」、つまり他人より早くに有利なスタートを切ったことが強調される。モーツァルトは幼い頃から鍵盤《キーボード》を、フェイスブックCEOのマーク・ザッカーバーグは別の種

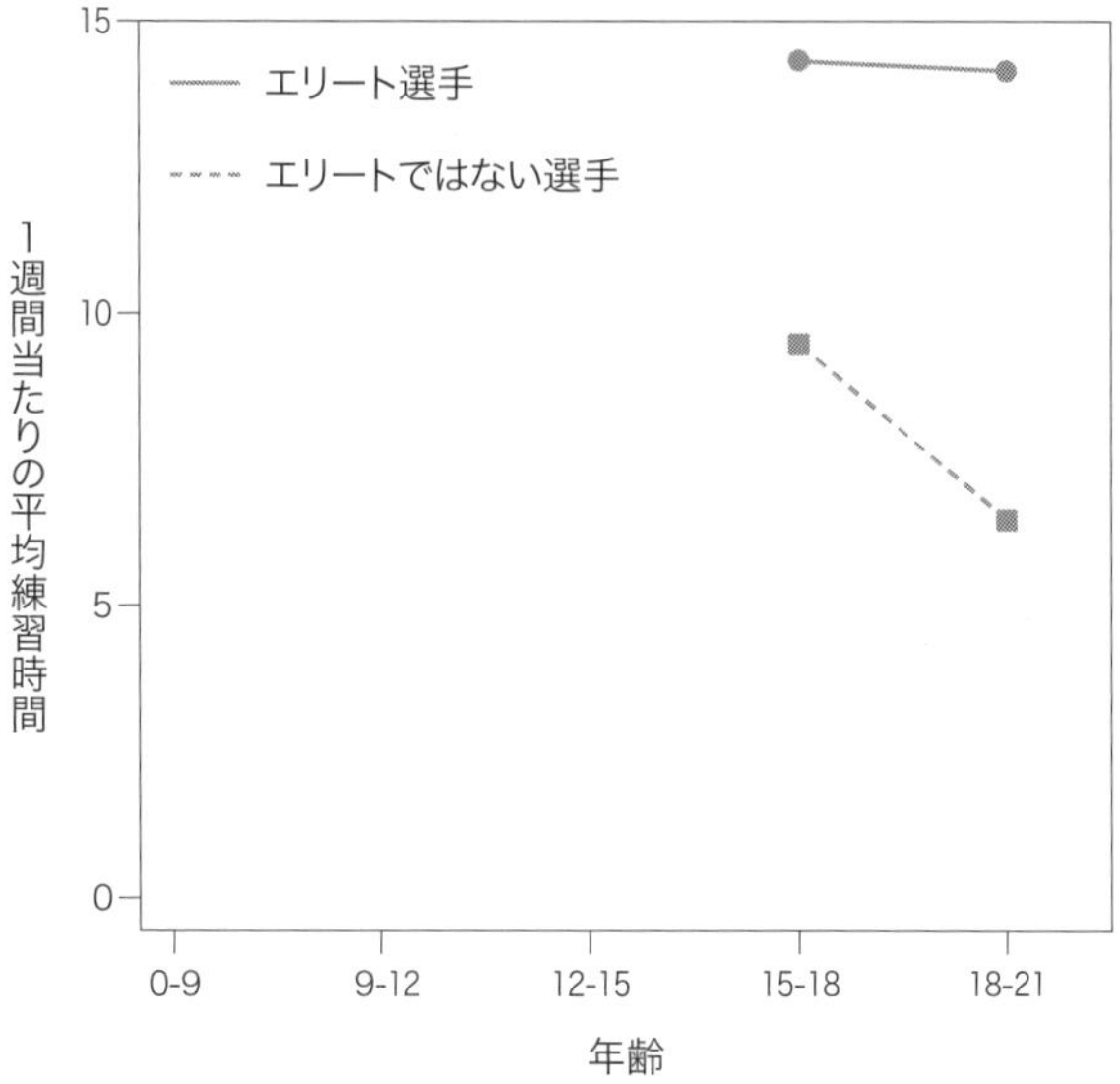

類のキーボードを相手にしていた。

どの分野においても、人間の知識が急速に膨らみ、世界が互いにつながり合っている。それに対応するには、フォーカスするものを限定して絞り込むことが必要だと言われる。腫瘍専門医はもはやすべてのがんを治療するのではなく、がんができる器官ごとに専門が分かれている。その傾向は年々強まる一方だ。外科医で作家のアトゥール・ガワンデは、左耳専門の外科医が「本当にいないかどうか確かめてみなければ」と医師たちが冗談を言っていると書いている。(注10)

「1万時間の法則」をテーマとしたベストセラー『非才!』で、イギリス人ジャーナリストのマシュー・サイドは、イギリス政府がタイガー・ウッズのような専門化を徹底できていないと批判する。サイドは政府の上層部の役人が、ローテーションでさまざまな部署を回らされていることについて、「タイガー・ウッズをゴルフから野球へ、そしてサッカーやホッケーへと異動させているようなもので、非常にばかげている」と指摘した。

しかし、イギリスは2012年のロンドン・オリンピックでは大成功した。何十年もパッとしない成績が続いたあとの成果だった。

それを支えたのは、新しいスポーツを試してみるよう大人に声をかけ、遅咲きの選手を生み出すパイプラインをつくったことだ。このプログラムに関わった人物は、そんな選手のことを「スロー・ベイカー」と表現した。(注11)つまり、スポーツ選手が、フェデラーのようにさまざまなスポーツを試してみてから専門分野を決めることは、たとえエリート選手を目指していたとしても、それほどばかげていないということだ。

エリート選手はそのピーク時には、確かにエリートではない選手よりも多くの時間を意識的な練習に費やしている。しかし、研究者がスポーツ選手の子どもの頃からの練習時間を分析してみると、次のような結果が得られた（グラフ参照）。

この調査結果によると、やがてエリートになる選手が意識的な練習に投じている時間は、初期の頃は他の選手よりも少ない。

その代わりに、エリート選手は研究者が「体験期間（sampling period）」と呼ぶ時期を経ている。その間にさまざまなスポーツを、たいていは自由に、あるいは緩い枠組みの中で経験している。そこで幅広い身体能力を育み、自分の力や性質を知って、そのあとで専門とするスポーツを決めて、集中的に練習に取り組んだ。（注12）個人競技の選手についてのある研究では、「ゆっくり専

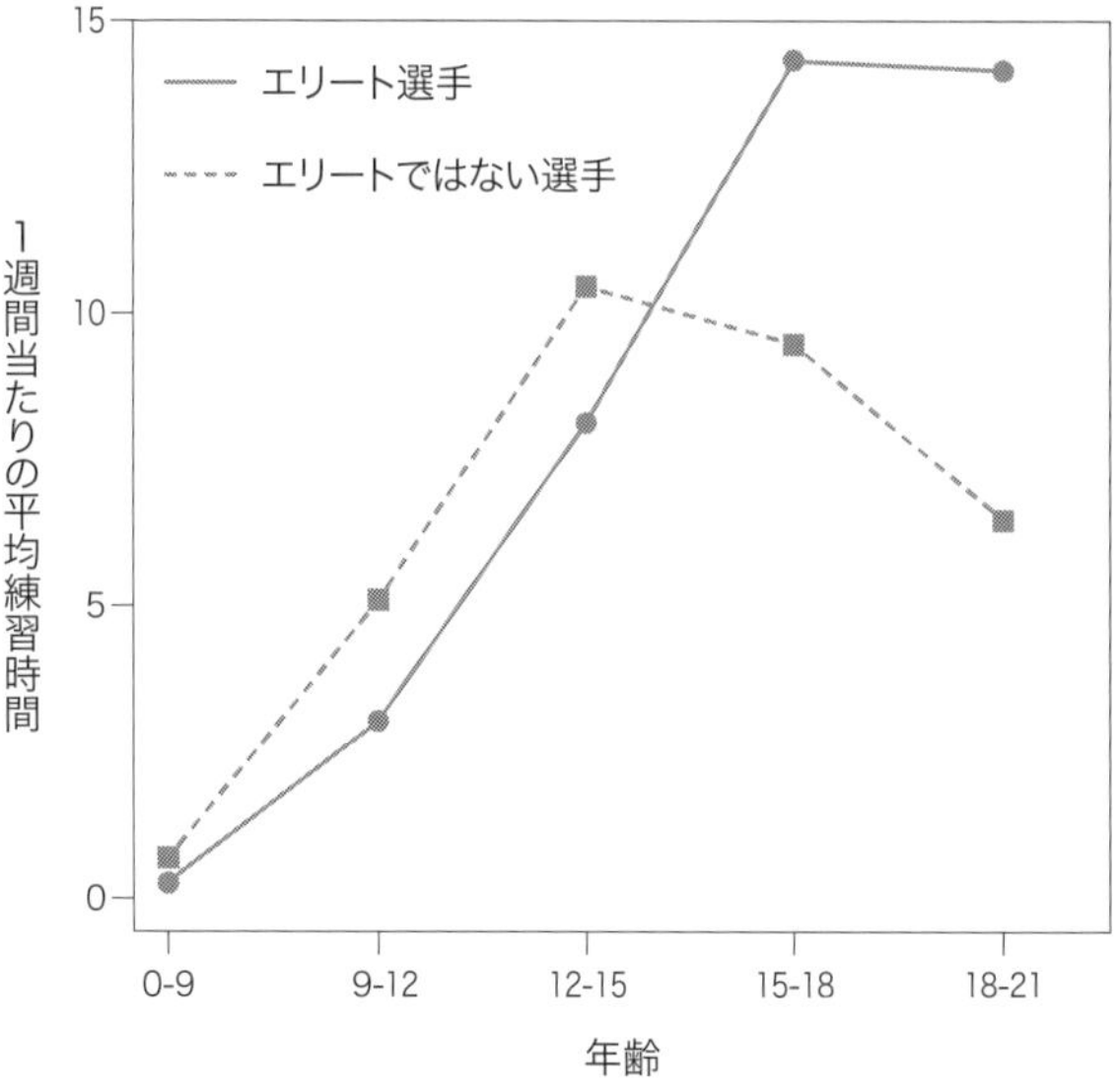

門を決める」ことが、「成功のカギ」だとしている。別の研究には、「団体競技でトップになる――遅く始めて、強化し、決意を揺るがさない」というタイトルのものがある。

こうした研究について私が記事を書くと、示唆に富む意見ももらったが、単に否定もされた。ファンがよく言うのは、「ほかのスポーツはそうかもしれない。でも、私たちのスポーツは違う」。中でも、世界で最も人気があるスポーツ、サッカーファンからの反発が一番強かった。

しかし2014年の終わり頃、ちょうどドイツがワールドカップを制したあとに、ドイツの科学者のチームが絶妙なタイミングで研究を発表した。それによると、ドイツ代表選手の多くはサッカーに的を絞った時期が遅く、少なくとも22歳までは、アマチュアリーグ程度の緩い枠組みでサッカーをしてきた。子どもの頃や少年時代には、自由にサッカーをしていたか、他のスポーツをしていたという。

その2年後に発表された別のサッカーの研究は、11歳の時点で同レベルのスキルだった選手を2年間追跡した結果を示した。すると、他のスポーツに取り組んだり自由にサッカーをしたりして「正式な組織ではサッカーの練習やトレーニングをしていなかった」選手のほうが、13歳の時点では技術が向上していたという。今では同様の研究結果が、ホッケーからバレーボールまで、さまざまなスポーツに関して発表されている。

「究極的な専門特化（ハイパー・スペシャライゼーション）」の必要性が、スポーツに限らず他の分野でもよく言われている。それは何かを売り込んで儲けようという意図がある場合もあれば、善意から言っている場合もある。現実には、タイガー・ウッズが歩んだ道のりではなく、ロジャー・フェデラーがスターになった道のりのほうが一般的なのだが、そのような選手のストーリーは、語られることがあったとしてもひそやかに語られる。だから、あなたがよく知っている選手にそうした経歴があっても恐らく知らないだろう。

私がこの「はじめに」を書き始めたのは、2018年のスーパーボウルのすぐあとだった。その試合に出場していたクオーターバックのトム・ブラディは、アメリカン・フットボールの選手になる前に、プロ野球のドラフトで指名された。ブラディと対戦したニック・フォールズは、フットボール、バスケットボール、野球、空手を経験し、大学生の時にバスケットボールとフットボールの間で選択して、フットボールの選手になった。

まさに同じ月、チェコのエステル・レデツカが冬季オリンピックで、二つの異なるスポーツ（スキーとスノーボード）で金メダルを獲得した。女性としては初めてのことだ。レデツカは子どもの頃にいくつものスポーツを経験した（今でもビーチバレーとウインドサーフィンをしている）。学業にも集中していたので、10代の頃にはトップを目指そうとはしなかった。ワシントンポスト紙はレデツカが二つ目の金メダルを獲得した翌日、「一つのスポーツに専念する時代の中で、レデツカは多様なスポーツに取り組むことの大切さを示してきた[注13]」と書いた。

その直後に、ウクライナのボクサー、ワシル・ロマチェンコが、最速で、三つの異なる階級で王者となった。ロマチェンコは子どもの頃、伝統的なウクライナ舞踊を学ぶために4年間ボクシングを休んだ。ロマチェンコはその頃を振り返って言う。「幼い頃には本当にいろいろなスポーツをやった。体操、バスケットボール、フットボールにテニス。最終的には、全く違うスポーツがすべて組み合わさって、フットワークがよくなったのだと思う（注14）」

有名なスポーツ科学者のロジャー・タッカーは、シンプルにこう述べる。「初期にいろいろ試してみることと、多様性が重要だということは明らかだ」

私は2014年に、初の著書『スポーツ遺伝子は勝者を決めるか？』のあとがきに、「遅めの専門特化」に関する最近の研究について書いた。その翌年、意外な方面から、それらの研究について講演してほしいという依頼を受けた。それはスポーツ選手でもコーチでもなく、退役軍人だった。

講演の準備のために、スポーツ以外のキャリアについての論文を調べてみると、驚くような発見があった。ある研究は、早めに専門を絞り込んだ人は、ゆっくり専門を決めた人より大学卒業後しばらくは収入が高いが、ゆっくり専門を決めた人は、より自分のスキルや性質に合った仕事を見つけられるので、じきに遅れを取り戻すことを示していた。また、多くの研究が示唆しているのは、テクノロジーの開発において、さまざまな分野で経験を積んだ人のほうが、一つの分野を深めた人よりも、クリエイティブで影響力の大きい発明ができることだった。実際、キャリアの中で積極的に深さを犠牲にして幅を広げ、成功していた人たちがいた。芸術分野でのキャリアに関しても、同じような研究結果があった。

さらに、私が尊敬するすばらしい業績を上げた人たちも、ウッズよりもフェデラーのタイプが多い、と気づき始めた。たとえば、デューク・エリントンは子どもの頃、お絵描きと野球がしたかったので、音楽のレッスンを嫌がっていた。数学分野で最も名高いフィールズ賞を女性で初めて受賞したマリアム・ミルザハニは、小説家になることを夢見ていた。もっと調べていくと、経験と興味の幅が広かったからこそ成功した、さらに驚くべき人たちを見つけた。たとえば、同年代の人たちが引退する頃に初めて仕事に就いたＣＥＯ。五つの仕事を経験したのちに、天職を見つけて世界を変えた画家。自ら「一つのことには専念しない」と決めて、19世紀に設立された小さな企業を、今では世界で広く知られた企業にした発明家などだ。

退役軍人に講演をした時には、スポーツ以外の分野での専門特化についてはまだ研究し始めたばかりだったので、話の中身はスポーツを中心にした。それ以外の発見については短く触れるだけにしたのだが、聴衆はそれに飛びついた。聞き手は全員がキャリアを変更した人たち、つまりは遅くに専門特化した人たちだった。そして、講演のあとに聴衆が次々と自己紹介をし始めると、誰もがキャリアについて少なくとも心配しており、中にはキャリアを変更してきたことを恥じているような人もいた。

彼らはパット・ティルマン財団の呼びかけで集まっていた。故パット・ティルマンは元ＮＦＬ（ナショナル・フットボール・リーグ）の選手で、アーミー・レンジャー（米軍の陸軍特殊部隊）に入るためにフットボールをやめた。同財団は彼のこうした精神に基づいて奨学金を提供しており、それを受けられるのは、キャリアの変更や復学を予定している退役軍人や現役の軍人、軍人の配偶者だ。聴衆は全員が同財団の奨学生で、元落下傘兵や通訳者らが、教師や科学者、エンジニア、起業家などになろうとしていた。

彼らは熱意にあふれていたが、心の底には恐怖心があった。というのも、彼らは雇用者が希望するようなキャリアを一直線に歩んできたわけではなかったからだ。復学する人は、自分より若い学生（場合によっては、かなり若い学生）と一緒に大学院に入ることを心配していた。同年代の人たちに比べて、路線を変更するのが遅いことも気にしていた。そうなったのは、彼らがその人ならではの人生や、リーダーとしての経験を重ねてきたからなのだが、どういうわけか、そうした強みが頭の中で負債に変わっていた。

ティルマン財団で講演した数日後、講演のあとで挨拶をしにきた元ネイビー・シールズ（海軍特殊部隊）のメンバーが、私にメールをくれた。「私たちは全員がキャリアを変更する過程にあります。講演のあと何人かが集まって、あなたの話を聞いてとても安心したと話しました」。私はこのメールを読んで少しばかり戸惑った。元ネイビー・シールズのメンバーで、歴史と地球物理学の学士号を持ち、ダートマスとハーバードの大学院で経営学と行政学を学んでいる人物が、人生の選択に関して私などに認めてもらう必要があるとは。しかし、同じ部屋にいた他の人たちと同様に、彼も直接的・間接的に、キャリアの方向を変えるのは危険だと言われてきたのだった。

この講演がとても聴衆に喜ばれたので、私は２０１６年に同財団の年次会議に招かれて、基調講演をした。さらに、別の都市で開かれた小規模なグループの会合でも話をした。それぞれの講演の前に、私は論文を読み進め、研究者と話をした。そして、人間としての幅や、キャリアの幅を獲得するには時間がかかること。また、そのために、ヘッドスタートを諦めなければならない場合も多いが、それだけの価値はあるということについて、多くの確証を得た。

さらには、名高い専門家でも視野が狭くなることがあって、経験を重ねるごとにもっと狭くなり、一方で自信は増していく。そうした危険な状況についての研究も読んだ。また、認知心理学者たちから教えられたことも驚きだった。それは、永続的な知識を得るためには、ゆっくりと学習するのが最善だということだ。たとえ、その時の試験結果や成績が悪くなっても、そうするのがよいという。この点については膨大な研究があるが、ほぼ無視されている。逆に言うと、最も効果的な学習は非効率に見え、後れを取っているように見えるということだ。

中年の時に何か新しいことを始めるのも、そのように見えるかもしれない。マーク・ザッカーバーグがこう言ったのは有名だ。「とにかく若い人のほうが頭がよい」(注15)。しかし、テクノロジー企業の創業者では、50歳の人は30歳の人に比べて、企業を立ち上げ大成功する確率が2倍近い(注16)。30歳の人たちは20歳の人たちよりも、その確率が高い。ノースウェスタン大学とMIT(マサチューセッツ工科大学)、米国勢調査局は新設のテクノロジー企業について調査し、大きく成長している企業では、創業者の創業時の平均年齢は45歳であることを示した。

ザッカーバーグは「若い人のほうが頭がよい」と言った時、22歳だった。だから、そのメッセージを広めるのは彼のためになった。同じように、子ども向けのスポーツリーグを運営する人たちが、「成功するには1年を通じて一つの活動に集中する必要がある」と訴え、どんな反証があろうと気にするなというのも彼らのためになる。

専門特化への流れはさらに強まっている。その傾向は個人だけではなくシステム全体に及び、専門に特化したグループは、全体の中でますます小さな部分に目を向けるようになっている。

2008年の世界金融危機のあとで明らかになったことの一つに、大手銀行組織の細分化があった。専門に特化した多数のグループが、全体の中ではごく小さな、自分たちのグループのためにリスクを最適化しており、そのために大惨事が引き起こされたのだ。

さらには、金融危機への対応からも、専門特化から生じる問題の深刻さが、眩暈(めまい)がするほどにひどいことも明らかになった。

2009年に連邦政府のプログラムが立ち上がり、住宅所有者の中で、苦労はしながらも部分的に借り入れの返済ができる人たちに対して、月々の返済額を引き下げるよう銀行を支援するという試みが行われた。よいアイデアではあったが、実際にはこんなことが起こった。銀行の住宅ローン貸付担当部門は、プログラムに基づいて住宅所有者が月々返済する額を引き下げた。一方で、同じ銀行で差し押さえを担当する部門は、住宅所有者の返済額が突然減少したことに気づいて、債務不履行を宣言し、住宅を差し押さえた。政府のアドバイザーはのちに、「同じ銀行の中で組織がこれほど分け隔たれているとは、誰も想像もしなかった」[注17]と述べた。行きすぎた専門特化は、各部門が最も合理的な行動を取っていたとしても、全体としては悲劇につながる恐れがある。

悲劇はそれだけではない。高度に専門特化した医療関係者が、「金槌を持っていると、すべてが釘に見える」症候群に陥るような場合だ。カテーテルやステントによる治療を専門とする心臓専門医は、胸の痛みをステントで治療することにあまりにも慣れてしまっている。ステントとは血管を広げる金属のチューブだ。そのため、ステントを用いるのが不適切、あるいは危険だと医学的に証明されている場合であっても、反射的にステントを用いて治療をしてしまう。最近の研究によると、全国的な心臓病の学会が開催されて、何千人もの心臓専門医が病院を留守にする期間には、入院した心臓病の患者が死亡する確率が低いという。(注18)その期間には、効果が期待できないのにいつも行われる治療が実施されなくなるからではないかと、研究者らは示唆している。

ある国際的に有名な科学者（本書の終わりのほうで再び登場する）によると、専門特化の傾向が進むにつれて、「平行溝のシステム」ができてきているという。それは、誰もが自分の溝を深く掘り続けることに専念しており、もしかしたら、隣の溝に自分が抱えている問題の答えがあるかもしれないのに、立ち上がって隣を見ようとはしない、ということだ。

そこでその科学者は、未来の科学者の教育を「非専門化」しようとしている。やがては、すべての分野の教育に、それが広まることを願っている。彼は自身の人生において、専門に特化するよう求められたにもかかわらず、幅を広げたことで莫大な効果を得てきた。そして、彼は再び自らの幅を広げつつある。未来の科学者がタイガー・ウッズ方式ではない道のりを歩むための、教育プログラムの設計だ。その科学者は「これが私の人生において、最も重要な成果となるかもしれない」と言う。それがなぜなのか、本書を通じて理解してもらえたらと思う。

ティルマン財団の奨学生たちが、先行きの不透明さを口にし、間違いを犯しているのではないかと心配していた時、私は自分が言葉にした以上に、その気持ちを理解していた。私は大学卒業後に太平洋上の科学調査船で仕事をしていたが、その時自分は科学者になりたいのではなく、物書きになりたいのだと確信した。科学から執筆に移る過程で、ニューヨーク市のタブロイド紙で深夜犯罪担当の記者になろうとは予想していなかった。そのあとにスポーツ・イラストレイテッド誌のシニア・ライターになったが、自分でも意外なことに、すぐに辞めてしまった。私は自分が「一つの仕事に腰を据えること恐怖症」で、キャリアというものを誤解しているのではないかと心配し始めた。

しかし、幅の広さや、遅めの専門特化について学んだことで、自分自身や世界の見方が変わった。この研究は、どの年代の人にも関係する。算数や音楽やスポーツの上達を目指す子どもたち、自分の道を探そうとしている大学新卒者、キャリアの変更が必要な中堅の人たち、天職を探している退職希望者——。

私たち全員が直面する課題は、専門特化がますます推奨され、要求されることさえある世界で、どうやって幅の広さや、多様な経験や、分野横断的な思考を維持していくかということだ。世界の複雑さは増しており、世界がテクノロジーで相互につながって、さらに大きくなり、個人はごく小さな部分しか見えない状況になっている。その中では、タイガー・ウッズのような早熟さや、明確な目的意識が求められる場面は確かにある。しかし、その一方でもっと多くのロジャー・フェデラーも必要になる。幅広く始めて、成長する中でさまざまな経験をし、多様な視点を持つ「レンジ（幅）」のある人たちである。

第 1 章

早期教育に意味はあるか

The Cult of the Head Start

ドイツの無条件降伏により、ヨーロッパで第二次世界大戦が終結してから1年と4日後、ハンガリーの小さな村でラズロ・ポルガーが生まれた。新しい家族の物語の始まりだった。ラズロには祖父母も、いとこもいなかった。全員がホロコーストで殺されたからだ。父親の最初の妻と5人の子どもも亡くなった。ラズロは絶対に家族を持つと決意して育った。それも特別な家族を。

ラズロは父親になる日に備えて、大学ではソクラテスからアインシュタインまで、名だたる思索家の伝記を熟読した。従来の教育は役に立たないと切り捨て、自分の子どもたちは、とにかく訓練を早く始めさえすれば天才に育てられると考えた。そうすることで、ラズロはもっと大きなことを証明しようとしていた。それは、「どんな子どもでも、どんな分野ででも、卓越した人物に育てられる」ということだ。あとはこの計画をともに実行してくれる妻を探すだけだった(注1)。

ラズロの母の友人の娘に、クララという名前の女性がいた。クララは1965年にブダペストを訪れ、そこでラズロと会った。ラズロは積極的に攻めた。初めて会ったばかりのクララに、子どもは6人もうけ、天才に育てるつもりだと話した。クララは家に戻ると、「とても個性的な人だった(注2)」が、彼と結婚することは想像できないと、あまり乗り気でない返事をした。

それでも二人は手紙でやり取りを続けた。二人とも教師で、学校制度はどうしようもなく画一的だという点で一致した。ラズロの表現によると、学校は「黒でも白でもない、平均的な大衆(注3)」をつくるためのものだった。1年半の間、手紙を交換し続けた結果、クララはラズロが自分にとって特別な存在だと思うようになる。ラズロはついにラブレターを書き、その最後でプロポーズをした。二人は結婚し、ブダペストに引っ越した。1969年にスーザンが誕生して、実験が開始された。

最初の天才児のために、ラズロが選んだのはチェスだった。1972年、スーザンがチェスの練習を始める前の年に、アメリカ人チェス・プレーヤーのボビー・フィッシャーが、ロシア人のボリス・スパスキーに「世紀の対局」で勝利した。この対局は東西冷戦の代理戦争と見なされており、チェスは突然に人気が出た。それに加えて、クララによるとチェスには明らかな利点があった。「チェスはとても客観的で、評価しやすい」(注4)。結果は勝ち、負け、引き分けのいずれかで、ポイントシステムによってチェス界全体での位置づけがわかる。娘をチェスのチャンピオンにすると、ラズロは決めた。

ラズロは忍耐強く、細かく気を配った。スーザンに、最初は「ポーン・ウォー」から教え始めた。ポーン（チェスで最も数が多い駒）だけを使うゲームで、最初に一番後ろの列まで進んだほうが勝ちだ。すぐにスーザンは「エンドゲーム」（ゲームの終盤の戦い方）や「オープニング・トラップ」（序盤の罠）を学ぶようになった。スーザンはチェスを理解し、楽しんだ。8カ月間学ばせたあと、ラズロはタバコの煙が立ち込めるブダペストのチェスクラブに、4歳のスーザンを連れていった。そして、椅子に座るとまだ床に足が届かない娘と、大人の男性とを戦わせた。スーザンは最初の対局で勝利し、負けた相手は逃げるように帰っていった。スーザンはブダペストの女子の大会にエントリーし、10歳以下のクラスで優勝を飾る。4歳の時点で、試合に負けたことがなかった。

6歳になる頃には、スーザンは読み書きができ、算数では同年代の子どもの何年も先まで進んでいた。ラズロとクララはスーザンを家庭で教育すると決め、日中の時間をチェスのために使えるようにした。するとハンガリー警察は、娘を義務教育の学校に通わせないのなら、ラズロを刑務所に入れると脅した。ラズロは何カ月も交渉をして、ようやく教育省から許可を得た。スーザンの小さな妹ソフィアと、間もなく生まれるユディトも、家庭で勉強させる計画だった。もう少しのところで、ラズロとクララはユディトを「ツセニ」と名づけるところだった。ツセニはハンガリー語で天才を意味する。この3人は壮大な実験の一部となった。

特別なことがない日には、娘たちは午前7時までに体育館に行き、トレーナーと一緒に卓球をする。10時に家に戻って朝食をとり、そのあとで長いチェスの1日が始まる。ラズロが教えきれなくなると、3人の天才児のためにコーチを雇った。ラズロは、空いている時間には、チェスの専門誌から合計20万枚もの対局の記録を切り抜き、それをファイルして手製の資料としてまとめていった。コンピューターのチェス・プログラムができるまでは、それは世界最大のチェスのデータベースだったかもしれない。ソ連に秘密の記録があったなら話は別だが。

17歳の時、スーザンは女性としては初めて、男子の世界大会に参加できるレベルに達した。しかし、世界チェス連盟はスーザンの参加を認めなかった（このルールは、スーザンの実績によってすぐに変更された）。そして、その2年後の1988年、ソフィアが14歳でユディトが12歳の時、女性チェスオリンピックのハンガリー代表チーム4名のうち、3名をポルガー家の

3姉妹が占めた。チームは勝利し、ソ連をも破った。ソ連はそれまでの12回のオリンピックのうち、11回勝利していた。スーザンによると、ポルガー姉妹は「全国的なアイドル」のようになった。

その翌年、共産党政権が倒れると、姉妹は世界中のチェス・プレーヤーと戦えるようになった。スーザンは1991年1月、21歳の時に、男性とのトーナメントを戦って、女性で初めてグランドマスター（世界チャンピオンを除く、チェスの最高位）のタイトルを獲得。その年の12月には、15歳5カ月だったユディトが、男女を通じて史上最年少のグランドマスターとなった。スーザンは、テレビのインタビューで、男性のカテゴリーで世界チャンピオンになりたいか、あるいは女性のカテゴリーかと尋ねられると「絶対的なカテゴリー」（注5）で勝ちたいと答えた。

結局のところ、3人ともラズロの最高目標であった世界全体のチャンピオンにはなれなかった。しかし、3人とも傑出したチェス・プレーヤーとなった。1996年に、スーザンは女性の世界選手権に出場して優勝。ソフィアは、グランドマスターの一つ下のレベルであるインターナショナル・マスターまで進んだ。ユディトが最も高い成績を上げ、2004年に世界ランキングで8位となった。

ラズロの実験は成功した。非常にうまくいったので、ラズロは1990年代初めに、自分が編みだしたこの早期専門特化のアプローチを1000人の子どもたちに用いれば、人類はがんやエイズなどの問題を解決できるのではないかと言った。（注6）彼の広い視点からすると、チェスは一つの手段にすぎなかった。

ポルガー三姉妹のストーリーは、タイガー・ウッズのストーリーとともに、記事や書籍、テレビ番組、講演などで、人生を成功に導く早期教育の例として、繰り返し語られるようになった。「天才を育てる」という名のオンライン講座では、ポルガー家の手法に基づいたレッスンを「あなた自身の天才人生計画をつくる」として宣伝している。ベストセラーとなった書籍『究極の鍛錬』では、ポルガー三姉妹とタイガー・ウッズを証拠として、意識的な練習を早期にスタートすることが、「あなたにとって大切などんな活動であっても」成功するカギであるとしている。

ここで力強く主張されているのは、世界中のどんなことでも、これと同じ方法で成功できるということだ。しかし、ここには言葉にされていない非常に重要な前提がある。それは、『あなたにとって大切な活動』が、すべてチェスやゴルフのようなもの」であることだ。

世界のどれだけのことが、また人間が学びたい、やりたいと思っているどれだけのことが、チェスやゴルフに似ているのだろうか。

心理学者のゲイリー・クラインは、専門能力のモデルである「現場（自然）主義的意思決定（NDM、ナチュラリスティック・デシジョン・メイキング）」のパイオニアだ。NDMの研究者たちは、専門をきわめた人々が自然に仕事をしている状況を観察し、時間が限られた中で、どのように難しい意思決定をしているかを調べた。その結果、さまざまな分野の専門家が慣れ親しんだパターンを直感的に思い出して活用しており、それが驚くほどチェスのマスターに似ていることをクラインは示した。

私は史上最強のチェス・プレーヤーと言われたガルリ・カスパロフに、次の一手をどう決めるのか説明してほしいと質問したことがある。するとカスパロフは、これまで見てきたパターンをベースに「一瞬のうちに、打ち手やコンビネーション（一連の駒の動き）が見える」と言った。カスパロフによると、グランドマスターは、思考の最初の数秒で心に浮かんできた手を打っているはずだという。

クラインは消防隊の指揮官の意思決定について研究し、数秒のうちに直感的に決定する場合が、全体の80パーセントだと推測している。何年も消防活動をしてきた経験から、指揮官は繰り返し起こる炎の動きのパターンや、建物が崩壊間際にある時の状況に気づく。クラインは非戦時下の海軍の指揮官も観察した。彼らが大惨事を回避しようとする時、たとえば民間機を敵機と間違えて撃ち落としそうになった場合などに、指揮官は非常に早く危険の可能性に気づくという。95パーセントの確率で、指揮官はよく見られるパターンを認識し、心に最初に浮かんだ対応策をとる。

一方、クラインの同僚の心理学者、ダニエル・カーネマンは、人間の意思決定を「ヒューリスティックス〔経験や勘による判断〕とバイアス」の観点から研究した。すると、カーネマンは、クラインとは全く異なる発見をした。カーネマンが訓練を積んだエキスパートを詳しく調べると、経験は全く助けになっていなかった。それどころか、経験は自信を高めはするものの、スキルを高めることはなかった。

実は、カーネマン自身にも、これと同様の経験があった。

カーネマンが経験と専門スキルの関係について疑問を持ち始めたのは、1955年のことだった。イスラエル国防軍の心理部隊で、若い中尉だった頃だ。カーネマンの任務の一つは、イギリス軍で使われているテストを用いて、士官候補者を評価することだった。

そのテストの中に、8人のチームで、電柱ほどの長さの棒を使って、約1・8メートルの高さの壁を越えるという課題があった。兵士も棒も壁に触れてはならず、棒を地面につけてはいけない。棒も壁を越えさせる必要がある（*）。

人によってパフォーマンスは大きく異なっていた。明らかなリーダーもいればフォロワーもいて、ストレスの下で強がる人も弱気になる人も自然に現れた。それを見てカーネマンと同僚は、候補者のリーダーシップを評価できると自信を高め、士官としての訓練や戦闘で、彼らがどう成果を上げるかを予測できると考えた。

しかし、カーネマンたちは完全に誤っていた。数カ月ごとに、「統計データの日」があり、そこで予測がどのくらい正確だったか、フィードバックを受けた。すると、毎回、当てずっぽうに予測したのと変わらないほどの精度しかないことがわかった。毎回、カーネマンたちは経験を積んで、自信をもって判断するようになっていった。しかし、予測結果が向上することはなかった。カーネマンは「経験に基づく洞察とその結果との間に、全く関係がない（注7）」ことに驚嘆した。

同じ頃、専門家による判断に関して有力な書籍が出版され、カーネマンはその本に「猛烈

*よく行われる解決方法は、何人かのメンバーが棒を斜めに持って支え、それ以外の人たちが順番に棒をよじ登って、壁を越えたところで飛び降りる。どこかの時点で棒は壁の向こうに投げ入れられ、今度は壁の向こうにいるメンバーが斜めに棒を持って支え、残っているメンバーが順番に棒に飛びついて下りていき、壁を越える。

に」感銘を受けたと私に語った。(注8) それは、学生の潜在能力を評価する大学の職員や、患者の能力を予測する精神科医、職場の研修で成果を上げそうな人を見つける人事担当者など、さまざまな人たちを調べた結果をまとめたものだった。その本は、心理学界を揺るがした。なぜなら、さまざまな現実世界の場面で、経験が能力の向上には結びつかないことが示されたからだ。

調査の対象となったのは、人間の行動が関わる領域や、同じパターンが明確には繰り返されない分野で、そのような分野では、何かを繰り返し行っても学習にはつながらなかった。この研究によると、チェスやゴルフや消火活動は例外であり、原則ではないということだ。

クラインとカーネマンの見方の相違は、深い謎を呼び起こした。専門家の能力は経験によって向上するのだろうか、しないのだろうか。

2009年に、カーネマンとクラインは通常はあまり見られない手段を取った。(注9) それは、論文を共著し、それぞれの見解を述べて、意見が一致する点を探るという方法だった。そして二人は、「経験が専門的な能力につながるかどうかは、それがどんな領域かによる」という点で意見の一致を見た。経験はチェスやポーカーのプレーヤーや消防士の能力向上には効果があるが、金融や政界のトレンドの予測、従業員や患者の能力の予測では効果がなかった。

クラインが研究した領域は、直感的なパターン認識が強力に働く領域で、心理学者のロビン・ホガースが「親切な」学習環境(注10)と名づけた領域だ。同じパターンが繰り返し現れ、非常に正確なフィードバックが、通常はすぐに提供される。

ゴルフやチェスでは、ボールや駒が定められた範囲の中でルールに従って動かされ、その結果はすぐに明らかになり、同じような問題が繰り返し起こる。ゴルフでボールを打つと、飛びすぎたり、飛距離が不十分だったり、スライスしたり、曲がったりする。選手は何が起こったかを見て、欠点の修正を試み、もう一度試し、これを何年間も繰り返す。

これこそがまさに「意識的な練習」の定義であり、「1万時間の法則」や、早期に専門に特化して技術的なトレーニングができるようなタイプである。学習者がシンプルにその活動に取り組んで努力すればうまくなれるので、学習環境は「親切」と言える。

ところが、カーネマンがフォーカスした領域は、ちょうどそのコインの裏側だった。ホガースはその領域を「意地悪な」学習環境と表現した。

意地悪な学習環境では、通常はルールが不明確か不完全で、繰り返し現れるパターンがあったりなかったりし、フィードバックはたいてい遅くて不正確だ。意地悪さが最も強烈な学習環境では、経験により間違った学びが強化されていく。

ホガースはニューヨーク市の有名な内科医の例を挙げる。その医師は診断能力が高いことで知られていた。特に専門としていたのは腸チフスで、患者の舌の周囲を触って診断していた。患者に症状が全く現れないうちに、その医師は何度も陽性の診断をし、そして、何度もその診断が正しかったことが証明された。しかし、それは最悪の学びとなった。別の内科医はのちにこう説明している。「彼は『チフスのメアリー』〔腸チフスの保菌者で、コックの仕事を通じて多くの人に病気を感染させた〕よりも生産的な保菌者だったということだ。患者に触るだけで感染させたのだから」(注11)

これほど意地悪な学習環境はめったにない。しかし、経験豊かなプロも、意地悪な環境の中では簡単にいつもの道から外れてしまう。熟練した消防士も、新しい状況、たとえば超高層ビルの火災などに直面すると、住宅火災で何年も積んできた直感が働かないことに突然気づき、誤った判断をしがちになる。チェスのマスターも、いつもの状況が変化すると、何年もかけて築いてきたスキルが突然に役に立たなくなったことを感じる。

　１９９７年に、人間とＡＩ（人工知能）がチェスの勝負をし、その対局の最終戦で、ＩＢＭのスーパーコンピューター、ディープブルーが世界チャンピオンのゲイリー・カスパロフを破った[注12]。この時、ディープブルーは1秒当たり１００万の盤面を評価していた。チェスでは、起こり得る駒の配置パターンが、観測可能な宇宙に存在する原子の数よりも多いので、１００万でもそのごく一部にすぎない。しかし、それでも最も強い人間を破るには十分だった。「今では、みんなのスマートフォンに入っているチェスの無料アプリのほうが、僕よりも強い[注13]」とカスパロフは本気で言う。

　最近の講演でカスパロフは、「人間ができること、人間がやり方を知っていることなら何でも、コンピューターのほうが上手にできる」と語った。「もし、その内容を成文化できて、コンピューターに渡せるならば、コンピューターのほうがうまくできる」。だが、ディープブルーとの戦いを通じて、カスパロフはまた別の考えにたどり着いた。それはＡＩ学者が言うところの「モラベックのパラドックス」だ。つまり、人間とコンピューターの強みと弱みは正反対だということだ。

「チェスは99パーセントが戦術だ」と言われる。戦術とは短い打ち手の組み合わせで、プレーヤーがチェス盤上でその時々に優位に立つためのものだ。プレーヤーがこうした打ち手のパターンをすべて学んだら、戦術をマスターしたと言える。一方で、それよりも大きなゲームの全体像を計画すること、つまり、小さな戦いを組み合わせてゲームに勝つことは「戦略」と呼ばれる。スーザン・ポルガーはこう記している。「チェスで大きく進歩するには、戦術に長けることだ(注14)」。つまり、パターンを多く知ることが重要で、「戦略は基本的な理解があればよい」という。

コンピューターは、その計算能力のおかげで、戦術面では欠点がない状態だ。グランドマスターは対局中に近い未来を予測するが、それはコンピューターのほうがうまくできる。そこでカスパロフは、「もしコンピューターの戦術の腕前を、人間の全体像を考える力、戦略的思考と組み合わせたらどうなるだろうか」と考えた。

カスパロフは、1998年に初めての「アドバンスト・チェス」のトーナメントを企画した。このトーナメントでは、カスパロフも含めた人間のプレーヤー一人がコンピューター一台と組む。すると、人間が何年間もかけて学んだ戦術は不要になる。パートナーとなったコンピューターが戦術を担当し、人間は戦略に集中する。これはまるで、タイガー・ウッズが最強のゲーマーを相手に、ゴルフのゲームで戦うようなものだ。ウッズの長年の評価も無関係になり、競争は戦術の実行から戦略にシフトする。

チェスでは、このトーナメントで即座に順位が変わった。「人間のクリエイティビティーは、このような状況では、弱まるどころか、さらに強力になる」[注15①]と、カスパロフは言う。彼は3勝3敗という成績だった。対戦相手は、わずか1カ月前に通常の対局で4回戦いカスパロフが圧勝したプレーヤーだった。「僕の戦術面での強みは、コンピューターによって無価値になった」[注15②]。専門的なトレーニングを長年続けて得られた主な成果はアウトソースされて、人間が戦略に集中する戦いでは、彼は無敵ではなくなった。

その数年後、初めての「フリースタイル・チェス」[注16]のトーナメントが開かれた。このトーナメントでは、複数の人間と複数のコンピューターを組み合わせたチーム同士が戦う。アドバンスト・チェスでは、人間のプレーヤーが人生をかけて築いた専門能力が弱められたが、フリースタイル・チェスではそれが消え去った。3台の一般的なコンピューターを使った二人組のアマチュアが、チェスのスーパーコンピューターのヒドラを破っただけでなく、コンピューターを使ったグランドマスターのチームも破ったのだ。カスパロフの分析によると、勝利チームの人間は複数のコンピューターに何を検証すべきかを「コーチする」ことに優れており、その情報を全体的な戦略と統合した。人間とコンピューターを組み合わせたチームは「ケンタウロス」（ギリシャ神話に登場する半人半馬の怪物）として知られるようになり、それ以前には見られなかった高レベルのチェスを展開した。

もし、カスパロフに対するディープブルーの勝利が、チェスでは人間よりもコンピューターのほうが強くなったことを示すサインだったとするならば、ケンタウロスがヒドラに勝ったことは、さらに興味深いことを示唆している。それは、コンピューターによって、人間が最も得意なことに集中する力を与えられたということだ。これまでは必要だった、パターンを覚える何年間もの訓練を積まなくても、それができるようになった。

2014年に、アブダビを拠点とするチェスのサイトが、2万ドルの賞金を出して、フリースタイルのプレーヤーにトーナメントを戦わせた。その中には、チェスのプログラムが人間の介入なしに戦う試合もあった。優勝したチームは人間4人と複数台のコンピューターで構成されていた。

チームのキャプテンで主に意思決定を行っていたのは、イギリス人エンジニアのアンソン・ウィリアムズで、公式なチェスのランキングは持っていなかった。チームメンバーのネルソン・ヘルナンデスは、私にこう言った。「みんなが理解していないのは、フリースタイルではさまざまなスキルが統合されていて、中にはチェスとは全く関係のないスキルもあるということだ(注17)」

従来型のチェスでは、ウィリアムズは恐らくアマチュアとしてまあまあのレベルだ。しかし、彼はコンピューターを熟知しており、また、流れてくる情報をまとめて戦略を決めるのが非常にうまかった。10代の頃、ウィリアムズは「コマンド&コンカー」というビデオゲームが飛び抜けて強かったという。そのゲームはプレーヤーが同時に動く「リアルタイム・ストラテジー」ゲームとして知られていた。

フリースタイル・チェスでは、ウィリアムズはチームメイトや複数のコンピューターからのアドバイスを検討し、即座にコンピューターに指示をして、いくつかの手をもっと深く検証させた。彼はまるで、強力なグランドマスターから成る戦術アドバイザー・チームを抱えたエグゼクティブで、誰のアドバイスをより深く検証し、最終的に誰のアドバイスに従うかを決めているかのようだった。それぞれの試合を慎重に戦い、引き分けを期待しながら、対戦相手のミスを誘う状況をつくり出そうとしていた。

最終的には、カスパロフはコンピューターを倒す方法を解明した。それは戦術をアウトソースすることだ。戦術は、人間の熟練の技が最も簡単に再現されてしまう部分であり、彼や天才児のポルガー三姉妹が、何年もかけて磨き上げてきた部分だった。

2007年に、ナショナル ジオグラフィック・テレビは、スーザン・ポルガーをテストした。(注18) マンハッタンのグリニッジビレッジの緑豊かな歩道にテーブルを置き、その前にスーザンを座らせて、駒が載っていないチェス盤をテーブルに置く。ジーンズやジャケット姿のニューヨーカーが信号を無視して道路を渡っていく中、車体に試合途中のチェス盤の様子が大きく描かれた白いトラックが、左折してスーザンの待つトンプソン通りに入ってくる。盤上の駒は28個だ。トラックはデリの前を通り、スーザンの前を通り過ぎる。スーザンはトラックが通る時にその図をちらっと見て、目の前にあるチェス盤の上に、トラックに描かれた通りに駒の配置を再現した。

この番組では、過去の有名なチェス実験をいくつも再現している。実験は、親切な学習環境のスキルを解明するものだ。

最初の実験は1940年に行われた。[注19]オランダのチェスのマスターで、心理学者のアドリアーン・デ・フルートが、試合途中のチェス盤を描いた図を、さまざまなレベルのチェス・プレーヤーに一瞬だけ見せて、それを実際のチェス盤の上に再現させるという実験だ。グランドマスターは、わずか3秒見ただけで、チェス盤全体を何度も完璧に再現した。マスターのレベルになると、再現できる頻度はグランドマスターの半分に下がった。市のチャンピオンではさらに頻度が下がり、平均的なチェスクラブのプレーヤーは、一度も正確に再現できなかった。スーザン・ポルガーと同様に、グランドマスターは写真のような記憶力を持っているかのようだった。

スーザンが最初のテストに成功すると、次にトラックの向きを変えて、スーザンに車体の反対側を見せた。そこには、駒がでたらめに置かれたチェス盤が描かれていた。駒の数は前回より少なかったが、スーザンはほとんど再現できなかった。

この2回目のテストは、カーネギーメロン大学の二人の心理学者、ウィリアム・G・チェイスと、その後ノーベル経済学賞を受賞したハーバート・A・サイモンが1973年に実施した実験を再現したもので、1940年のデ・フルートの実験を改変したものだ。[注20]

チェイスとサイモンの実験では、実際の試合には現れていない形に駒を配置して、チェス・プレーヤーに見せた。すると突然、エキスパートたちも格下のプレーヤーのように振る舞い始めた。グランドマスターも、結局は写真のような記憶を持っていたのではなかった。試合のパターンを繰り返し学ぶことで、彼らはチェイスとサイモンが言う「塊分け（チャンキング）」

ができるようになったのだ。

優秀なプレーヤーたちの脳は、ポーンやビショップなどの一つひとつの駒の配置を覚えるのではなく、いくつかの意味のある塊に駒をグループ分けしていた。そのベースになったのが、これまでに覚えたパターンで、そのパターンがあるからこそ、強いプレーヤーたちは経験をもとに即座に判断ができる。ゲイリー・カスパロフが、「グランドマスターは数秒で次の手を決められる」と言ったのも、そのためだ。

スーザン・ポルガーの場合で言うと、最初にトラックが通った時、その図は28の駒で構成されたものではなく、五つの意味のある塊で構成されており、それらが対局の進捗状況を示していた。

塊分けによって、一見すると魔法のような、その領域特有の記憶力も説明がつく。たとえば、音楽家は長い曲を暗譜し、クオーターバックは一瞬で選手のパターンを認識して、ボールを投げる。エリートのスポーツ選手が超人的な反射神経を持っているように見えるのは、彼らがボールや体の動きのパターンを認識し、そこから次に何が起こるかがわかるからだ。専門のスポーツ以外の状況でテストされると、彼らの超人的な反応も失われる。

私たちは誰もが、自分が熟練しているスキルで毎日、塊分けを行っている。試しに、10秒間で次の20の単語を暗記してみよう。

ので　20　パターン　に　いれば　しやすい

意味のある　は　単語　グループ　分け　記憶　に

ずっと　文章　知っている　よく　できる　の　置かれて

では、もう一度やってみよう。

20　の　単語　は　意味のある　文章　に

置かれて　いれば　よく　知っている　パターン　に　グループ

分け　できる　ので　ずっと　記憶　しやすい

二つの問題には同じ20の情報が含まれている。しかし、あなたは生まれてからずっと言葉のパターンを学んできているので、二つ目の問題の意味はすぐに理解でき、ずっと簡単に記憶できる。レストランのスタッフは、偶然に魔法のような記憶力を持っているのではない。音楽家やクオーターバックのように、繰り返し耳にする情報を塊に分けて記憶している。

チェスでは、繰り返されるパターンを膨大に学ぶことが非常に重要なので、早期に専門特化することが重要になる。心理学者のフェルナンド・ゴベット（インターナショナル・マスター）とギレルモ・キャンピテリ（グランドマスターを目指す人たちのコーチ）の研究によると、力のあるチェス・プレーヤーがインターナショナル・マスターのレベルに到達する確率は、12歳までに厳しい訓練を始めれば4分の1だが、12歳以降になったら55分の1に下がるという。(注21) 塊分けは魔法のように見えるかもしれないが、その根底には莫大な繰り返しの練習がある。ラズロ・ポルガーがその点を信じたのは正解だった。というのも、ポルガー三姉妹はサバン症候群ではなかったからだ。

精神科医のダロルド・トレッファートは、50年以上の間、サバン症候群の人たちを研究してきた。(注22) サバン症候群とは、一つの領域をどこまでも追求したいという欲求を持ち、その分野の能力が他の分野の能力をはるかに上回るという症状を指す。トレッファートはこれを「天才という孤島」と呼んだ（サバン症候群を持つ人の半分が自閉症で、障害を持っている人も多いが、全員がそうではない）。トレッファートはサバンの人たちの、信じ難い実績を記録している。たとえば、ピアニストのレスリー・レムケは、記憶をもとに何千もの曲を弾くことができる。

こうした状況を目の当たりにして、トレッファートは当初、彼らの能力は完璧な記憶によるもので、サバンの人たちは、いわば人間テープレコーダーのようなものだろうと考えた。しかし、音楽の能力を持つサバンに新しい曲を聴かせてテストした時、「調性の」音楽のほうが「無調の」音楽よりもずっと簡単に再現できた。無調の音楽とは、一般的なハーモニーの構造に従っていない音楽で、ポップスはほぼすべてが調性、クラシック音楽も大半が調性である。もしサバンが人間テープレコーダーであるならば、一般的なルールに従って作曲された音楽であってもなくても、同じように再現できるはずだ。

実際には、大きな違いが出た。あるサバンのピアニストの研究では、その男性はそれまで研究者の前で何百もの曲を間違いなく弾いてみせたのに、無調の音楽では、その曲を練習したあとでも再現できなかった。「あまりにも彼らしくなかったので、私はキーボードが移調モードになってしまったのではないかとチェックしたほどだ」(注23)と、研究者は記録している。「彼はかなり間違え、ミスは続いた」。サバンが記憶を呼び戻す超人的な能力を発揮する際にも、パターンや慣れ親しんだ構造は不可欠だったということだ。同様に、美術の能力を持つサバンも、絵を短時間見せられてそれを再現してほしいと頼まれた時、抽象的な絵よりも、実際に存在する物の絵のほうがずっとうまく再現できた。(注24)

トレッファートが自分の間違いに気づき、また、思っていたよりもサバンがポルガー三姉妹のような天才児と共通点が多いと認識するまでに、数十年かかった。サバンはただ再現しているだけではなかった。彼らの才能は、ポルガー姉妹の才能と同様に、繰り返し現れる構造に依存していた。そうだったからこそ、ポルガー姉妹のスキルは簡単にコンピューターで自動化できたのだ。

ＡＩソフトウェア「アルファゼロ」（グーグルの親会社、アルファベット傘下のＡＩ部門が開発）のチェス・プログラムが進化すれば、もしかするとトップのケンタウロスでも打ち負かされてしまうかもしれない。以前のチェス・プログラムは、膨大な数の打ち手を編み出し、プログラマーが設定した条件を基準にしてそれに順位をつけるという力技《ちからわざ》をこなしていた。一方でアルファゼロは、自分自身にプレイの仕方を教える。必要なのはルールだけで、それがあれば自分で途方もない数の試合をこなし、何が効果的で何がそうでないかを記録して、それをもとに力を高めていく。アルファゼロは短時間の自己対戦をしたのち、すぐに最強のチェス・プログラムを破った。もっと駒の配置パターンが多い囲碁でも同様だった。

しかし、ケンタウロスの教訓は生きている。タスクが「全体的な戦略」というオープンな世界に移れば移るほど、人間の役割は増していく。

アルファゼロのプログラマーは、彼らの作品が自分一人で「白紙の状態」からマスターにまでなったと言って宣伝した。(注25) しかし、チェスの対局は白紙からは程遠い状態で始まる。アルファゼロのプログラムが動いているチェスの世界は、制約の多い、ルールを基準とした世界だ。一方で、戦術よりも戦略が重要になってくるビデオゲームでは、ＡＩは大きな課題に直面した。ＡＩが挑んだゲームは「スタークラフト」だ。スタークラフトはリアルタイム・ストラテジー・ゲーム（その場その場で臨機応変に計画を立てながら戦うゲーム）の一つで、仮想の生物がはるか天の川の彼方で、主権を巡って争うという設定だ。このゲームでは、チェスよりもかなり複雑な判断が必要になる。プレーヤーは、敵と戦い、インフラを計画し、スパイ活動をしつつ、地域を開拓し、資源を集めなければならず、それらが相互に影響し合う。

ニューヨーク大学教授でゲーミングＡＩを研究するジュリアン・トゲリウスは、２０１７年に、ＡＩはスタークラフトで人間との勝負に苦戦したと語った。ＡＩは個々の局面では勝っても、人間が「長期の順応戦略」で調整して勝ち始めたという。「思考には非常に多くの層がある」と、トゲリウスは言う。「人間は、ある意味ですべての層から別々に情報を得て、それぞれについておおまかに把握し、それらを組み合わせて状況に順応できる。カギはここにあるようだ」

２０１９年に、選択肢を少なくしたバージョンのスタークラフトで、ＡＩが初めて人間のプロを破った（プロは何回か負けたあと、ＡＩとの戦いに順応して1勝した）。

しかし、スタークラフトの戦略面での複雑性からは、次のことがわかる。ゲームの全体像が大きければ大きいほど、全体の戦略を立てるという人間ならではの力が発揮できる。人間の最大の強みは、狭い範囲への専門特化とは正反対のものだ。幅広く情報や知識を統合することこそが、人間の強みだ――。

心理学と神経科学の教授で、自身が設立した機械学習の会社をウーバーに売却した経歴があるゲイリー・マーカスによると、「狭い世界では、人間はあまり長い間、活躍できない。オープンエンド（制限のない）のゲームであれば、人間は確実に活躍できると思う。それはゲームに限らない。オープンエンドの現実世界の問題を与えると、コンピューターは今もクラッシュしてしまう（注26）」

チェスという閉じられた秩序のある世界は、すぐにフィードバックが得られてデータも無限で、そこではＡＩの進歩は指数関数的だった。自動車の運転の世界は、ルールに縛られてはいるがもっと込み入っている。そこでもＡＩは大幅に進歩したが、まだ課題は残っている。

真にオープンな世界で、厳しいルールがなく、完璧な過去データもない世界では、ＡＩの成績は悲惨だ。ＩＢＭのワトソンはクイズ番組の「ジェパディ！」で勝利し、その後がん治療の革新のために投入されたが大失敗した（注27）。そのため、ＡＩのエキスパートは、医療分野でのＡＩ研究によくない影響が及ぶのではないかと心配したほどだ。あるがん専門医は、「ジェパディで勝利することとがん治療との違いは、ジェパディでは問題の答えがわかっていることだ（注28）」と言う。一方、がんの治療では、まずは正しい質問を見定めるという段階にある。

２００９年には、科学的に権威のあるネイチャー誌が、「グーグル・フル・トレンド」が冬のインフルエンザの流行を、検索クエリのパターンを使って米疾病対策センター（ＣＤＣ）よりも早く、同程度の正確さで予測できると発表した（注29）。しかし、グーグル・フル・トレンドの信頼性はすぐに薄れた。２０１３年の冬に出したアメリカのインフルエンザ患者数の予測が、実際の2倍以上だったからだ（注30）。今日では、グーグル・フル・トレンドは予測を発表しておらず、この種の予測は「時期尚早」とだけウェブページに記されている。マーカスは、「ＡＩシステムはサバンに似ている」とたとえる。つまり、安定した構造と狭い世界が必要ということだ。

チェスやゴルフやクラシック音楽の演奏のように、ルールと答えがわかっている時には、またそれが時間とともに変化しないなら、サバンのような究極的に専門特化した練習が有効だと言えるだろう。しかし、人間が学びたい多くのことは、その方法では対応できない。

狭い分野への専門特化が「意地悪な」領域と組み合わさると、「よく知っているパターンに依存しがち」という人間の傾向が大きく裏目に出る。たとえば、熟練した消防士が、慣れない構造の建物の火災に直面した時、突然、誤った選択をしてしまう。

イェール大学経営大学院の創設に貢献したクリス・アージリスは、意地悪な世界を親切な世界のように扱うことの危険性を指摘する。アージリスは、トップクラスのビジネススクールを卒業した有力なコンサルタントを15年間かけて研究した。彼らはビジネススクールの課題に関しては非常に優秀だった。十分に定義され、すぐに評価できる課題だ。彼らは、アージリスが言うところの「シングルループ学習」を使って課題に対応していた。シングルループ学習とは、最初に頭に浮かんだおなじみの解決方法を活用するものだ。その解決方法がうまくいかないと、コンサルタントは防御的になる。アージリスは、「コンサルタントの仕事の本質が、ものごとへの新たな取り組み方を教えること」であると考えると、彼らの「柔軟性のないやり方」には特に驚かされると言う。[注31]

心理学者のバリー・シュワルツは別の例を使って、経験を積んだ人が柔軟性を失っていくことを示した。シュワルツは大学生に、電球が並んでいるボードを使って謎解きをさせた。その

*25個の電球が半透明のボードの上に1列5個ずつ取りつけられていて、左上の電球が灯っている状態で謎解きがスタートする。最初はスコアボード上の得点はゼロだ。被験者は、点数がたまると賞金を獲得できると告げられるが、どうすれば点数がとれるのかは教えられない。いろいろ試してみるうちに、二つあるボタンをそれぞれ4回ずつ押して右下の電球を点灯させれば点数が得られ、賞金も得られることがわかる。左上から順に点灯させて右下の電球を灯せば得点になるというのが基本ルールで、ボタンを押す順番は70通りあった。

ボードは、スイッチを押すと順番に電球がついたり消えたりする仕組みになっていた。ある順番で電球を点灯させると、得点と少額の賞金が与えられる。被験者の学生たちはその順番を試行錯誤しながら見つけ出す必要があった（＊）。点数が得られる順番は70通りあったが、学生たちは正解の順番を一つ見つけると、それがどうして正解なのかはわからないまま、何度も繰り返し用いて賞金を獲得した。

しばらくして別の学生たちが加えられ、実際に謎解きをした学生も一緒に、どうすれば点数が得られるのか、全般的なルール（70通りのやり方に共通するルール）を見つけるよう求められた。すると、パズルに新しく加わった学生たちは全員、共通するルールを発見した。一方、一つの解決方法で賞金を獲得し続けていた学生たちのうち、そのルールを見つけられたのは一人だけだった。シュワルツがこの実験について書いた論文の副題は「ルールを見つけさせない方法」(注32)だ。その方法とは、限られた解決方法で繰り返し正解させて、報酬を与えることだ。

ここまでに説明してきたことに基づくと、ビジネス界お気に入りの成功する学習の事例、つまり、ポルガー姉妹やタイガー・ウッズなどの事例はあまり活用できないということになる。他のスポーツやゲームでもある程度同じことが言える。ゴルフと比べるとテニスはより変化があり、プレーヤーが毎秒のように、対戦相手やテニスコートやペアの相手に合わせて調整している（フェデラーは２００８年の北京オリンピックで、ダブルスで金メダルを獲得した）。それでも、テニスは全体としてみれば「親切」なほうに属する。これとは反対に、病院の緊急治療室では、医師や看護師が患者と対面した直後に、患者に何が起こったかを自動的に知ることはない。彼らは実際の経験以上に学ぶ方法を見つけなければならず、自らの経験と矛盾することからも学んで、吸収していく必要がある。

世界はゴルフではなく、たいていの場合、テニスですらない。ロビン・ホガースが言うように、世界のほとんどは「火星人のテニス」だ。つまり、コートにラケットとボールを持った選手はいるが、共通のルールはない。そのルールを導き出すのはあなたであり、ルールは予告なしに変更される。

私たちは、これまで間違った例に目を向けてきた。タイガー・ウッズやポルガー姉妹のストーリーは、「学習環境は常にとても親切で、その中で人間の能力が発達する」という誤った印象を与えてしまう。もし、それが真実なら、できるだけ早く、狭く、技術を習得して専門特化するほうがいい。しかし、そのやり方はスポーツであっても、たいていはうまくいかない。

できるだけ早期に、狭い領域に特化してこなした練習の量が、パフォーマンス向上のカギだとしたら、あらゆる領域でサバンがトップに立ち、子ども時代の奇跡が大人になってからの偉業につながるはずだ。心理学者で、天才児研究の権威であるエレン・ウィナーによると、サバンの誰も、その分野を変革するようなクリエーターにはなっていないという。(注33)

チェス以外の分野でも、狭い範囲での大量の練習が、グランドマスターのような直感を生み出す分野はある。外科医もゴルファーのように、同じプロセスを繰り返すことで上達する。会計士や、ブリッジやポーカーのプレーヤーも、繰り返し経験を積むことで直感が正確になっていく。[注34] カーネマンはこれらの領域の「強固な統計的規則性」[注35] を指摘する。

しかし、ルールがわずかでも変更されると、エキスパートは柔軟性を失ってしまうようだ。研究では、ブリッジのルールを変更すると、ブリッジのエキスパートはそうでない人と比べて、新しいルールへの適応に苦労する。[注36] また、別の研究では、経験豊かな会計士が、控除額に新しい税法を適用するよう言われると、新人よりもうまくできなかった。[注37①]

ライス大学教授で、組織行動学を研究するエリック・デーンは、この現象を「認知的定着(cognitive entrenchment)」[注37②] と呼ぶ。それを避ける方法としてデーンが提案するのは、「1万時間の練習」で推奨されることとは正反対だ。すなわち、一つの領域内で取り組む課題を大幅に多様なものにすること。そして、デーンの共同研究者の言葉を借りると「片足を別の世界に置いておくこと」[注37③] だ。

科学者と一般の人たちでは、芸術的な趣味を持っている度合いはそう変わらないと思われるが、最高レベルのアカデミックな科学者は、本職以外に本格的な趣味や副業を持っている可能性がはるかに高い。さらに、ノーベル賞を受賞した人たちでは、アマチュアの俳優やダンサー、マジシャンなどのパフォーマーである確率が少なくとも22倍高い。[注38]

また、全国的に知られている科学者は、他の科学者と比較して、音楽や彫刻、絵画、版画、木工、機械工作、電子機器いじり、ガラス細工、詩作などをたしなんでいる可能性がずっと高く、フィクションやノンフィクションを執筆している可能性もはるかに高い。ノーベル賞受賞者になると、さらにその確率は上がる。

大きな成功を勝ち得たエキスパートも、やはり広い世界で生きている。ノーベル生理学・医学賞を受賞し、現代神経科学の父とされるスペインのサンティアゴ・ラモン・イ・カハルはこう言った。「（趣味や副業を持っている人たちは）遠くから見ていると、エネルギーをまき散らし、浪費しているかのように見える。しかし、実際には、エネルギーを集中させ、強化している」(注39)。科学者やエンジニアの中で真のエキスパートと見なされている人たちを何年間も調査した研究によると、逆に自らの分野でクリエイティビティーを発揮できなかった人たちは、その狭い専門分野以外に芸術的な関心を持っていなかった(注40)。

心理学者で、クリエイティビティーに関して優れた研究をしているディーン・キース・サイモントンは、クリエイティブな成果を上げる人は、「狭いテーマにひたすらにフォーカスするのではなく」幅広い興味を持っていると述べた。「この幅広さが、専門領域の知識からは得られない洞察を生み出す(注41)」

これらの発見は、スティーブ・ジョブズの有名なスピーチを思い起こさせる。ジョブズはそのスピーチで、カリグラフィーの授業がデザインのセンスを育むのに重要だったと話した。「最初のマッキントッシュのコンピューターをデザインしている時、すべてがよみがえってきた。大学であの授業をちょっと取ってみようと思わなかったら、マックにいくつもの書体はなかったし、可変幅フォントもなかっただろう(注42)」

電気工学者のクロード・シャノンは、ミシガン大学で学習要件を満たすために取った哲学のクラスのおかげで、「情報時代」を創始した。そのクラスで、シャノンは19世紀のイギリスの論理学者、ジョージ・ブールの功績について知った。ブールは真実の発言を「1」とし、虚偽の発言を「0」として、論理の問題が数学のように解けることを示した。

それがすぐに現実的に重要な意味を持つことはなかったが、ブールの死から7年後、シャノンがAT&Tのベル研究所で夏のインターンシップをしていた時、シャノンは電話のルーティングの技術とブールの論理を組み合わせて、どんな種類の情報も符号化して、電子的に送信できることに気づいた。この洞察がコンピューターの根幹となっている。シャノンは「たまたま、この二つの領域を同時に知っている人が、他にいなかった(注43)」と述べている。

1979年に、クリストファー・コノリーは心理コンサルティング会社をイギリスで共同設立した。優秀な人たちがベストの成果を上げられるよう、コンサルティングをするためだ(最初はスポーツ選手を、のちに他の分野の人たちも対象とした)。年月を経てコノリーが興味を抱くようになったのは、自分の専門の外に出ると苦労する人がいる一方で、キャリアを外に広げるのがうまい人もいることだ。たとえば、世界的なオーケストラで演奏をしていた人が、のちにオーケストラの運営を担うようになるケースなどだ。この点について調べるため、創業から30年後、コノリーは大学に戻って、フェルナンド・ゴベットの下で研究を始めた。ゴベットは心理学者で、チェスのインターナショナル・マスターでもあった。

コノリーの主な発見は、のちに他の分野への移行に成功した人は、第一の専門分野を追求しながら幅広い分野のトレーニングを受け、複数の「キャリアの流れ(注44①)」を維持していた、ということだ。

彼らは「8車線の高速道路を走っていた」(注44②)とコノリーは記す。一車線の一方通行の道ではなかった。彼らには「幅(レンジ)」があった。

成功した人たちは、ある分野で得た知識を別の分野に応用するのがうまく、また、「認知的定着」を避けるのも上手だった。彼らはホガースが言うところの「遮断装置」を用いていた。つまり、外部の経験や例を活用して、もはや効果がないかもしれない従来の解決方法に依存する傾向を遮断していた。彼らは、昔ながらのパターンを「避ける」スキルを持っていた。問題が曖昧で、明確なルールがない「意地悪な」世界では、「幅(レンジ)」が人生を生産的、かつ効率的にするための術となる。

人生がゴルフやチェスのようだというふりをすれば、安心はできる。世界は整然とした、親切な場所だと言うこともできるし、注目される本も書ける。本書のこの先の章は、その「ふり」が終わるところから始まる。つまり、火星人テニスが人気のスポーツであるような場所だ。そもそも現代世界がどうしてこうも意地悪になったのかも見ていく。

第2章

「意地悪な世界」で不足する思考力

How the Wicked World Was Made

ダニーデンの街は、ニュージーランドの南島から南太平洋に突き出た半島の付け根にある。この半島はキガシラペンギンの生息地として知られ、世界の住宅地では最も急な坂があることも、地元の人たちのひそかな自慢だ。ダニーデンにはニュージーランド最古の大学、オタゴ大学もある。ジェームズ・フリンは同大学の政治学分野の教授であり、思考についての心理学者の考え方を変えた人物でもある。

フリンの研究は1981年に始まった。研究のきっかけとなったのは、第一次世界大戦と第二次世界大戦の兵士のIQスコア（知能指数）について報告した、30年前の論文[注1]だった。その論文によると、第二次大戦の兵士のほうが、第一次大戦の兵士よりもIQスコアが高く、それもかなり上だった。第一次大戦の兵士で、全体のちょうど中間、つまり50パーセンタイルに位置する兵士は、第二次大戦の兵士の中では22パーセンタイル［下から22パーセントの位置］だった。

フリンは、兵士以外でも同じように進歩しているのではないかと考えた。「IQがどこかで伸びているのなら、すべての場所で伸びているのではないかと思った」と、フリンは語った。彼が正しければ、心理学者は目の前にあった非常に大きな変化を見逃してきたことになる。

フリンは他の国々の研究者に、データを提供してほしいと手紙を書いた。そして、1984年のどんよりとした土曜日の朝、大学の郵便箱についに一通の手紙が届いた。それはオランダの研究者からで、そこにはオランダの若者が受けた、何年分ものIQテストの生データが入っていた。

彼らが受けたテストは、「レーヴン漸進的マトリックス検査」と呼ばれるもので、それは複雑さを理解する能力を測るものだった。テストでは抽象的なデザインの一部が欠けている図がいくつも示され、受検者はその欠けた部分を埋めて図を完成させる。このテストは「文化的影響を排除した」テストの典型例とされている。つまり、それまでに学校内外で学んできたことに、テストの成績が影響されないということだ。もし火星人が地球に降り立ったら、彼らがどれだけ賢いか、レーヴンのテストを使って測定できるはずだ。[注2]フリンは送られてきたデータを見てすぐに、オランダの若者が莫大な進歩を遂げていることを発見した。

さらにフリンはテストの説明書からも手掛かりを見つけた。テストは平均スコアが常に100になるよう標準化されていた（受検者の能力は、常に100を中心とした数値で表される）。受検者の正解率が過去に比べて高くなったので、平均が100になるように、IQテストの基準は時々変更されていた。

その後1年の間に、フリンは14カ国からデータを集めた。すべての国で、子どもも大人も、大きく得点を伸ばしていた。フリンによると、「ゆりかごから墓場まで、どの年代で見ても先祖よりも能力が高まっていた[注3]」

フリンの仮説は正しかった。得点の増加はすべての場所で起こっていた。他の学者たちも、それまで一部のデータには遭遇していたが、それが世界的な傾向なのか、誰も調査してこなかった。テストの平均を100にするために、点数のシステムを調整した人たちですら、そのことに思い至らなかった。フリンは言う。「私は部外者だったので驚きを感じたが、心理統計学のトレーニングを受けている人は、ただ受け入れたのではないか」

20世紀において、時代が進むに連れてIQテストの正解数が伸びていくことは、「フリン効果」と名づけられ、今では30カ国以上で立証されている。その伸びは驚異的で、10年ごとに3ポイントだ。長期的に見てみると、たとえば、現在平均的なスコアの成人は、1世紀前なら上位2パーセントに入る。

フリンが1987年にこの発見を発表すると、[注4]認知能力を研究している人々に強烈な衝撃が走った。米心理学会は、このテーマだけに絞った会議を開き、IQテストスコアは本質的に変わらないとする人たちは、フリン効果を否定するためにさまざまな理由を挙げた。たとえば、教育や栄養状態の改善、テストの受検経験などだ。しかし、そのどれもが、異常なスコアの伸長を説明できなかった。実は、一般的な知識や、計算、語彙など、学校や個人で勉強できることに関するスコアは、ほとんど変化していなかった。[注5]ところが、レーヴンのマトリックスのような、公式に教えられることのない抽象的なタスクでは、成績が急上昇していた。

また、二つのものを比べて、どこが似ているかを指摘する「類似性」のテストでも、同様に点数が大幅に伸びた。たとえば、「夕暮れ」と「夜明け」の類似点は何だろうか。現代の若者は、「両方とも一日のうちの時（とき）を示す言葉」だと、すぐに答えられるだろう。加えて、彼らは祖父母の世代よりも、さらに高いレベルの類似性を認識する可能性が高い。つまり、「両方とも昼と夜とを分ける言葉[注6]」ということだ。類似性のテストで平均的なスコアの現代の子どもは、祖父母の世代であれば上位6パーセントに位置する。

エストニアの研究者が全国テストのスコアを使って、児童の言葉の理解度を1930年代と2006年とで比較したところ、(注7)抽象的な言葉に関して、スコアの上昇が見られることがわかった。言葉の抽象度が高いほど、上昇の度合いは高かった。直接的に観察できるモノや現象に関する言葉（「めんどり」「食べる」「病気」など）では、現代の子どもが祖父母を負かすことはなかった。だが、直接に感知できない概念（「法律」「誓い」「市民」など）では、大幅に進歩していた。

世界的に見ても、レーヴン漸進的マトリックスの得点の伸びが最も大きかった。フリンは著書でこうまとめた。「レーヴンの得点が大きく伸びたことは、現代の子どもたちが問題を前にして、その解決方法を習っていなくても、その場で解決できる力が大きく高まっていることを示している(注8)」。今の子どもたちは、昔に比べて、明示されていないルールやパターンを、よりうまく探し出せるということだ。言語や計算のＩＱスコアが近年低下している国でさえも、レーヴンのスコアは上昇している。(注9)その原因は、現代の空気に漂う、何か表現できないものであるかのように思われた。その不思議な空気が、抽象的なテストに関する脳の部分だけを、特別に満たしていったかのようだ。フリンは、いったいどんな変化が、これほど大きく突然に、また特異な形で現れたのだろうかと考えた。

1920年代の後半から1930年代の前半までの間に、ソ連の辺境の地域が、普通であれば何世紀もかかるはずの社会・経済的な変化を、急速に進めることを強いられた。それまで、今のウズベキスタンに当たる地域の農民は、食料を得るために小さな畑を耕し、所得を得るために綿花を栽培してきた。また、今日のキルギスタンに当たる山間部の放牧地では、家畜を飼育していた。そこに住む人々は誰も読み書きができず、厳しい宗教的なルールによって、階層的な社会構造に組み込まれていた。こうした暮らしを、社会主義革命が一夜にして破壊した。

ソ連政府は、農地をすべて大型の集団農場にするよう命じ、工業開発を始めた。経済は急速に相互につながり始め、複雑になっていった。農民は生産を始める前に、集団としての労働戦略や計画を立てなければならず、役割を分担し、仕事の評価も求められた。辺境の村々が、遠くの都市部と連絡をとるようになった。

誰も読み書きができない地域で、学校制度が立ち上げられ、大人が音声と文字をマッチさせる方法を習い始めた。村人はそれまでも数字を使っていたが、それは取引時など必要に迫られた時だけだった。今や彼らは、現実的な用途、たとえば動物を数える、食べ物を配るためだけでなく、現実の世界とは切り離された抽象的な概念としての数字を学んでいた。村の女性の一部は依然読み書きができなかったが、学齢前の子どもたちを教えるための短いコースを取った。女性の中には、師範学校に入学を認められ、長期間学習する者もいた。それ以外の人たちには、入学前教育のクラスや、農業の科学や技術についてのクラスが提供された。中等教育や技術専門学校も続けて設けられた。

1931年、この驚異的な変革の中、アレクサンドル・ルリヤ（注10）という聡明な若いロシアの心理学者が、この地域で進められているのは、世界の歴史でも類を見ないこの時だけの「自然実験」だということに気づいた。ルリヤは、村人の仕事が変化すると、その思考も変わるかもしれないという仮説を立てた。

ルリヤが現地に到着した時、最も辺鄙な村々では、まだタイムマシンのような社会変革が進められていなかった。この村々がルリヤの対照群〔比較対照実験で、変化を加える実験群と比較するためにつくられた変化を加えないグループ〕となった。ルリヤは現地の言葉を学び、(注11)仲間の心理学者も呼んで、茶店や牧草地などのリラックスした環境で、現地の人と交流した。そして、質問をしたり、タスクを与えたりして、村人たちの思考について知ろうとした。

中には、とてもシンプルなタスクもあった。たとえば、さまざまな色のウールやシルクの糸の束を見せて、参加者にこれを表現してもらった。すると、集団農場の農民や農場のリーダー、女子学生などは、簡単に青や赤、黄色などと言い、時には濃い青、明るい黄色などと表現した。一方で、「近代化以前」の辺境の村人は、もっと多様な答え方をした。咲いている綿花、虫歯、たくさんの水、空、ピスタチオ、といった具合だ。

そのあとで、彼らに糸の束のグループ分けを頼んだ。すると、集団農場の農民と、公式の教育を少しでも受けた若者は、たやすく、かつ自然に、糸を色別のグループに分けた。色の名前がわからない場合でもほぼ問題なくグループ分けし、同じ色でも濃いものと明るいものを別々にまとめた。

一方で辺境の農村の人々は、刺繍の仕事をしている人でさえも、そのタスクを拒んだ。彼らは「そんなことはできない」と言ったり、「同じものはないから、一緒にすることはできない」

と言ったりした。熱心に頼み込み、小さなグループをたくさんつくってよいと伝えると、何人かが折れて、明らかにでたらめのグループをつくった。色そのものには関係なく、色の鮮やかさでグループ分けする人たちもいた。

幾何学的な図形についても質問した。近代化が進められている人たちほど、「形」という抽象的な概念を把握し、三角形や四角形、円などのグループをつくった。公式な教育を受けていなくても、形の名前を知らなくても、グループ分けができた。

一方の辺境の村人たちは、直線で描かれた四角形と、全く同じ形だが点線で描かれた四角形を見て、似ているとは思わなかった。26歳のアリエバにとっては、直線の四角は明らかに地図であり、点線の四角は時計だった。彼女は疑わしそうに「どうして地図と時計を一緒にできるの?」と言った。24歳のハミドは、黒い円と白い円は一緒にできない、なぜなら一つはコインで、もう一つは月だからだと言い張った。

このパターンがどんなジャンルの質問でも見られ、辺境の村人たちは、彼らの経験に基づいた現実的な言葉を使った。なお、概念的なグループ分けの質問は、ＩＱテストの類似性の質問に似ていると言える。

心理学者が39歳のラフマトに、「一つだけグループに属さないものがある。それはどれか?」という質問を説明しようとして、3人の大人と1人の子どもの例を示した。子どもは明らかに他の人々と違うはずである。しかし、ラフマトはそのようには考えなかった。「この子は大人と一緒にいなきゃダメだ」と、ラフマトは主張した。大人は働いている。だから、「大人がモノを取りに行くために走ってばかりいたら、仕事が終わらない。この子は大人の代わりに走って、モノを取りに行かなきゃ」

「わかった。では、ハンマー、のこぎり、なた、材木ではどうだろう。このうちの三つが道具だ」。こう心理学者が尋ねると、ラフマトは「グループにはならない」と答えた。材木がなければどれも役に立たないのに、どうして三つだけ一緒にするのか、というわけだ。他の村人たちは、ハンマー、あるいは、なたを取り除いた。材木と一緒に使う場合、その二つは用途が狭いように感じたからだ。ただし、ハンマーを使ってなたを材木に打ち込む、と考えた場合は別だった。

「では、鳥、ライフル、短刀、弾丸では?」との問いには、「どれかを取り除いて、残りをグループにすることなどできない」とある村人は言い張った。鳥を殺すために、ライフルに弾丸を込めなければならないし、「その次には、短刀で鳥をさばかなきゃならない。ほかに方法はない」

これらは単にグループ分けのタスクの説明であり、実際に尋ねられた質問ではなかった。どんなにおだてても、説明しても、例を示しても、辺境の村人たちは、自分たちの生活の具体的な部分から離れた概念をベースに、論理を展開しようとはしなかった。

現代世界に参加し始めていた農民や学生は、「帰納法」(注12)と呼ばれる種類の思考を実践した。やり方を示されなくても、そのモノを実際に見たことがなくとも、モノや事実が提示されればルールを見つけ出して、それを問題に適用した。それはまさに、レーヴンの漸進的マトリックスでテストしていたことだった。

近代化や集団的な文化によって生まれた変化の中には、このほかにもまるで魔法のようなものがある。ルリヤは、辺境の村人が「エビングハウス錯視」のような錯視を起こさないことにも気づいた。次の図の二つの黒い丸のうち、どちらが大きく見えるだろうか。

辺境の村人は、「両方同じ」と答えた。それが正解だ。一方で、集団農場の農民や師範学校の女性たちは右を選んだ。他の伝統的な社会でも同様の結果が見られた。科学者たちは、近代化以前の人々は全体的な状況、この場合はさまざまな円同士の関係に、それほど引っ張られることがなく、そのため別の円が存在しても認識が変わらなかったのではないかと考えた。よく言われるたとえを使うと、近代化以前の人たちは

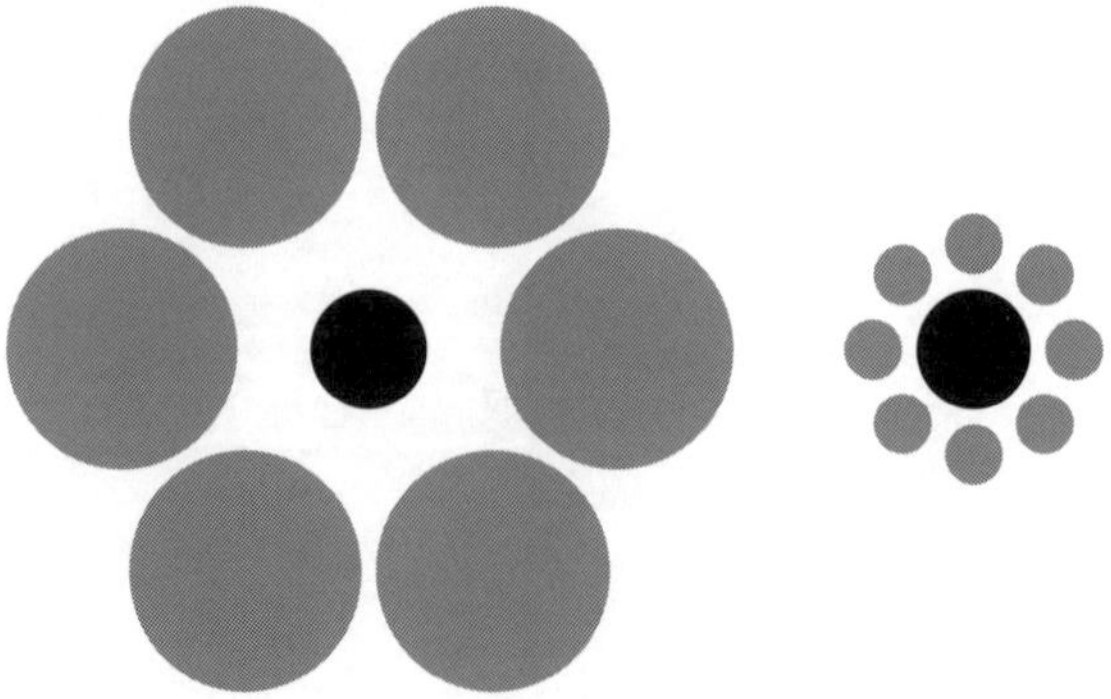

右側の黒い円が大きく見えるなら、
あなたは恐らく先進工業国の人だ。

木を見て森を見ず、[注13] 現代の人々は森を見て木を見ていない、ということになる。ルリヤの内陸地への旅以来、科学者は同じことを他の文化でも試してきた。

その一つがクペレ族の研究だ。リベリアのクペレ族[注14]は、自給自足で米を栽培して生活している。しかし、1970年代に道路が伸びてきて、クペレ族は都市と結ばれた。類似性のテストをすると、クペレ族の中でも現代の学校に通っている10代の子どもたちは、抽象的なカテゴリーでモノを分類した（「体を温めるためのもの」など）。しかし、伝統的生活をしているクペレ族の10代の分類は、それと比較すると気まぐれだった。全く同じタスクを繰り返すように言われても、組み合わせはよく変わった。現代に触れている10代は、意味のあるテーマでグループ分けをしていたため、あとでグループに何を含めたかを尋ねられても、よく思い出すことができた。このように、現代的なものに近づいていればいるほど、抽象的な思考力は強化され、具体的な経験を思考の基準点にすることは減っていった。

フリンの言葉で言うと、私たちは「科学のメガネ」で世界を見ている。つまり、直接の経験に頼るのではなく、分類の仕組みを通じて現実を理解し、何層もの抽象的な概念を使って、情報同士の関係を理解する。私たちは分類の仕組みの世界で成長してきた。動物の一部を哺乳類に分類し、さらに、生理学やＤＮＡでの類似点をもとに、もっと細かく分類する。それは辺境の村人には全く未知の世界だ。

概念を表す言葉は、かつては学者の領分だったが、数世代のうちに広く理解されるようになった。たとえば、「パーセント」という言葉は1900年の書籍にはほぼ見られなかったが、2000年には5000語に1語の割合で出てくるようになった(注15)(この章は約5500語だ)。コンピューターのプログラマーは、抽象化された層をいくつも積み重ねる(彼らのレーヴンのテストの成績は非常によい)(注16)。コンピューターの画面上で、ダウンロードの進捗状況などを示すプログレスバーには、抽象概念がたくさん盛り込まれている。たとえば、そのプログレスバーをつくるためのプログラミング言語は、コンピューターが使う「1」と「0」で構成されたバイナリーコードに変換される。また、心理的な抽象概念もある。バーは時間を視覚的に示すもので、それによってイライラせずに済むが(注17)、それは水面下の莫大な作業の進捗状況を推計するものでもある。

弁護士は、たとえばオクラホマ州の個人が起こした訴訟の結果が、カリフォルニア州の企業が起こした別の訴訟にどう影響するかを考える。その訴訟のために、さまざまな弁論を準備し、さらには相対する弁護士の立場に立って、彼らがどう主張してくるかを予想する。このような「概念化」は柔軟な仕組みで、概念化によって情報やアイデアを異なる用途に活用し、異なる領域に知識を移行できるようになる。

こうした「知識移転」が現代の仕事では求められる。知識を新たな状況や別の分野に適用する能力だ。私たちの根本的な思考プロセスは、複雑化する世界に対応するため、また従来のパターンに頼らずに新しいパターンを導き出すために変化してきた。概念に基づいて分類する仕組みは、知識を結ぶ足場となり、知識を手に入れやすくし、また知識を柔軟にする。

*心理学界では、今でもフリン効果の意味合いや影響について熱い議論が続いている。ハーバード大学の心理学者、スティーブン・ピンカーは、IQスコアの伸長は、単に思考の変化を示すだけのものではないとし、こう述べる。「これは何世紀分もの人間の歴史の進化であり、それを考えると、私たちは途方もない脳の能力の時代に生きている。その事実を歴史学者は見逃すことはできないだろう(注19)」

先進国6カ国の成人の調査によると、仕事に自律的な問題解決や、毎回異なる課題が伴うほど、「認知的柔軟性」(注18)が強くなるという。フリンが指摘するように、これは現代の脳が従来の脳より本質的に優れているということではない。むしろ、元々かけていた「実利的なメガネ」が、「概念によって世界が分類されているように見えるメガネ」に交換されたということだ(＊)。ごく最近でも、古くからのしきたりを守る宗教のコミュニティーで、近代化されてはいるものの女性が現代的な仕事に就くことを許さない場合は、同じコミュニティー内でも、男性より女性のほうがフリン効果は現れにくいという。(注20)現代社会に触れることによって、私たちは複雑さにより順応し、それが思考の柔軟性として表れる。このことが、私たちの知的世界の幅に深い意味をもたらす。

近代化以前の人々は、自らの目の前にある具体的な世界にきつく縛られていた。それでも、頼まれれば次の問題は解く人がいた。「綿花は暑くて乾燥した土地で育つ。イギリスは寒くて湿っぽい。では、イギリスで綿花は育つだろうか」。彼らは実際に綿花を育てた経験があったので、自分が訪れたことがない土地についての質問でも、(求められれば、ためらいがちに)答えることができた。

だが、全く同じ形の質問でも、その内容が変わると途方に暮れた。「雪が積もっている極北の地域では、クマはみな白い。ノバヤゼムリャ島は北極海に位置し、いつも雪が積もっている。そこのクマは何色だろうか」。この質問では、どんなに頼んでも、辺境の村人は答えてくれなかった。ある村人は、「その質問には、そこにいる人しか答えられない」と言った。彼は綿花の質問では、イギリスには行ったことがなかったが、答えを出していた。

しかし、わずかでも現代の仕事を経験すると、この状況が変わり始める。45歳で、ほとんど読み書きはできないが集団農場の責任者であったアブドゥルは、白いクマの問題を出されると、自信なさげだったが、型通りに論理を活用した。「あなたの言葉に基づくと、クマはみな白いのではないか」

近代化により、村人の内なる世界は完全に変化した。モスクワから来た科学者たちが村人に、科学者やモスクワについて何を知りたいか尋ねた。すると、辺境の地の村人は、質問を一つも思いつかなかった。「ほかの町で人が何をやっているのか、見たことがない」と、ある男性は言った。「だから、質問なんかできない」

一方で、集団農場に関わっている人々は、すぐに興味を持った。「さっき白いクマの話をしていたけど」と、集団農場の農民で31歳のアフメトジャンは言った。「そのクマがどこから来るのかわからない」。彼は言葉を止めて少し考えた。「それから、アメリカの話もしていたね。アメリカはうちの国の領土なのかな。それともほかの国?」。やはり集団農場で働き、2年間学校に通った19歳のシダフは、想像力に富んだ質問をした。シダフの自己改革の意欲は、自分自身から、地域、世界にまで及んでいた。「集団農場の人たちを向上させるために、私は何ができるでしょうか。どうすれば、より大きな作物が収穫でき、大きな木ぐらいに成長する作物を植えられるでしょう。それから私は、この世界がどのように存在しているのか、興味があります。どこからいろいろな品物がやってくるのか、金持ちはどうやって金持ちになり、貧しい人はなぜ貧しいのか」

近代化以前の人たちの思考は、直接の経験の範囲に留まっていたが、現代に触れた人たちの考えはそれに比べると自由だ。だからと言って、どちらかが絶対的に優れているということはない。社会学の創始者の一人とされているアラブのイブン・ハルドゥーンは、何世紀も前に、都市の住民が砂漠を旅する時には、完全に遊牧民に頼らなければ生き延びられないと言った。遊牧民は砂漠にいる限り天才だ。

しかし、現代の生活で思考の「レンジ（幅）」が必要なのは真実だ。思考の幅があることによって、遠く離れた領域やアイデアが結びつく。ルリヤはこうした結びつきによる「カテゴリー分け」の思考について研究し、フリンはのちにこれを「科学のメガネ」と称した。その考え方は「非常に柔軟だ」とルリヤは記す。「テーマは一つの特性から別の特性へと容易にシフトし、適切なカテゴリーを構築する。対象物を実態（動物、花、道具）で分類したり、材料（木、金属、ガラス）、あるいは大きさ（大きい、小さい）で分類したりする。一つのカテゴリーから別のカテゴリーへと自由に動ける能力は、『抽象的な思考』の大きな特徴である」

フリンをがっかりさせているのは、社会、特に大学教育において、こうした概念的な知識や移行可能な知識についてのトレーニングではなく、専門特化が推進されていることだ。

フリンは、アメリカのあるトップクラスの州立大学で、神経科学から英語までさまざまな専攻の４年生を対象に調査を実施し、彼らのＧＰＡ（成績評価平均値）とクリティカル・シンキング［批判的思考。客観的にものごとを分析して判断すること］のテスト結果を比較した。クリティカル・シンキングのテストは、経済学、社会学、物理学、論理学の基礎的な概念を、現実世界の問題に適用する力を測るものだった。この幅広い概念的なテストの結果と、GPAとの相関関係はほぼゼロで、それを見てフリンは愕然とした。フリンは著書で「よい成績をとる力があっても、重要なクリティカル・シンキングの能力が高いわけではなかった[注21]」と述べた（＊）。

テストの20の設問はそれぞれ、現代の世界で広く活用できる概念を活用する力を測った。その中では、たとえば循環論法を見つけるなど、特に公式に教育を受けなくてもできる思考に関しての成績はよかった。

しかし、分野別の概念を活用したフレームワークに関しては、ひどい成績だった。生物学専攻と英語学専攻の学生は、自分の専門分野に直接関係しない問題はすべて成績が悪かった。心理学を含めたどの専攻の学生も、社会科学の手法を理解していなかった。理科系の学生は、真の結論を導き出す科学の手法を理解せずに、各自の専門分野について事実だけを学んでいた。神経科学専攻の学生は、特によい成績をとれた問題はなかった。経営学専攻の学生は、経済学も含めて全体的にひどい成績だった。

全体の中で最もよい成績だったのは、経済学専攻の学生だった（＊＊）。経済学は本質的に幅が広い分野で、経済学の授業では学んだ論法の原理を専門以外の問題にも活用することを教える。[注22]一方で化学専攻の学生も成績はよかったが、いくつかの質問では科学的な論法を化学以外の問題に用いるのに苦労していた。[注23]

＊フリンが私に語ったところによると、彼は同じテストを、ロンドン・スクール・オブ・エコノミクス（LSE）に多くの生徒を送り込んでいるイギリスの高校の生徒に受けさせ、さらに、LSEの3年生と4年生にも受けさせたという。その結果を見ると、「LSEを卒業する頃のクリティカル・シンキングの力は、入学した時点と比べて全く向上していなかった」という。

＊＊心理学者のロビン・ホガースは経済学者について、「彼らの話を聞いて強い印象を受けたのは（中略）、経済学の言葉とプロセスが、話題がスポーツ、経済現象、政治学や大学の授業など何であろうと、ほぼすべてのトピックで活用されるということだ」と述べた。

学生がよく間違えたのは、科学的な結論における微妙な価値判断の問題だった。たとえば、間違いやすいシナリオを示し、相関関係を因果関係と間違えないよう警告した問題では、鉛筆を転がして答えた場合よりも成績が悪かった。

どの専攻であっても、ほとんどの学生は自分の専門分野で学んだ真実の判定方法を、他の分野にどう応用するかわかっていないようだった。その点において、学生たちはルリヤが調査した辺境の村人たちと共通していた。理科系の学生でも、自分の分野の調査方法を一般化して、他の分野に活用することができなかったからだ。フリンはこう結論づけた。「どの学部も狭い範囲でしか、クリティカル・シンキングの能力を育てようとしていない」

フリンは今80代だ。白いひげをたっぷりと生やし、その赤い頬からは生涯続けてきたランニングで風を受け続けてきた様子がうかがえ、頭にはカールした白い髪が積雲のようにうねっている。フリンの自宅はダニーデンの丘の上にあり、そこからは緩やかに起伏する緑の牧場の風景が見渡せる。

フリンはシカゴ大学で学び、そこではクロスカントリー・チームのキャプテンを務めた。同大学で受けた教育を語る時、フリンは声を高める。「最高レベルの大学でさえも、批判的知性を育てていないし、学生の専門分野でしか、現代世界を分析するツールを与えていない。教育の幅が狭すぎる」。フリンが言わんとするのは、コンピューター・サイエンス専攻の学生も美術史のクラスを受けるべきだ、などということではない。誰もがさまざまな領域を行き来する、思考習慣が必要だということだ。

シカゴ大学は長年、領域横断的なクリティカル・シンキングに特化した必修科目を誇ってきた。大学によると、その2年間の科目は、「探求のためのツールを紹介するクラスで、そのツールは科学、数学、人文科学、社会科学など、どの分野でも活用できる。その最終的な目標は、単に知識を学ぶことではなく、根本的な疑問を提起し、この社会を形づくる考え方に親しむことである」(注24)。しかし、フリンによると、シカゴ大学でさえも、異なる領域への概念の適用に関して、十分に教えきれていないという。

大学教授たちは、長年にわたって狭い範囲で研究し続けて、そこで得たお気に入りのことがらを話すのに夢中になりすぎる、とフリンは言う。フリンはコーネル大学からカンタベリー大学まで50年間、教鞭を執ってきたが、自分自身もその同じ批判を免れないと話す。政治哲学の入門の講義では、プラトンやアリストテレス、ホッブス、マルクス、ニーチェなどについてのお気に入りの小話を披露したいという欲求に抵抗できなかった。

フリンは授業で幅広い概念を教えたものの、そのクラスならではの知識も山ほど提供したため、その概念が埋もれてしまったに違いないと思っている。彼はその悪いクセを克服しようとしてきた。アメリカの州立大学で実施した調査によってフリンが確信したのは、大学の学部は学生を狭い専門分野で育てようと急ぎ、一方で、すべての分野で活用できる思考ツールに磨きをかけさせていない、ということだ。

もし、学生に抽象的思考というこれまでとは異なる能力を活用させようとするのなら、こうした教育は変えなければならない、とフリンは主張する。学生には、「何を考えるべきか」を教える前に、「考える」ことを教えなければならない。学生たちは「科学のメガネ」をかけてはいるが、科学的な思考におけるスイス・アーミーナイフ［さまざまな機能を持ったナイフ］も持たせなければならない。

あちこちで、教授たちはこの挑戦を始めている。

ワシントン大学のあるクラスには「コーリング・ブルシット（それはウソだ）」というタイトルがついている（公式には、クラス名はINFO 198／BIOL 106B）。このクラスでは、分野横断的に世界を理解するための基本的な原則や、日々の大量の情報を批判的に評価することにフォーカスする。このクラスが初めて開講された2017年には、登録の最初の1分間で定員がいっぱいになった。(注25)

ジャネット・ウィングは、コロンビア大学教授でコンピューター・サイエンスを担当する。マイクロソフトリサーチの元コーポレート・バイスプレジデントでもある。ウィングは広範な「計算論的思考」を、思考のスイス・アーミーナイフとして推奨する。ウィングによると、この思考法はコンピューターやプログラミングに何ら関係のない人でも、読み書きと同じくらい基本的なものになるという。「計算論的思考では、複雑で大きな問題に取り組む時、その問題を抽象化し、分解し、問題を適切に象徴することがらを選び出す(注26)」とウィングは記す。

こうした試みが始まってはいるものの、学生たちはたいていの場合、経済学者のブライアン・カプランが言うところの「まず就くことがない仕事のための幅の狭い職業訓練(注27)」を受けることになる。アメリカの大学卒業者の4分の3は、専攻した学問とは無関係な仕事に就く(注28)。それは、数学や科学専攻の場合も同じだ。しかも、一つの分野にしか使えないツールにだけ熟達してから、卒業して就職していく。

複雑で、相互につながり合い、変化する世界では、よいツールが一つあってもそれで十分ということはめったにない。歴史学者で哲学者のアーノルド・トインビーは、技術と社会が変化する時代に世界を分析するための「万能のツールなどない(注29)」と述べた。

フリンの思いに、私は深く共感した。ジャーナリズムに転向する前、私は大学院にいて、北極圏のテントで暮らしながら、植物の変化が地下の永久凍土層にどのような影響を与えるかを研究していた。大学院の授業は、北極圏の植物生理学の詳細を頭に詰め込むものだった。

私はコロンビア大学で修士号を取得したが、その後何年もたってから、修士論文のある部分に統計的な誤りがあることに気づいた。それがわかったのは、私が調査ジャーナリストとして、出来の悪い科学調査について書いていた時のことだった。

大学院で、私は他の大学院生と同様に大きなデータベースを持っていて、コンピューターのボタンを一つ押すだけの統計分析をしていた。その時には、その統計分析の仕組みに関して深くは（あるいは全く）考えなかった。その統計プログラムは、「統計的に有意である」と見なされる数字のサマリーを吐き出した。

しかし、残念ながら、結果はほぼ常に「偽陽性」［陽性でないのに陽性であると判定すること］だった。というのも、その統計テストを用いていた状況が、テストの限界を超えるものだったからだ。私の研究をチェックした科学者も、それを理解していなかった。統計学者のダグラス・アルトマンはこう表現する。「誰もが研究をするのに忙しすぎて、自分の手法について立ち止まって考える時間がない」(注30)

私は科学的な論法について学ばないまま、極端に専門的な科学の研究を始めてしまった（それはのちに、修士号取得という形で報われた。修士号とは非常に意地悪な学習環境のためにつくられたものだ）。科学の世界から離れて何年もたってから、今さらのようではあるが、私はようやく科学をどのように進めるべきかを理解し始めた。

幸運なことに、まだ学部生だった頃に、私はフリンの理想を実現している化学の教授の講義を受けていた。その教授は毎回の試験で、典型的な化学の問題の間に、こんな質問を挟んでいた。「ニューヨーク市にピアノの調律師は何人いるか？」。学生たちはただ論理的な推定だけによって、大体の数を求めなければならなかった。

その後教授は、こうした問題は「フェルミ推定」と呼ばれると説明してくれた。エンリコ・フェルミはシカゴ大学のフットボール場の地下に、最初の原子炉をつくった人物だ。フェルミは問題にアプローチする時には、概算によって推定をしていた（*）。フェルミ推定から学べるのは、「考え方」のほうが事前に細かな知識を持つことよりも重要ということだ。

最初の試験では、直感だけで答えた（「全くわからない。多分、1万人くらいかな」）。実際は、ずっと少なかった。この教授の講座が終わる頃には、私の頭の中のスイス・アーミーナイ

*フェルミは最初の原子爆弾のテストに立ち会い、「爆風が起きる前、その最中、通過後」に紙片を落とした。フェルミは紙がどこまで飛ぶかを見て、爆発の強さを推計していた。

フに新たなツールが加わった。わずかな知識だけを使って、自分が知らないことについて推定するというツールだ。

調律師の問題はたとえばこう考える。「ニューヨーク市の人口はわかる。ワンルームマンションに住む独身の人は、調律が必要なピアノをほとんど持っていない。友達は大体一人っ子から多くて3人きょうだいくらい。だから、ニューヨーク市のおよその世帯数がわかる。そのうち、ピアノを持っている世帯の割合と、ピアノはどのくらいの頻度で調律するかを考えて、次に調律師が1日に調律できる台数と1年の稼働日数を考えよう」。一つひとつの推定がそれほど正確でなくても、こうして考えていくとまあまあ妥当な数字が出せる。

ウズベキスタンの辺境の村人は、恐らくフェルミ推定の問題をうまく解けないだろう。私もこの教授の講座を受けるまではそうだった。だが、簡単にできるようになった。20世紀に生まれ育った私は、すでに「科学のメガネ」をかけていたので、あとはその使い方を知るだけだった。私はその教授が教えてくれた化学量論については何一つ覚えていないが、フェルミ推定はしょっちゅう使っている。わずかしかない知識を活用して問題を分解し、知らないことや「類似性」のような問題について調べる手掛かりにしている。

幸いなことに、フェルミ推定のような幅広い思考法を少しトレーニングすれば、それは大いに効果があり、(注31) さまざまな領域に活用できることが研究で示されている。フェルミ推定は「コーリング・ブルシット」の講座でも、やはり取り上げられていた。この講座ではケーススタディーとして、ケーブルテレビの誇張的なニュースを用いて、「フェルミ推定がブルシット（ウソ）を、バターに温かいナイフを通すように、すんなりと見破っていく」(注32)ことを示す。この考え方を用いれば、誰でもニュース記事や広告の数字を見て、怪しい統計をすばやく嗅ぎ分けられるようになる。とても便利なバターナイフだ。もし私も幅広く使える論理ツールをもっと学んでいたなら、北極圏の植物生理学においても、あるいは他のどんな分野においても、ずっとよい研究者になれていただろう。

チェスのマスターや消防士と同じく、近代化以前の村人たちは、明日も昨日と変わらないことを前提に暮らしていた。彼らは以前に経験したことに関しては非常によく対応できたが、それ以外のことに関してはほとんど無防備だった。村人の思考は非常に専門特化されていて、その専門特化の仕方は、現代世界ではどんどん時代遅れになっている。村人は経験から習得する能力はとても高かったが、経験がないと学ぶことはなかった。

この「経験なしで学ぶ」こと、言い換えると、新しいアイデア同士を結びつけ、領域を超えて考えることができる概念的な論理能力が、急速に変化する「意地悪な」世界で求められている。辺境の村人は、直接経験したことのない問題を前にすると、全く手も足も出なかった。私たちはそれでは済まされない。これからは、一つの問題や領域の概念的な知識を、全く別の問題や領域に適用できるような人が、大きな見返りを手にするようになるだろう。

知識を幅広く活用する能力は、幅広いトレーニングから生まれる。現代とは別の時代のある国で、特定のスキルを持った演奏者のグループが、幅広いトレーニングを芸術にまで高めた。

このストーリーは古いものではあるが、現代においては、チェスの天才児のストーリーよりも、ずっと参考になる。

第3章

少なく、幅広く練習する効果

When Less of the Same Is More

17世紀のベネチア（ベニス）を旅した人たちは、そのどこにいても、耳を澄ませば過去の限界を超えた音楽を聴くことができただろう。(注1) 音楽史でその時代を表す「バロック」という言葉からして、元々は宝石商の言葉で、途方もなく大きく珍しい形をした真珠を表すものだった。

歌を伴わない「器楽曲」の世界では、大きな革命が進行していた。新しい楽器、たとえばピアノなどが誕生し、古くからの楽器も改良されていた。この頃にアントニオ・ストラディバリがつくったバイオリン、ストラディバリウスは、その数世紀後に数百万ドルで売り買いされるようになった。現代の長調と短調の仕組みがつくられたのもこの頃だ。

音楽界のスターの起源とも言えるビルトゥオーソ〔優れた技術を持つ演奏家〕が生まれ、作曲家たちはそのスキルに飛びつき、演奏家の力をさらに際立たせようと、入り組んだソロを書いた。ビルトゥオーソがソロを演奏して、オーケストラと呼応し合うように演奏される「協奏曲」も生まれ、アントニオ・ビバルディがその作曲家としては押しも押されもせぬ王者となった。ビバルディの「四季」は３００年前の音楽ではあるが、現代でいうポップスのヒット曲のようなものだった（なお、「四季」とディズニー映画の「アナと雪の女王」の主題歌を組み合わせた演奏は、ＹｏｕＴｕｂｅの視聴回数が９０００万回になっている）。

ビバルディのクリエイティビティーを刺激したのは、ある音楽家のグループだった。そのグループはヨーロッパじゅうの皇帝や王、王子、枢機卿《すうきけい》〔ローマカトリック教会の教皇に次ぐ最高位の聖職者〕、伯爵夫人らを魅了し、その時代としては最も革新的な音楽で楽しませた。グループは女性だけで構成され、「フィーリエ・デル・コーロ」として知られていた。「聖歌隊の娘たち」

という意味だ。水上都市のベネチアでは、乗馬や野外スポーツなどはほとんどできず、市民の娯楽は音楽に集中した。[注2] バイオリンやフルートやホルンの音、歌声などが、すべてのはしけやゴンドラから聞こえ、夜に溶け込んでいった。音楽で賑わったこの時代のベネチアで、フィーリエは1世紀もの間、圧倒的な人気を博していた。[注3] ある著名な作家は、「この音楽の天才たちに会えるのは、ベネチアだけだ[注4]」と記した。

フィーリエは音楽革命の源であったが、同時に変わり者のようにも思われていた。ベネチア以外では、楽器は男性が演奏するものだったからだ。[注5] あるフランスの政治家は驚きを隠さずにこう記した。「彼女たちは天使のように歌い、バイオリンやフルート、オルガン、オーボエ、チェロ、バスーンを演奏する。つまり、どんな大きな楽器でも恐れないということだ[注6]」。お世辞は言わない人たちもいた。イギリスの貴族階級の作家、ヘスター・スレールは、少女たちがコントラバスを弾き、バスーンに息を吹き込むのを見るのは、「あまり楽しいものではない[注7]」と書いた。「女性にふさわしい楽器[注8①]」は、チェンバロやミュージカル・グラス「コップに水を入れて、その縁をこすって音を出す」だとされていた。

スウェーデンの王はフィーリエに驚き、好色家で知られるカサノバも、会場を埋め尽くした観客に驚嘆した。気難しいフランス人のコンサート批評家は、一人のバイオリニストだけに言及した。「このバイオリニストは女性として初めて我が国の偉大なバイオリニストたちの成功を脅かす[注8②]」。あまり芸術に興味のなさそうな人たちでさえ、心を動かされた。フランチェスコ・コーリは「天使のようなセイレーン「甘い歌声で船員を誘惑する海の妖精」」と表現し、「最も優美な鳥の声」よりも美しく、「聴衆のために天国へのドアを開け放つ（注9）」と書いた。コーリはベネチアの宗教裁判で本の検閲官だった。

フィーリエのメンバーの中でも、アンナ・マリア・デラ・ピエタら、特に優れた演奏家はヨーロッパ中に名を馳せた。あるドイツの男爵はアンナ・マリアをシンプルに、「ヨーロッパで一番のバイオリニスト（注10①）」だと言い切った。ブルゴーニュ議会の議長は、パリであっても「右に出るものがいない（注10②）」と言った。

ビバルディが1712年に記入した経費報告書（注11）には、16歳のアンナ・マリアにバイオリンを買うために20ダカットを支払ったとある。20ダカットは、ビバルディにとっては4カ月分の収入に相当し、ちょうど婚約指輪くらいの金額だ。ビバルディはフィーリエ・デル・コーロのために何百もの協奏曲を書いたが、「アンナ・マリア・ノート」には28曲が書かれて残っている。皮で装丁されたそのノートは、ベネチアン・スカーレット（緋色）に染められ、金箔でアンナ・マリアの名前が刻まれている。そこに書かれた作品は、アンナ・マリアの腕前を特に強調するためのもので、複数の弦で同時に異なる音を鳴らしながら高速で弾くフレーズがたくさん入っていた。

1716年には、ベネチア軍がコルフ島でオスマン帝国と戦うに当たって、議会の上院がアンナ・マリアを含むフィーリエのメンバーに、神の加護を得るために音楽活動を強化するように命じた（注12）（この戦いでは、ベネチアのバイオリンとタイミングのよい嵐の組み合わせのほうが、トルコの大砲より強いことが証明された）。

ジャン・ジャック・ルソーが1740年代にベネチアを訪問した時、アンナ・マリアはすでに中年となっていた。ルソーは反逆的な哲学者で、作曲家でもあり、のちにはフランス革命に影響を与えた。ルソーの言葉によると、「私はイタリア音楽には偏見のあるフランスから、その偏見とともにやってきた」。しかし、フィーリエ・デル・コーロが演奏した音楽は、「イタリアの音楽のようではなく、ほかの国の音楽とも異なっていた」(注13)

ただ、ルソーは「ひどく落胆した」。アンナ・マリアを見ることができなかったからだ。教会の高いバルコニーの鉄格子に薄い布がかけられ、フィーリエはその奥で演奏していた。音楽は聞こえたが、見えるのは影だけで、その影が音楽の流れに合わせて傾いたり、揺れたりしていた。まるで、影絵のステージのようだった。「鉄格子が、美しい天使たちを私から隠していた」とルソーは書いた。

ルソーがフィーリエのことばかり話していたので、偶然、フィーリエの有力なパトロンともその話をすることになった。その男はルソーに、「あなたがそれほどまでにあの女の子たちに会いたいのであれば、そう難しいことではありません」と言った。

ルソーはそれほどまでに「会いたい」と思っていた。だから、その男性にしつこく頼み続け、ようやく会わせてもらえることになった。ルソーは当時、著作が発行禁止となり、民主主義を煽らないように燃やされてしまうほど恐れを知らない人物として知られていたが、その彼がフィーリエに会うのを待ちきれない気持ちになった。「待望の美女たちを閉じ込めているサロンに入ると、恋しくて震えを感じた。かつて経験したことがない気持ちだった」

パトロンは女性たちを紹介した。その名声がヨーロッパ中に野火のように広がっている天才のセイレーンたちだ――。そこでルソーは愕然とした。

ソフィアを見て「恐ろしかった」とルソーは記す。カティーナは「目が一つしかなかった」。ベティーナは「天然痘のために外見が完全に損なわれていた」。ルソーによると、その中のわずか一名だけが、「目立つ欠陥がなかった」。

フィーリエの優れた歌い手の一人について、詩が書かれている。「失われているのは彼女の左手の指、見当たらないのは左足」(注14)。熟達した楽器奏者は、「体に障害のある気の毒なレディたち」だった。

もっと思いやりのない言葉を残した人もいる。イギリスから訪問したミラー夫人は、ルソーと同じくその音楽に魅了され、演奏家たちを隠している布を取り除いた状態で音楽を聴きたいと懇願した。「私の願いは聞き入れられた」(注15)とミラーは記す。「だが、部屋に入ると、私は激しく笑いだしてしまった。追い出されなかったのが不思議なくらいだ。(中略)私の目は十数人の醜く、年老いた老婆に釘づけになった。(中略)若い女性も何人かいた」。ミラーは彼女たちの演奏を見るのはやめにした。「演奏家たちの姿を見たら、気分が悪くなった」からだとミラーは書いている。

聴衆に優雅な音楽を提供した女性たちは、優雅な生活を送ってはいなかった。フィーリエのメンバーの母親の多くは、ベネチアで盛んだった性産業で働いており、出産する前に梅毒にかかっていた。その後生まれた子どもは、「オスペダーレ・デラ・ピエタ」に捨てられた。オスペダーレ・デラ・ピエタは直訳すると「慈悲の病院」だが、比喩的に「身寄りのない人の家」を意味し、そこで少女たちは成長し、音楽を学んだ。

オスペダーレ・デラ・ピエタは、四つあったオスペダーレのうち最大のものだった。オスペダーレは慈善施設で、それぞれ特定の社会問題を改善するためにつくられていた。ピエタが改善しようとしていたのは、父親のいない子ども（大半が女の子）の問題だ。そうした子どもたちは運河に捨てられることも多かった。

ピエタに捨てられた子どもたちの多くは、母親の顔を知らない。ピエタの外壁に設けられた引き出しの中に捨てられたからだ。空港で飛行機に持ち込める手荷物の大きさを確認する装置のように、赤ん坊がまだその引き出しに入れる大きさであれば、ピエタはその子を引き取って育てた。

偉大なアンナ・マリアは、その典型例だ。恐らく売春婦だった母親が、賑やかな遊歩道を通って、サン・マルコ入り江の水際にあったピエタに、生まれて間もないアンナ・マリアを連れてきた。その引き出しには、新しい赤ん坊が来たことをスタッフに知らせるベルがついていた。引き出しには、赤ん坊と一緒に布やコイン、指輪やアクセサリーなどが添えられている場合が多かった。(注16) いつか戻ってきて、その子を取り戻す時の証拠とするためだ。ある母親は、見事に描かれた天気図の半分を入れた。残りの半分を持って、迎えにくることを願っていたのだろう。しかし、それらの品々の大半と同様に、少女たちの多くも一生涯をピエタで過ごした。

アンナ・マリアと同じく、捨てられた子どもたちの大半は、血のつながった親戚を知らなかった。したがって、その名前には施設の名前がつけられた。アンナ・マリア・デラ・ピエタは、ピエタのアンナ・マリアという意味だ。18世紀の名簿を見ると、(注17)アンナ・マリアの事実上の姉妹の名前がずらりと並んでいる。アデレード・デラ・ピエタ、アガタ・デラ・ピエタ、アンブロジーナ・デラ・ピエタ、ずっと続いて、最後のほうは、ビオレータ、バージニア、ビットリア・デラ・ピエタ。

オスペダーレは半官半民のパートナーシップで運営され、ベネチア人の上流階級のボランティアによる理事会が監督していた。オスペダーレは公式には宗教とは無関係とされていたが、実際には教会に隣接しており、その中での生活は修道院に似たルールで進められた。住人は年齢と性別によって住まいが分けられ、朝食前には毎日ミサがあり、定期的に罪の告白をした。たとえ子どもであっても全員が、その施設を回すために常に働いていた。1年に1日だけ、少女たちは田舎に遠足に行くことが認められていた。もちろん、お目つけ役も一緒だ。厳格な暮らしだったが、子どもたちにはメリットもあった。

子どもたちには、読み書き、計算が教えられ、職業訓練も実施された。薬剤師になったり、絹製品クリーニングや、船の帆を縫う仕事に就いた人もいた。オスペダーレは、全員が働く自給自足のコミュニティーだった。全員が仕事をして報酬を受け取り、預金すれば利子を支払う銀行もあった。子どもたちはお金の管理の仕方を学んだ。少年たちは仕事を覚えるか海軍に入って、10代のうちに施設を離れた。女性が施設から出る主なルートは結婚だったが、持参金は貯まっても、施設にとどまり続ける人が多かった。

オスペダーレが楽器を手に入れると、隣接する教会の宗教行事で演奏をさせるため、少女たちに音楽が教えられるようになった。1630年に伝染病が広まり、ベネチアの人口の3分の1が亡くなると、ベネチアの市民は特に「懺悔をしたい気持ち(注18)」になったと、ある歴史家は言う。すると、音楽家の重要性が突然高まった。

オスペダーレの理事たちは、音楽の演奏によって教会に来る人が増えていることに気づいた。少女たちの演奏がうまくなるにつれて寄付金が集まり、資金が増えていった。18世紀には、資金集めのために積極的に演奏家の宣伝をするようになった。毎週、土曜日と日曜日には、夕暮れ時からコンサートが開かれ、教会は人であふれた。入場料は無料だったが、椅子に座りたい人には、オスペダーレのスタッフが喜んで有料で椅子を貸し出した。室内がいっぱいになると、聴衆は外から窓に群がるか、入り江にゴンドラを停めて耳を傾けた。

捨て子たちは、ベネチアの社会福祉システムを支える経済面での力になっただけでなく、海外からの観光客も呼び寄せた。娯楽と懺悔が意外にも混ざり合った。教会の中では拍手は御法度なので、聴衆は最後の音が鳴りやむと、称賛しながら咳払いをしたり、足をこすったり鼻をかんだりした。

オスペダーレは作曲家にオリジナル曲の作成を依頼した。6年の間に、ビバルディはピエタの音楽家のためだけに140の協奏曲を書いた。ピエタ内での教育システムも進化し、年長のフィーリエが若いフィーリエを教え、若いフィーリエが初心者を教えた。演奏家たちは複数の仕事を持っており、アンナ・マリアは教師であり、筆耕者だった。それでも、彼女たちの中から次々とスターが生まれた。アンナ・マリアの後継者であるキアラ・デラ・ピエタは、ヨーロッパ全体で最も優れたバイオリニストとして称賛された。

ここで疑問が湧く。ピエタにはどんな魔法のトレーニングの仕組みがあったのか。孤児たちはベネチアの性産業で産み落とされ、施設に助けられなかったら、運河で命を落としていたかもしれない。その子どもたちが、どうやって世界初の国際的ロックスターのような存在になったのだろうか。

ピエタの音楽プログラムは、特別に厳しいものではなかった。ピエタの指導リストによると、公式のレッスンがある日は火曜と木曜と土曜で、個人練習は自由にできた。ただし、フィーリエ・デル・コーロの創成期には、多くの時間が仕事や日々の雑用などに充てられていたため、音楽の練習は1日に1時間しか認められていなかった。

最も驚かされるのは、彼女たちがいくつもの楽器を学んでいたことだ。18世紀のイギリスの作曲家で歴史家のチャールズ・バーニーは、オックスフォード大学で音楽の博士号を取得後、決定版となる音楽史を書こうと決め、オスペダーレも何度か訪問した。バーニーは旅行作家としても、優れた音楽学者としても有名になったが、ベネチアで見た光景には度肝を抜かれた。

ある時、オスペダーレを訪れると、演奏者との間にカーテンも何もない状態で、バーニーは2時間のプライベートな公演を聴くことができた。それについて、こう記している。「そのすばらしい公演は、聴くのはもちろん、見ていても好奇心のそそられるものだった。音楽のすべてが、バイオリンも、オーボエも、テノール、バス、チェンバロ、フレンチホルン、コントラバスさえも、女性によって奏でられていた」。さらに興味深かったのは、「その若い演者たちが、頻繁に楽器を交代していたことだ[注19]」

フィーリエのメンバーは、歌のレッスンを受け、施設にあるすべての楽器の演奏を学んだ。新しいスキルを学ぶと、賃金が支払われることも後押しとなった。マッダレーナという名前の演奏家は、結婚して施設を離れ、ロンドンからサンクトペテルブルクまでの公演ツアーに出た。マッダレーナはバイオリン、チェンバロ、チェロを演奏し、ソプラノ歌手としても活動した。マッダレーナ本人によると、「女性ができるとは考えられていないスキルを獲得し[注20]」、とても有名になったのでゴシップライターが個人的なことまで記事にしたという。

生涯施設で暮らした女性たちにとっては、複数の楽器を演奏できることは、実質的な意味で重要だった。ペレグリーナ・デラ・ピエタ[注21]は、ぼろ布に巻かれて施設の引き出しに捨てられていた。バス歌手としてスタートし、バイオリンに移り、その後オーボエに変わった。この間、ずっと看護師の仕事もしていた。ビバルディがペレグリーナのための特別なオーボエパートを書いたほどの腕前だったが、60代になって、ペレグリーナの歯が突然抜け落ちた。そのためオーボエが吹けなくなったので、ペレグリーナはバイオリンに戻って70代まで演奏を続けた。

ピエタの演奏家たちは、その多彩な能力を誇った。あるフランス人の作家によると、彼女たちは「神聖なものから世俗的なものまで、あらゆるスタイルの音楽[注22]」の訓練を受けていたという。コンサートでは「歌と楽器をとても多様に組み合わせて」演奏していた。聴衆はみな、フィーリエがさまざまな楽器を演奏できることに注目した。休憩中に歌い手のビルトゥオーソが登場し、楽器で即興演奏をすることもあった。

フィーリエは、コンサートで演奏する楽器だけではなく、教育用や実験用の楽器も学んだ。チェンバロに似たスピネットという楽器、チェンバーオルガン、トロンバマリーナとして知られる巨大な弦楽器、木製のフルートのようであり、外側に皮が張られたツィンクという楽器。弦楽器のビオラダガンバ。これは、まっすぐ立ててチェロのように弓で演奏するが、チェロより弦の数が多く、形も少し違い、ギターのようなフレットがあった。

さらにフィーリエは、ただ演奏がうまいだけではなく、楽器の開発や改良にも多くの時間を使った。音楽学者のマルク・パンシェルルによると、フィーリエがさまざまなスキルを持ち、風変わりな楽器も多く集めていたため、「ビバルディは、無尽蔵の材料がある音楽実験室を自由に使える」(注23)状態だった。

フィーリエが学んだ楽器の中には、それが何なのか誰も知らない、謎めいたものもあった。プルデンツァという若いメンバーは、バイオリンや「ビオロンチェロ・アッリングレーゼ」という楽器の奏でる音楽に乗せて美しく歌った。音楽学者はその楽器が何なのか議論してきたが、いずれにせよフィーリエは、他のさまざまな楽器、たとえばシャリュモー(管楽器)やプサルテリー(弦楽器)といった珍しい楽器と同様に、ビオロンチェロ・アッリングレーゼの演奏方法も身につけていった。

フィーリエは作曲家たちを、未知の高みへと導いた。バロックの作曲家から、バッハやハイドン、モーツァルトといったクラシックの巨匠へと、音楽を橋渡しするのにも貢献した。バッハはビバルディの協奏曲を編曲し、ハイドンはフィーリエの一人で、歌手でハープ、オルガン奏者のビアンチェッタのために曲を書いた。モーツァルトは子どもの頃にオスペダーレを父親と一緒に訪れ、10代になって再訪した。

フィーリエがさまざまな楽器を演奏できるので、作曲家は音楽を深く実験でき、それが今日のオーケストラの基礎になったとも言われている。音楽学者のデニス・アーノルドによると、フィーリエを通じて起きた教会音楽の近代化は非常に影響力があり、モーツァルトの代表的な宗教曲の一つは、このベネチアの孤児院の少女たちの力がなかったら、「全く作曲されていなかったかもしれない(注24)」

しかし、彼女たちの物語は大方忘れ去られた。1797年に侵攻してきたナポレオンの軍隊は、(注25)写本や記録をオスペダーレの窓から投げ捨ててしまった。その200年後、ワシントン・ナショナル・ギャラリーで、女性たちがコンサートを開いている18世紀の有名な絵画が公開されたが、聴衆の上のバルコニーにいる、黒いドレスを着た謎めいた人たちが誰なのか、見た人にはわからなかった(注26)。

フィーリエが忘れられた理由として考えられるのは、女性が公式な宗教行事で音楽を演奏することがカトリック教会の権威に反する行為だったことだ。あるいは、フィーリエの多くに家族がおらず子どもを産まなかったからかもしれない。彼女たちに名字はなかったが、その楽器と一心同体だったため、楽器名が名前の一部となった。壁の引き出しから施設に入ってきた赤ん坊は、アンナ・マリア・デラ・ピエタとして世界への道を歩み、ステージによって、アンナ・マリア・デル・バイオリーノ［バイオリン］、アンナ・マリア・デル・テオルボ［弦楽器の一種］、アンナ・マリア・デル・チェンバロなどと使い分けた。(注27)

フィーリエの物語を今日に置き換えてみたら、こんな感じになるだろう。

ある土地の旅行サイトをクリックすると、エンタテインメントのおすすめが表示される。そこに挙げられているのは、世界的に有名な孤児によるオーケストラだ。そのメンバーはみな赤ん坊の時、音楽会場の玄関に捨てられていた。コンサートでは、あなたが大好きでよく知っている楽器のほか、聞いたことのない楽器も演奏される。演奏家たちは時々、コンサートの途中で別の楽器を奏でる。「ぜひ、ツイッターで @FamousFoundlings（有名な捨て子）をフォローしてください。２００ダカットの持参金についてはご心配なく。フィーリエにはエージエントもいますし、映画の話も進んでいますから」

タイガー・ウッズが2歳でテレビに出演した時のように、フィーリエの話を聞いて、世間の親やメディアはその成功の秘密を解き明かそうと躍起になるだろう。実際、18世紀の親たちはそこに押しかけた。貴族は自分の娘を、ある歴史家の言う「才能ある貧困者」(注28)と一緒に演奏させようと競い合い、お金を注ぎ込んだ。

しかし、フィーリエの音楽教育戦略は、現代の親にはなかなか受け入れられないだろう。一人が多くの楽器を学ぶアプローチは、今日のスキル向上のための一般的な説と正反対だ。意識的な練習のフレームワークにも、もちろん当てはまらない。意識的練習では、伸ばそうとするスキルに極度にフォーカスした練習が重視される。その立場からすると、多楽器のアプローチは単に時間のムダだ。

高度な訓練を狭い範囲で早くから始めると効果が高いものの例として、音楽はゴルフと並んでよく挙げられる。タイガー・ウッズにしても、イェール大学の法律学の教授で「タイガー・マザー」として知られる人物にしても、言わんとすることは同じだ。できるだけ早く選んで、焦点を絞って、決してぶれないこと。

タイガー・マザーの本名は、エイミー・チュア。タイガー・マザーの呼び名は2011年に出版された書籍『タイガー・マザー』でチュア自身がつけた。タイガー・ウッズと同様に、タイガー・マザーのやり方も広く知られるようになった。チュアは「中国人の親たちは、どうやってあんなに優秀な子どもたちを育てているのか」について、同書で秘訣を公開している。その第1章の1ページ目から、チュアの娘のソフィアとルルがやってはいけないことがリストになって並んでいる。たとえば、「ピアノとバイオリン以外の楽器の演奏」は禁止だ（ソフィアはピアノを、ルルはバイオリンを割り当てられた）。チュアは1日3時間から4時間、時には5時間の練習を監督した。

親たちは、オンライン・フォーラムに集っては、子どもにどの楽器をやらせるべきかと悩みを語る。子どもはまだ幼くて自分で楽器を選べないが、自分で決められるようになるまで待っていたら後れを取って、取り返しがつかなくなると心配する。2歳半の男の子を持つ親は、「子どもに少しずつ言い聞かせて、音楽を演奏するのはとっても素敵なことだと思わせるようにしています」と投稿する。別の親は「どの楽器が一番いいのか、本当にわからない」と書く。また別の人物は、「7歳なら、バイオリンはやめたほうがいい」とアドバイスする。もっと早く習い始めた他の子どもたちとの差は埋めがたいというわけだ。ある民間の音楽教室はこうした心配に答えて、まだ幼くて、好きな色すら毎週変わるような子どものために「楽器を選ぶコツ」(注29)をアドバイスしている。

もちろん、専門能力を築く道筋はいくつもある。傑出した音楽家の中には、とても幼い頃に楽器を絞った人もいる。世界的チェリストのヨーヨー・マがそうであることは有名だ。ただ、あまり知られていないのは、ヨーヨー・マがバイオリンから始め、ピアノに移り、それからチェロを始めたことだ。バイオリンとピアノは、あまり好きではなかったという。(注30)ヨーヨー・マは一般的な生徒よりも、ずっと早く「体験期間」を過ごしていた。

タイガー・ウッズの親もタイガー・マザーも、体験期間を丸々省こうとしている。これは、スポーツ科学者でコーチのイアン・イェーツが私に語ったこととも相通じる。イェーツはさまざまなスポーツでプロを目指す選手を育てている。イェーツによると、親たちが「オリンピック選手が現在やっていることを子どもたちにやらせたい」と言って彼のもとを訪れるケースが年々増えているという。オリンピック選手が12歳か13歳の頃にやっていたこと、つまり、さまざまな運動で全般的な運動能力を鍛えたり、一つのスポーツの技術にフォーカスする前に、幅広い活動で能力や興味を調べたりするのではなく、今選手がやっていることをやらせたいという。体験期間は偉大な選手や演奏者がたまたま経てきたものではない。早く上達するために省略できるものではなく、不可欠なものだ。

ジョン・スロボダは音楽心理学の代表的な研究者の一人だ。スロボダの1985年の著書『ミュージカル・マインド（The Musical Mind）』は、音楽の起源から演奏スキルの獲得までを取り上げ、今後研究されるべきテーマも挙げている。研究者たちは今もそれらのテーマに取り組んでいる。1990年代を通じて、スロボダは仲間の研究者とともに、音楽能力をどう成長させるかについて研究した。当然、音楽家の成長において練習はとても重要だが、詳しく調べると意外な点が見えてきた。

8歳から18歳までの初心者から難関の音楽学校に通う生徒まで、さまざまな音楽レベルの生徒を調べたところ、（注31）非常に上達した人でもそうでもない人でも、音楽を始めた頃の練習量に大差はなかった。上達した生徒たちの練習量が他の生徒よりも大きく増え始めるのは、自分がフォーカスしたい楽器がわかってからだ。その楽器が他の楽器よりもうまく演奏できたり、好きだったりしたために、その楽器を選んでいる。選んだ楽器が生徒たちのモチベーションになっているようだった。

200人の若い音楽家を調べた別の研究では、音楽をやめてしまった人たちは「自分がやりたかった楽器と、実際にやることになった楽器が違っていた（注32）」と訴えている。タイガー・マザーのエイミー・チュアは、娘のルルが「生まれつきの音楽家」だったと言う。チュアの友人の歌手も、ルルを「誰も教えられない」ような才能を持った「類い稀な」子どもだと言った。ルルはバイオリンがどんどんうまくなったが、やがて母親に不吉な予言のように「お母さんがバイオリンを選んだ。私じゃないわ」と言うようになった。13歳で、ルルはバイオリンをほとんどやめてしまった。チュアは著書の最後の部分で、率直に自分を省みて、ルルに何の楽器をやるか自分で選ばせていたら、まだ音楽を続けていただろうか、と書いている。

スロボダたちは、イギリスのある寄宿音楽学校も調査した。その学校には、国中から生徒が集まっており、入学は完全にオーディションによって決められる。スロボダらが驚いたのは、音楽学校で最優秀と認められている生徒たちは、それよりも成績が低い生徒たちに比べると、音楽にそれほど熱心でない家庭の子どもが多く、楽器を始めた年齢も低いわけではなく、とても幼い頃には家に楽器がなかった家庭も多かったことだ。また、その学校に入る前に受けたレッスン数も、成績が下の生徒よりも少なく、全体的な練習量は圧倒的に少なかった。

「正味の練習量や練習時間が、優秀さを示す適切なバロメーターにならないことは、非常にはっきりとしている」(注33)とスロボダらは述べる。また、正式なレッスンを、早期に長時間受けていた生徒たちは、全員が「平均的」な評価レベルに留まり、「最優秀」のグループには入っていなかった。「ここから考えられるのは、幼い頃にあまりに多くのレッスンを受けても、効果はないかもしれないということだ」

一方で、スロボダたちはこうも記す。「しかし、異なる楽器の練習をすることは重要なようだ。学校が『最優秀』と認めた子どもたちは、三つの楽器に比較的均一に取り組んでいた」。それよりスキルの低い子どもたちは、まるでヘッドスタートによる優位を守ろうとするかのように、一つ目の楽器に時間を費やす傾向があった。最優秀の生徒たちは、いわばフィーリエ・デル・コーロのように成長した。「三つの楽器にほどよく取り組んだことが、大きな効果をもたらした」と、スロボダらは結論づけた。

この研究では、最優秀に至るまでには、多様なルートがあることが示された。だが、その中でも共通していたのが体験期間だった。さまざまな楽器や活動を経験し、あまり厳しくないレッスンをある程度受け、そのあとになってようやく焦点を絞って、より厳しいレッスンを受けて練習量を激増させる。このパターンに聞き覚えがないだろうか。

スロボダの研究から20年後、ある研究では難関の音楽学校に入学を認められた若い音楽家と、同様に熱心に音楽に取り組んではいるがスキルの劣る学生とを比較した。(注34) その結果、よりスキルの高い学生はそうでない学生と比べて、少なくとも三つの楽器を演奏する割合がはるかに高かった。また、半分以上が四つか五つの楽器を操った。

クラシック音楽の演奏は、ヘッドスタート信仰が最も盛んなところだ。というのも、音楽の習得はある意味でゴルフのようなものだからだ。つまり、設計図があり、ミスはすぐにわかって、練習では同じことを何度も繰り返して、自動的に体が動いて変動が最小限になるまで取り組む。ではなぜ、できるだけ早く楽器を決めて、技術的な訓練を始めることが、成功への標準ルートとならないのだろうか。クラシック音楽でさえも、シンプルなタイガー方式には当てはまらない。

2006年に出版された、『専門能力と優れたパフォーマンスのためのケンブリッジ・ハンドブック(Cambridge Handbook of Expertise and Expert Performance)』は、ある意味で1万時間学派の著者や講演者、研究者のためのバイブルのような存在だ。この本は、ダンス、数学、スポーツ、手術、執筆、チェスなどの専門家が、各章を担当して書いている。全体で900ページある分厚い本で、ハンドブックと言っても大きな手でなければ持てるサイズではない。音楽の章は明らかにクラシックの演奏にフォーカスしている。その中の音楽能力の発達について記した部分では、クラシック以外の演奏家について、触れているのは実質的に一言だけだ。すなわち、ジャズやフォークや現代ポピュラー音楽のミュージシャンは、クラシックの演奏家のように、焦点を絞って専門的な練習だけをやり続けることはなく、また「始めるのもずっと遅い」という。

ジャック・セッチーニは、ジャズとクラシックの両方で世界レベルの演奏をする珍しい音楽家だ。そうなれたのは、二つの偶然の出会いのおかげだとセッチーニは言う。一つは実際の出会い、もう一つは言葉を通じた出会いだった。

最初の出会いは1950年、シカゴでのことだ。13歳の時、家主の家のソファーにギターが置いてあって、それを偶然に見つけた。そばを通り過ぎる時、ギターの弦を指ではじいてみた。すると、家主がギターを持って、二つのコードの弾き方を教え、すぐにセッチーニに伴奏してほしいと頼んだ。もちろん、できなかった。「家主はコードを変えるタイミングで首を振り、僕が失敗すると悪態をついたんだ」と、セッチーニはクスクス笑いながら言う。

セッチーニの興味に火がつき、ラジオから聞こえてくる音楽をまねするようになった。16歳の時には、若すぎて客にはなれないようなシカゴのクラブで、バックグラウンド・ミュージックとしてジャズを弾いていた。「まるで工場みたいだった」とセッチーニは私に言った。「トイレに行く時には、誰か別の人に代わってもらわなきゃいけないんだ。でも、毎晩いろんな実験をしたよ」。セッチーニが受けた音楽レッスンは無料のものだけだった。それはクラリネットのレッスンで、そこで学んだことをギターに生かした。「ギターには同じ音を出せる場所がたくさんある。問題を解決しようとしているうちに、指板の使い方を覚えたんだ」

やがてセッチーニは、シカゴのナイトクラブ、ヴィラ・ベニスでのフランク・シナトラの公演に参加するようになった。アポロシアターではミリアム・マケバと公演し、ハリー・ベラフォンテのツアーに参加して、カーネギーホールや満員の野球場などで演奏した。ここで二度目の偶然の出会いがやってくる。

セッチーニが23歳の時、ベラフォンテのステージで踊っていたダンサーが、セッチーニのギターとアンプをつないでいたコードを踏んだ。すると、ギターはささやき声くらいにしか聞こえなくなった。「ハリーはパニックになってね、『そんなものは捨てちまって、クラシックギターにしろよ』と言ったんだ」と、セッチーニは振り返る。

クラシックギターを買うのは簡単だった。だが、ずっとピックを使ってギターを弾いてきたので、指で弾く方法を覚えなければならなかった。ツアーの間にそれをマスターするのは大変だった。

だが、セッチーニはクラシックギターに恋をした。31歳になった時には非常に熟達しており、ソリストとして選ばれて、ほかならぬビバルディの協奏曲をオーケストラとともに、シカゴのグラントパークで演奏した。翌日のシカゴ・トリビューン紙には、次のようなレビューが掲載された。「クラシックを奏でる楽器としてギターをよみがえらせようと、熱心に取り組む人たちがかつてないほど増えている。だが、あらゆる楽器の中で最も美しく、かつ頑ななほどに難しいこの楽器をマスターするだけの才能と忍耐力を持ち合わせている人はほとんどいない。(セッチーニは)そうした稀少な人物の一人であることが証明された(注35)」

偶然にギターを始め、スタートが遅かったにもかかわらず、セッチーニはジャズとクラシックの両方で有名なギター教師になった。州外からも生徒が押し寄せ、1980年代前半には、夜中の間にセッチーニのシカゴの教室に続く階段に、列ができたほどだ。セッチーニ自身が受けたことがあるレッスンといえば、もちろん無料のクラリネットのレッスンだけだ。「僕は98パーセント独学だ」とセッチーニは言う。彼は途中で楽器を変え、試行錯誤しながら学んできた。それは珍しいと思われるかもしれないが、セッチーニが共演した大物ミュージシャンや尊敬してきたミュージシャンについて語った時、その中にはタイガー・ウッズのタイプはいなかった。

デューク・エリントンは、正式なレッスンを受けた経験がある数少ないミュージシャンの一人だ。7歳の時にマリエッタ・クリンクスケールズという名前の音楽教師からレッスンを受けた。だが、音符を読めるようになる前に興味をなくし、音楽を一切やめて野球に熱中した。学校で興味を持って学んだのは絵画だった（のちに、美術学校から奨学金提供の申し出があったが断った）。14歳の時にラグタイム〔19世紀末から20世紀初頭にアメリカで流行した音楽〕を聞き、7年ぶりにピアノの前に座って、聴いた音楽をコピーしようとした。「自分で楽器をいじってみようと思うまでは、音楽とは何のつながりもなかった」(注36)とエリントンは言う。「誰かが教えてくれる音楽は、ルールや規則ばかりだ。（中略）ピアノの前に座って自分でやろうとする分には、何の問題もない」。傑出した作曲家になっても、エリントンは自分の音楽のメモ書きを一般的な形の楽譜に書き直してもらっていた。(注37)

セッチーニが特に尊敬しているのが、ジャズギタリストのジョニー・スミスだ。スミスはアラバマ州のショットガンハウス〔アメリカ南部に多く見られた長方形の小さな家〕で育った。近所の住民は集まって音楽を演奏し、子どもの頃のスミスは、夜中に彼らが置いていった楽器を何でも使って遊んでいた。「ジョニーはどんな楽器でも弾いていた」と兄のベンは言う。(注38)そのおかげで、地元のいろいろな楽器のコンテストに出場できた。賞品は食糧で、2キロ余りの砂糖1袋を獲得したこともある。ただ、バイオリンはあまり好きではなかった。スミスは、ギターのレッスンが受けられるなら50マイル（80キロ）だって歩いただろうと言ったが、周囲にはギターの教師はいなかったので、いろいろ試しながら楽器を学んだ。

アメリカが第二次世界大戦に参戦すると、スミスはパイロットを目指して軍隊に入った。しかし、左目が悪かったためパイロットにはなれなかった。代わりにマーチングバンドに入れられたが、ギタリストには全く出番がなかった。そのため、まだ楽譜は読めなかったが、いろいろな楽器を自分で覚えるようにと指示された。兵士を集めるためのイベントで演奏できるようにするためだ。こうしてさまざまな楽器を幅広く経験したことが基盤となって、戦後はＮＢＣ放送局の音楽アレンジの仕事に就いた。

スミスは学ぶことを学び、その多楽器、多ジャンルの音楽スキルはとても有名になった。だからこそ、困った立場に追い込まれることもあった。ある金曜日の夜、ＮＢＣから帰ろうとしていた時、エレベーターのところで呼び止められて、新しいギターのパートを覚えてくれないかと言われた。それを演奏するために雇われていたクラシックの演奏家が、うまく弾きこなせなかったという。それは作曲家のアーノルド・シェーンベルクの75歳の誕生日を祝うために演奏される曲で、シェーンベルクの無調の作品の一つだった。25年の間、演奏されていなかった曲だ。演奏会まで、残された日はわずか４日。その晩スミスは夜通し練習し、午前5時に家に帰って、午前7時の緊急リハーサルに参加した。水曜日の本番の演奏がとてもすばらしかったので、聴衆は7楽章すべてをもう一度弾いてほしいとアンコールした。

１９８８年には、その優れた文化的貢献により、ジェームズ・スミスソン・バイセンテニアル・メダルを授与された。同時に受賞したのは、シェルパのテンジン・ノルゲイとともにエベレストに初めて登頂したエドモンド・ヒラリーだった。

ピアニストのデイブ・ブルーベックも、同じメダルを授与されている。ブルーベックが作曲した「テイク・ファイブ」は、NPR(ナショナル・パブリック・ラジオ)のリスナーによって、ジャズの真髄の曲に選ばれた。

ブルーベックの母親は息子にピアノを教えようとしたが、彼は母親の指導に従うのを拒んだ。ブルーベックは生まれつき斜視で楽譜が読めなかったため、子どもの頃は音楽のレッスンを嫌がった。母親はやがて教えるのを諦めたが、ブルーベックは母が他の人たちに教えるのを聞いて、それをまねしようとした。

パシフィック大学の獣医学課程を退学し、芝生の向こう側にあった音楽学部に移っても、ブルーベックはまだ楽譜が読めなかった。だが、読めるふりをするのはうまかった。加えて、ピアノの勉強は先延ばしにして、もっと簡単に即興で練習を切り抜けられる楽器を優先した。それでも4年生になると、もう逃げられなくなった。「すばらしいピアノの先生がいて、楽譜が読めないことを5分くらいで見破られた(注39)」とブルーベックは言う。学部長はブルーベックに卒業は無理だと言い、これ以上在籍させるのは学校の名誉に関わると言った。しかし、ブルーベックのクリエイティビティーに気づいていた別の教師がブルーベックを擁護した。学部長は譲歩して、学校に恥をかかせないよう、誰にも楽器を教えないという条件で、ブルーベックの卒業を認めた。その20年後、大学は恥をかかずに済んだと思ったと見え、名誉博士号をブルーベックに授与している。

もしかすると、巨匠たちは、みな読めないのかもしれない。楽譜、あるいは文字を。

ジャンゴ・ラインハルトは、1910年にベルギーに滞在していたロマ人の幌馬車で生まれた。幼い頃に得意だったのは、ニワトリを盗むことと鱒をなでることだった。川岸を手で探って鱒を探し、鱒がリラックスするまでその腹をなでて、それから岸に引き上げていた。ジャンゴはパリ郊外のラ・ゾーヌと呼ばれる地域で育った。そこには、パリ市のし尿汲み取り車が毎晩汚水を捨てに来ていた。ジャンゴの母親は、第一次世界大戦の戦場跡で大砲の薬きょうを拾って、それを材料にブレスレットをつくって家族を支えていた。その仕事が忙しかったため、誰かの音楽の練習に口を出す暇などなかった。ジャンゴは気が向いた時だけ学校に行ったが、ほとんど行くことはなく、映画館に入り浸ったり、ビリヤードをしたりしていた。音楽にはいつも囲まれていた。ロマ人が集まると、そこにはバンジョーやハーモニカ、ピアノがあり、中でもバイオリンは常にあった。

バイオリンは持ち運びしやすいので、ロマ人がよく演奏した。ジャンゴもバイオリンから始めたが、あまり好きにならなかった。ジャンゴは「コール・アンド・レスポンス」のスタイルで音楽を学んだ。大人が音楽の一部を弾き、それをまねるというやり方だ。12歳の時に、バンジョーとギターを組み合わせた楽器を知り合いからもらい、それが運命の楽器となって、演奏にのめり込んでいった。指が痛くなると、いろいろなものをピックにして試してみた。スプーン、裁縫用の指ぬき、コイン、クジラの骨のかけら——。ジャンゴは、ラガルデールという名前の猫背のバンジョー弾きと組んで、パリの路上で即興演奏をした。

10代半ばくらいの頃、ジャンゴはパリ市のアコーディオン弾きが集まるレストランにいた。ステージでバンジョー・ギターを演奏するよう促され、ジャンゴはアコーディオン弾きにとって難しい、ポルカを演奏し始めた。

　ポルカを弾き終わったあとも、演奏はやめずに、猛烈な勢いで即興演奏を始めた。オリジナルの曲をひねったり、曲げたりしながら、ベテランのミュージシャンでも聞いたことのない形に曲をつくり上げていった。ジャンゴは業界用語で言う「ドローンナイフ」(注40①)で演奏していた。神聖なダンスホールの曲を変形させることでケンカを売っていたのだが、あまりにも彼独自の演奏になっていたため、ケンカにはならなかった。

　ジャンゴのクリエイティビティーは無限だった。彼と一緒に演奏していたある人物は、「印刷された楽譜があることも、ジャンゴは若い頃には知らなかったのではないか」(注40②)と話す。やがてジャンゴは、その多才さを余すことなく発揮する必要に迫られることになる。

　18歳の時、ジャンゴの荷馬車で灯されていたロウソクの火が、セルロイドの造花に燃え移った。その花は、妻のベルが葬式の飾りつけに用いていたものだった。荷馬車は爆発し、地獄と化した。ジャンゴは体の半分にやけどを負い、1年半の間、ベッドに寝たきりになった。ジャンゴの左手、つまりギターの弦を押さえるほうの手の薬指と小指は、ただ肉がぶらさがっているだけの状態になり、使えなくなった。

　だが、ジャンゴは即興に慣れていた。フィーリエ・デル・コーロのペレグリーナが歯を失った時のように、ジャンゴは方向転換をして、親指と人差し指と中指でコードを押さえるやり方を編みだした。ジャンゴの左手は猛スピードでギターのネックの上を上下しなければならず、人差し指と中指は水すましのようにすばしこく弦の上を動くようになった。ジャンゴは新しい

楽器の弾き方で再び舞台に登場し、クリエイティビティーが噴出した。(注41)

フランス人のバイオリニストと一緒に、ジャンゴはダンスホールの舞曲とジャズを融合し、新しい形の即興音楽をつくった。その特徴を捉えるのは難しかったので、単に「ジプシージャズ」と呼ばれた。ジャンゴが即興的につくった曲のいくつかはスタンダードとなり、他のミュージシャンの即興演奏のベースとなっている。また、ジャンゴはギターソロを大きく進化させて、今ではおなじみの名人芸的なソロを始めた。それはジミ・ヘンドリックスからプリンスまで、次世代のミュージシャンに広く受け継がれている。

ヘンドリックスはジャンゴのアルバムを保有し、(注42)自分のグループの一つをバンド・オブ・ジプシーズと名づけた(プリンスは独学で学び、デビューアルバムでは半ダース以上の異なるジャンルの楽器を自分で演奏した)。ヘンドリックスはアメリカ国歌を自分流のやり方で演奏したが、そのかなり前にジャンゴはフランス国歌の「ラ・マルセイエーズ」で同様のことをやっている。

ジャンゴは楽譜の読み方を覚えなかった(読み書きも覚えなかった。ファン向けのサインの書き方も、仲間のミュージシャンが教えた)。それでも、ジャンゴは交響曲を作曲した。各楽器に演奏してもらいたいメロディを自分のギターで弾き、それを別のミュージシャンが苦労して書き起こすという形を取った。

ジャンゴは43歳の時に、脳出血でこの世を去った。しかし、ジャンゴが1世紀近く前につくった音楽は、ポップカルチャーに今でもよく登場する。たとえば、「マトリックス」や「アビエイター」といった大作ハリウッド映画、ゲームの「バイオショック」などに使われている。『メイキング・オブ・ジャズ（The Making of Jazz）』の著者は、楽譜も読めず、一般的な運指の勉強もしなかったジャンゴを「ジャズの歴史において、間違いなく最も重要なギタリスト」と呼んだ。

セッチーニにはふさふさの眉毛とひげがあり、熱くなってしゃべると、それが風で揺れる低木の茂みのように、離れたりくっついたりする。ジャンゴのことを話している今もそうだ。セッチーニはジャンゴの熱烈なファンで、昔飼っていた黒いプードルをジャンゴと名づけていたほどだ。

YouTubeのセピア色のビデオクリップを開くと、(注43)セッチーニはいわくありげに「これを見て」とささやいた。そこにはジャンゴがいた。ちょうネクタイ、ほそい口ひげ、オールバックの髪。左手の動かない指はかぎ爪のように丸まっている。突然、その左手がネックの上のほうに飛び移り、すぐに下まで下がって、高速で次々と音を奏でていった。「すごいなあ」とセッチーニは言った。「この右手と左手の連携は奇跡的だよ」

厳しい意識的練習を信奉する人たちは、役に立つトレーニングとは、間違いの修正に意識を集中させることだと表現する。しかし、デューク大学教授のポール・バーリナーが実施した即興方法の発達に関する包括的な調査では、プロの子ども時代の経験は「徐々に染み込んでいった」(注44)のであり、正式な指導を受けたものではなかったとする。「バンド内でさまざまな選択肢があることが、自分が専門とする楽器を選ぶ前段階となる」と、バーリナーは記す。「子どもが複数の楽器を演奏できるようになるのは、珍しいことではない」。さらにバーリナーは、ミュージシャンが即興演奏をしたいと思っていて、「(正式な)音楽教師から受けた教育がその人の音楽の基盤となっているならば、新たな学習のアプローチを身につけなければならない」と述べる。

バーリナーはデイブ・ブルーベックのような経験を経てきたミュージシャンを何人も挙げる。つまり、楽譜は読めなかったが、他人の音楽をまねることと即興演奏が非常にうまかったので、「楽譜を読んでいるふりをした」人たちだ。バーリナーは即興演奏を学ぶ子どもたちに、プロのミュージシャンのアドバイスをそのまま伝える。「演奏について考えず、ただ演奏すること」

セッチーニは私と話をしている時に、印象的な即興演奏をやってのけた。私が、録音したいのでもう一度弾いてほしいと頼むと、「頭に銃を突きつけられても、繰り返せないんだ」と言った。ミュージシャンで聴覚の専門家であり、カリフォルニア大学サンフランシスコ校の聴覚外科医であるチャールズ・リムは、鉄を使わないキーボードを開発し、ジャズミュージシャンがMRIに入っている間に即興演奏ができるようにした。

リムがそこで見たのは、ミュージシャンが創作をしている時、注意の集中や、抑制、内省などを司る脳の部分の活動が静かになったことだった。「まるで、脳が自分を批判する能力を止めたかのようだった」(注45)と、リムはナショナルジオグラフィック誌に語っている。即興演奏をしている間、ミュージシャンは間違いを意識して見つけることや、演奏を止めてそれを直すのとはほぼ正反対のことをしていた。即興演奏の達人は、赤ん坊のように学ぶ。飛び込んで人のまねをし、まず即興でやってみて、正式なルールはあとから学ぶ。「最初に教科書をもらうことはなくて、お母さんに『これは名詞で、これが前置詞、これは懸垂分詞よ』などと習うこともない」とセッチーニは言う。「最初に音を身につけて、文法はそのあとだ」

ジャンゴはある時、レス・ポールと一緒にタクシーに乗っていた。レス・ポールはソリッドボディ［アコースティックギターのように音が共鳴する箱がついておらず、ボディが木の塊であるギター］のエレキギターを発明した人物だ。ポールは独学で学んだミュージシャンで、世界でただ一人、ロックの殿堂と全米発明家の殿堂の両方に名を連ねている。ジャンゴはポールの肩をたたいて、楽譜が読めるかと尋ねた。ポールはその時のことをこう語る。「私は『いや、読めないよ』と答えた。すると、ジャンゴは涙が出るほど笑って、『実は僕も読めないんだ。ドが何なのかも知らない。ただ演奏しているだけさ（注46）』と言った」

セッチーニによると、ステージ上の優れたジャズプレーヤーに、ある音を弾いてほしいと頼んでも、それが理解されないことがよくあって驚くという。「ジャズミュージシャンの間には、こんなジョークがある」とセッチーニは言う。「『楽譜を読めるか』って聞くと、『演奏がダメになるほどは読めないよ』って答えるんだ」。このジョークは真実を捉えている。セッチーニはシカゴ交響楽団に所属するプロの演奏家たちを教えたことがある。シカゴ交響楽団は、批評家によるランキングで2015年には全米第1位、世界でも第5位にランク入りするようなオーケストラだ。「ジャズミュージシャンがクラシック音楽を習うほうが、クラシックの演奏家がジャズの演奏を学ぶより簡単だ」とセッチーニは言う。「ジャズミュージシャンはクリエイティブ（創造的）なアーティストで、クラシックの音楽家はリクリエイティブ（再現的）なアーティストだ」

ジャンゴ・ラインハルトがナイトクラブの音楽シーンを賑わせたあと、クラシックの訓練を積んだ音楽家たちが、ジャズに移行しようとし始めた。この時代について複数の著書があるマイケル・ドレーニによると、即興演奏は「音楽学校での訓練に反する概念だ。（中略）何年も音楽学校で厳しいトレーニングを積んだあとでは、何人かは全く移行できなかった」(注47)という。20世紀の最も偉大なピアニストの一人とされるレオン・フィッシャーは、2010年に出版した回顧録の共著者に、即興演奏ができるようになることが「最大の願い」だと語った。だが、生涯を譜面の解釈の熟達に費やしてきたにもかかわらず、「即興演奏は全くできなかった」(注48)という。

セッチーニは音楽を言葉の習得にたとえて話したが、同じたとえを用いる人は珍しくない。一般には早期教育の同義語のように考えられているスズキ・メソードでさえも、鈴木鎮一が自然な言語の習得をまねて開発したものだ。

鈴木は父親が営むバイオリン工場の近くで育ったが、バイオリンをおもちゃぐらいにしか考えていなかった。きょうだいとケンカをする時には、互いにバイオリンで相手を叩いたという。17歳の時に「アベ・マリア」の演奏を聞いて心を動かされ、初めて弾いてみようと思った。鈴木はバイオリンを1台、工場から家に持ち帰り、クラシックのレコードを耳で聞いてまねようとした。最初の頃の挑戦を振り返って、鈴木は言う。「僕の完全に独学のテクニックは、ただキーキー鳴らすだけだった。でも、何とかその曲を弾けるようになった」(注49)。レッスンを受けたのはあとになってからで、その後、演奏家になり、教育者になった。

アメリカスズキ協会はこう述べている。「子どもたちは、話し方を覚えるために、課題を練習することはありません。(中略)子どもたちは、話す能力が十分に伸びてから読むことを学びます」

全体として見えてくることは、ある代表的な研究の結果と一致する。その研究は音楽だけに限定した研究ではないが、それによると、「訓練の幅の広さは、応用の幅の広さにつながる」。言い換えると、多くの文脈で学べば学ぶほど、学習者は抽象的なモデルをより多く構築するということだ。学習者は、これまでに見たことがない状況に知識を応用するのがうまくなる。これこそが、クリエイティビティーの根幹だ。

クリエイティビティーの向上を目指す育児書は、タイガー・マザーの本よりも、ずっとルールを少なくしなければならないだろう。心理学者のアダム・グラントは、親に向けてのアドバイスとして、クリエイティビティーは育てるのは難しいかもしれないが、阻むのは簡単だと言う。グラントが紹介する研究では、一般的な子どもには六つのルールが課されているのに対して、非常にクリエイティブな子どもたちの家庭では、ルールは一つだけだ(注50)。クリエイティブな子どもの両親は、自分がしてほしくないことを子どもがやった時に、自分の意見を伝える。あらかじめ、禁止しておくことはなく、制約も少ない。

1時間のインタビューの最後に、セッチーニは言った。「不思議なことに、偉大なミュージシャンの中には、独学の人や、楽譜を読めない人たちがいる。絶対的によい方法があるとは言わないが、今僕のところにはジャズを教える学校の生徒がたくさん来ていて、その生徒たちの音楽はみんな同じに聞こえる。自分の声をまだ見つけていないみたいだ。多分、独学だといろいろ実験をして、どこで同じ音が出せるかを見つけようとしたりするから、問題の解決方法を覚えるんだろうな」

セッチーニは話すのをやめて、椅子に背中をもたせかけて天井を見つめた。少し時間を置いて、彼はこう言った。「誰かが何年も指板をいじくり回してやっと見つけたことを、僕は2分でやってみせることができるが、僕もその誰かと同じように何年もかけていろんなことを見つけてきたんだ。何が正しくて、何が間違っているのかはわからないし、答えは頭の中にはない。やるべきなのは、問題の解決の仕方を見つけようとすることだ。そして、50年たってようやく、すべてがつながり始める。すごく時間がかかるんだよ。でも、そうやって学ぶことに意味があると思う」

第4章

速く学ぶか、ゆっくり学ぶか

Learning, Fast and Slow

「いいですか？　みなさんがフィラデルフィアにアメリカン・フットボールの試合を見にいくとします[注1]」

中学2年生のクラスに、数学のカリスマ教師が語りかける。生徒のやる気が高まるような問題設定にすることを忘れていない。「スタジアムではホットドッグを売っています。フィラデルフィアのホットドッグはおいしいよね」。生徒はクスクス笑う。「チーズステーキもおいしい」

先生は話を今日のテーマに戻す。シンプルな代数の数式だ。「スタジアムでは、ホットドッグは一つ3ドルです。みなさんには、変数を使って、N個のホットドッグの代金を表す式を考えてもらいたいと思います」

生徒たちが学ばなければならないのは、任意の数字を表す文字の意味だ。この先、数学を学んでいくためには、この抽象概念を理解する必要がある。だが、説明はあまり簡単ではない。

マーカスが手を挙げた。「3分のN」

「『分の』ではないですね。それは『割る』という意味ですから」と先生は答え、正しい式を示した。「3Nです。3Nとは、ホットドッグを何個買っても、1個につき3ドル払わなければならないということです」。別の生徒が質問をした。「Nはどこから持ってきたんですか？」

「N個のホットドッグという意味です」と先生は説明した。「それを私は変数として使っています」。ジェンという生徒が、それは掛け算をしなければならないという意味か、と聞いた。

「そうです。もし私がホットドッグを2個買ったら、いくら払わなければなりませんか？」

6ドル。ジェンは正しく答えた。

「3掛ける2ですね。ジェン、その通りです」。別の手が挙がった。「はい」

「使う文字は何でもいいんですか？」。マイケルの質問だ。

「はい、何でもいいです」

「でも、それだと紛らわしくないですか」とブランドンが尋ねた。

どんな文字でも構いません、と先生は説明した。そして、今日の授業の次の項目「式から数値を求める」に進む。

「私はさっき、1個3ドルのホットドッグの式から数値を求めました(注2)」。先生は黒板に書いた「7H」の文字を指し、生徒に尋ねた。「もし、みなさんが1時間当たり7ドルの時給で働くとして、今週2時間働いたとしたら、給料をいくらもらえますか？」

「14ドル」とライアンが正解を出した。

「では、10時間働いたら？」

「70ドル」とジョシュが答えた。先生は、生徒が理解し始めていると思った。しかし、すぐに見えてきたのは、生徒たちは式を本当に理解しているのではなく、先生が大きな声で言った二つの数字をとにかく掛け合わせればいいと考えていることだった。

「私たちが今やったのは、まず働いた時間数を持ってきて、それから何をしましたか？　はい、マイケル」。7を掛けました、とマイケルは言った。そうですね、でも私たちが本当にやったのは、式のHのところに時間数を代入した、ということです。こう先生は説明した。「それが数値を求めるということです。変数のところに数を代入したということです」

しかし、また別の生徒が混乱して質問した。「じゃあ、ホットドッグの話では、Nは2なんですか?」「はい。2をNに代入しました」と先生が答えた。だとしたら、ただホットドッグの値段を書いて、それに2を掛けるだけじゃダメなんですか。その生徒は知りたがった。もしNが2なら、「2」ではなく「N」と書くことに、どんな意味があるのですか。

生徒たちはさらに質問した。抽象概念の変数を、一つ以上の数字と結びつけられていないことが、次第に明らかになってきた。先生は現実的な例に戻ろうとした。「社会の授業は、数学の授業の3倍の長さです」。生徒たちは完全にわからなくなっていた。「5時間目の授業が一番長いんじゃないんですか?」とある生徒が口を挟んだ。

文章を、変数を使った式に変換するように求められた時点で、生徒たちは当てずっぽうで答え始めた。

「では、ある数より6少ないと言ったら、どんな式になりますか。ミシェル、どうですか?」「6－N」。ミシェルは答えた。不正解だ。

オーブリーは、数字を逆にして言ってみた。それが、残る唯一の選択肢だ。「N－6」。その通り。

生徒たちはこの択一問題を繰り返した。一見したところ、生徒たちが理解しているような印象を受ける。

「では、15－Bを文章で言うと?」

先生は式を文章にするよう求めた。択一問題の時間だ。「『Bより15少ない』ですか?」とパトリックが言ってみた。先生がすぐに正しいかどうか答えなかったので、パトリックは別の答えを試した。

「15よりB少ない？」

正解です。今度はすぐに答えが返ってきた。うまくいった。

同じパターンが繰り返される。キムはお母さんより6インチ背が低いです。「N引くマイナス6」。スティーブンの答えだ。違います。

「N－6」

正解です。

マイクはジルより三つ年上です。ライアン、答えは？

「3X」。いいえ、それだと掛け算になってしまいます。

「3＋X」。正解です。

マーカスは必ず正解する方法を見つけた。次の質問で、ハイと手を挙げた。

「3÷Wは？ マーカス、どうぞ」

「Wを三つに分ける。いや、3をWに分ける」と、マーカスは数字を入れ替えて答えた。

「はい、3をWに分ける、が正解ですね」

先生が工夫して説明しているにもかかわらず、この数字と文字が学校の課題以外でどう役に立つのか、生徒が理解していないのは明らかだった。変数を使った式が現実の生活でどんな時に使えるかと先生が尋ねると、パトリックは「数学の問題を解く時」と答えた。

それでも、生徒たちは数学の課題で正しい答えを出す方法を見つけ出した。うまく先生に質問することだ。

生徒たちがマスターしつつあった正解の出し方を、先生は生徒が考えている証拠だと誤解した。生徒たちは時にはチームを組んだ。「Kを8で割る」と一人が言い、「8をKで割る」と別の一人が言い、「K分の8」と3人目が言う。生徒が正しい答えをひねり出せなくても、先生は優しく、生徒を勇気づける。「いいのよ。考えているんだから」。ただし、問題は生徒たちの考え方だった。

ここで紹介したのは、アメリカの数学の授業風景だ。効果的な数学指導について検討するため、アメリカ、アジア、ヨーロッパで何百もの授業の様子が録画され、分析された。その中の一つだ。

言うまでもなく、授業は国やクラスによって大きく異なる。オランダでは、生徒は大体遅れてポツポツと教室にやってきて、数学の授業時間のほとんどを自習して過ごす。香港の授業の様子はアメリカとよく似ている。個々に問題を解くより、講義の時間のほうが圧倒的に長い。現実世界に即した問題を多用する国や、もっと抽象的な数学を教える国もある。ずっと生徒を席に座らせておくクラスもあれば、黒板に答えを書かせるクラスもある。エネルギーにあふれる先生もいれば、静かな先生もいる。授業にはさまざまな違いが見られるが、そのどれ一つを取っても、生徒の成績と相関している要素はなかった。

共通点もあった。どの国のどのクラスでも、先生は主に二つのタイプの問題を用いていた。より一般的なのは「解法を用いる」(注3①)問題で、基本的には習ったばかりのことを練習する。たとえば、多角形の内角の和を求める公式（180×（多角形の辺の数－2））を習ったとしたら、それをプリントに描かれている多角形に応用して計算してみる。もう一つのやり方は、「関係を認識する」(注3②)問題だ。解法を使うのではなく、生徒をより大きな概念につなげる質問をする。たとえば、先生は生徒に、なぜその公式が機能するのかを尋ねたり、その公式がどんな多角形でも使えるのかを試させたりする。

どちらのタイプの問いも役に立ち、すべての国のすべてのクラスで、教師は両方の問いを使っていた。しかし、関係を認識する質問の「あとで」教師がしていたことに、大きな違いがあった。

生徒が理解できずに悩んでいる時、教師はそれを深掘りさせるのではなく、多くの場合、ヒントを与えて生徒を導き、「関係を認識する」問題を実質的に「解法を用いる」問題に変えていた。冒頭で紹介したアメリカの授業でカリスマ数学教師がしていたのは、まさにこれだった。

シカゴ大学教授で学習について研究しているリンゼー・リッチランドは、私と一緒にビデオを見て、生徒たちが先生を相手に択一問題のゲームを始めた時、こう指摘した。「生徒たちはルールを探している」。理解できない概念的な問題を、自分で取り組める解法の問題に変えようとしていたのだ。「人間が非常に優れているのは、最少の労力でタスクを成し遂げようとすることにある」とリッチランドは言う。正しい答えを出させようと生徒にヒントを与えることは、賢明で、便利な方法だ。しかし、この便利さが、幅広く活用できる概念を学ぼうとする時に裏目に出ることがある。

アメリカでは、教師が生徒に投げかける質問のおよそ五つに一つが、最初は「関係を認識する」質問として始まる。しかし、生徒が教師からヒントを引き出して問題を解き始める頃には、「関係を認識する」問題ではなくなっている。

どの国の先生も、時々この罠にはまる。だが、数学の成績のよい国では、「関係を認識する」問題の多くが、クラス全体がそれに取り組んでいる間も生き残る。

日本では、「関係を認識する」問題が全体の半分より少し多いくらいあり、その約半分が最後までその状態を保つ。1時間の授業が、一つの問題だけに費やされることもある。生徒がその問題へのアプローチの仕方を提案したら、先生はそれを択一問題に変えてしまうのではなく、生徒を黒板まで来させてその考えを書かせ、そのアイデアの横に生徒の名前が書かれたマグネットを置く。授業が終わる頃には、壁の幅いっぱいの大きな黒板は、クラスの集合知の航海記録のようになっている。リッチランドは当初、録画された授業をそのトピックによって分類しようとしていた。しかし、「日本の授業ではそれができなかった。本当にたくさんのコンテンツを使って、問題に取り組んでいたからだ」（クラス全体で問題を解いていく時に、概念的なつながりをたどるように黒板に書いていくことが、海外でも「bansho（板書《ばんしょ》）」という日本語で表現されている（注4））。

ゴルフと同じで、数学でも解法の練習は大切だ。しかし、数学の勉強全体が解法の練習だけになってしまったら、それは問題だ。「生徒は数学を体系として見ていない」(注5)とリッチランドらは記す。単に、解法の集まりとして見ているという。パトリックが、変数を使った式が現実の生活でどのような時に役立つかと問われて、「数学の授業で問題を解く時に使える」と言ったのもそのためだ。

リッチモンドと共同研究者が、この点に関してコミュニティー・カレッジの学生を調査したところ、驚くほど多くの学生が丸暗記した解法に頼っていることがわかった。コミュニティー・カレッジは、全米の大学生の41パーセントが通っている2年制の公立大学だ。学生たちに、「5分のa(a/5)」と「8分のa(a/8)」のどちらが大きいか尋ねたところ、正解率は53パーセントで、当てずっぽうに答えるよりわずかに高い程度だった。

さらに、なぜその答えを選んだか説明するよう求めると、学生たちは何らかの公式や解法を挙げることが多かった。学生たちは、分母に注目すべきことは覚えていたが、学生の多くは、分母の大きいa/8のほうが、a/5より大きいと答えた。ほかには、通分しなければならないことを思い出した学生もいたが、その理由はわからなかった。反射的に、たすき掛け(一方の分子と分母を入れ替えて掛け算をする)をした学生もいた。分数を見たら、そうするものだと思っていたからだ。もちろん、この問題では、たすき掛けをする必要はない。わずか15パーセントの学生が概念的な論理を展開し、何かを五つに分けたら、同じものを八つに分けるよりも大きくなると答えた(そう答えた学生は全員正解)。

学生の中には、ほとんどの子どもが持っている数の感覚を忘れてしまっている人もいた。たとえば、二つの数を足して得られた三つ目の数は、足し合わせた二つの数で構成されている、といったことだ。ある学生に「462＋253＝715」という数式が正しいかどうか証明してほしいと頼むと、その学生は「715から253を引けば462になる」という答えを出した。もう一つ方法はないかと尋ねたが、「715から462を引いたら253になる」という方法は思いつかなかった。なぜなら、その学生が習ったやり方では、答えを確かめるには、「＋」の記号の右側にある数字を引くという決まりだったからだ。

リッチモンドは、学年の低い生徒に「関係を認識する」問題を家に持ち帰らせると、「親が『もっと簡単で速い方法があるから、教えてあげる』と言う」と話す。先生がすでにその問題を「解法を用いる」問題に変えていなかった場合、親は善意でそうしてしまう。子どもが困っているのを放っておけず、また、大人は早く簡単に理解したいと考えるからだ。だが、耐久性があり（長持ちし）、柔軟な（応用範囲の広い）学びのためには、速くて簡単なやり方は、明らかに問題となる。

「アメリカの高校生の知識レベルが国際的な水準で見てあまり高くないのは、生徒が授業中によくできすぎるからだ、という意見がある」。こう私に話したのは、ウィリアムズ・カレッジの認知心理学者、ネイト・コーネルだ。「生徒たちは、うまくやりたいと思って、簡単にしたいと考える」

コーネルはこの時、「望ましい困難（desirable difficulty）」について話していた。それは、学習における障壁を指し、短期的には学習を難しく、より苛立たしく、時間のかかるものにするが、長期的にはより高い効果をもたらすという。先ほど紹介した中学2年生の数学の授業のように、ヒントを与えすぎるとその反対の影響が生じて、短期的な成績は高まるかもしれないが、長期的な進歩は妨げられる。

授業で活用できる「望ましい困難」は、学習効果を高める手法の中でも、最も強く支持されている手法の一つだ。熱心な中学2年の数学の先生は、目の前の生徒たちの進歩を気にするあまり、よかれと思ってその障壁を全部倒してしまった。

「望ましい困難」にはいくつかあるが、そのうちの一つは「生成効果(generation effect)」として知られている。自分一人で答えを出そう(生成しよう)と奮闘することは、たとえ出した答えが間違っていても、その後の学びは強化される。ソクラテスが弟子たちに、答えを授けるのではなく、自ら考え出すよう強いていたのは、ソクラテスがそこをよくわかっていたからだろう。学習者がこれを実行するには、将来のメリットのために、現在のパフォーマンスを意図的に犠牲にしなければならない。

コーネルと心理学者のジャネット・メトカーフは、ニューヨーク市のサウス・ブロンクスの小学校6年生を対象に、語彙の学習について生成効果を調べる実験をした。(注6) 実験では、生徒の勉強の仕方を変化させた。いくつかの言葉は、その定義と一緒に示す。たとえば、「交渉＝合意を得るために何かについて話し合うこと」という具合だ。残りの言葉は先に定義だけを示して、その言葉が何か、少し時間を与えて考えさせてから答えを明かした。そのあとで生徒をテストしたところ、定義だけを先に示して考えさせた言葉のほうがずっと正解が多かった。コロンビア大学の学生に対しても、もっと抽象的な言葉を使って同じ実験を繰り返した(「尊大な=横柄で偉そうな様子」など)が、結果は同じだった。答えを自分で考えた問題のほうが、たとえそれが間違っていても、学習の成果は高かった。

答えがものすごく間違っていた場合でも、やはり効果は高かった。メトカーフらが何度も証明してみせたのは、「過剰修正効果(hypercorrection effect)[注7]」だ。それは、学習者の答えが間違っていて、その人がその答えに自信を持っていればいるほど、正しい答えを学ぶとそれが強く記憶に残るということだ。大きな誤りに耐えることが、最高の学習機会となる(*)。

このようにあえて頭を悩ますことの長期的な効果は、霊長類にも見られることが、コーネルの実験で示された。2頭のアカゲザル、オベロンとマクダフは、いろいろ試してみることによってリストを覚えるよう訓練されていた。コーネルは動物の認知力の専門家とともに、オベロンとマクダフにバラバラな写真を見せて、「正しい順番」を覚えさせる実験をした[注8](たとえば、「チューリップ、魚の群れ、鳥、女優のハル・ベリー、カラス」など)。写真はすべて、スクリーン上に同時に示される。それらの写真にタッチして試してみることで、2頭のサルは正しい順番を学び、それを繰り返し練習する。だが、練習の仕方は、覚えるリストによって異なっていた。

一つ目のリストでは、オベロン(こちらのほうが全般的に頭がよい)とマクダフにいつもヒントが与えられ、写真を一つタッチするごとに常に次の写真が教えられた。二つ目のリストで

*これも、スポーツの例がそれ以外の世界には適用できない事例の一つだ。運動技能に関しては、一度悪いクセがついてしまうと、それを直すのに苦労する。子どもの頃、過剰な指導を受けて選手がつけてしまったクセを、優れたコーチが多大な労力を使って直している。スポーツ以外の世界では、間違いを繰り返しても、いずれ正しい答えがわかるのであれば、それは学びにつながる。

は、次の写真がわからない場合、スクリーン上のヒントボックスを自分でタッチすると、常に次の写真が示された。三つ目では、ヒントボックスをタッチしても、ヒントが示されるのは半分だけになり、四つ目では何のヒントも与えられなかった。

ヒントボックスが使える練習方法では、2頭のサルはほとんど人間のように振る舞った。つまり、可能な時にはいつでもヒントを表示させ、そのため、リストも正しく完成させられた。2頭は合計で250回の練習をした。

3日間の練習のあと、科学者たちはいわば自転車の練習用補助輪を外した。4日目からは、オベロンとマクダフは全くヒントなしで、すべてのリストを完成させなければならなかった。成績はひどいものだった。オベロンが正解したのは約3分の1、マクダフは5分の1以下だった。ただし一つ例外があった。それは、全くヒントを与えられずに練習したリストだった。

それらのリストに関しては、練習1日目の出来は最悪で、文字通り当てずっぽうに画面をタッチしているだけだった。それでも、日を追うごとにオベロンもマクダフも進歩していき、4日目のテストの日にはオベロンの正解は4分の3、マクダフも約半分が正解だった。

実験結果をまとめると、練習の途中で与えられるヒントが多ければ多いほど、練習中の正解率は高くなり、逆にテストの日の正解率は低くなる。自動的にヒントが表示されるリストでは、マクダフの4日目のテストの正解数はゼロだった。ヒントを使って練習したテストに関しては、まるで2頭が突然、記憶を捨て去ったかのようだった。実験の結論はシンプルだ。「ヒントを使った練習では、持続的な学びは得られない」

ヒントなしの練習は、進歩がゆっくりで間違いも多かった。これは、本来的なテスト（試練）のイメージだ［「テスト」という言葉には「試練」という意味もある］。中学2年生の数学教師は、授業中に生徒に試練を与えたつもりが、結局のところ、生徒に正解を教えていた。

学習のために用いられるテスト（試験）は、自分でテストすることも含めて、非常に「望ましい困難」だ。勉強の前にテストをすることも、答えが間違いだと確認できた時点で効果が生じる。コーネルによるある実験で、被験者は2語ずつの単語を何組か覚えさせられ、その後テストを受けた。そのうち最もよい成績だったのが、練習問題を解いて覚えた単語だった。たとえ練習問題で間違ったとしても、最終的なテストの結果はよかった。挽回しようと頭を悩ますことによって、脳がそれに続く学習への準備をする。頭を悩ますことは真に役立つということだ。コーネルらはこう記す。「人生と同じで、学びの道のりとは（失ったものや失敗を）挽回しようとすることだ（注9）」

もし冒頭で紹介した中学2年生のクラスが、1年間を通じて典型的な学習計画に従ったとしたら、恐らく1週間で一つのトピックを終え、次の週にまた別のトピックを取り上げるという形で進んでいくだろう。これは、永続的な学びのために科学者が勧めるやり方とは正反対だ。企業の研修の多くもそうだが、短期間だけ特定の概念やスキルに特に集中し、次の期間は別のことに集中して、振り返ることはない。この構造は直感的には納得がいくが、ある重要な「望ましい困難」を失っている。それは、「間隔を空けた練習」や「分散した練習」だ。

これらは文字通り、時間の間隔を空けて、同じ内容の練習をすることだ。意識的練習の間に、意識的に練習をしないこととも言える。コーネルは言う。「空ける間隔の長さに限界はあるが、それは普通に考えられるよりは長い。外国語の単語の学習、飛行機の操縦など、何でもこの練習の対象となり、それが大変であればあるほど学習効果は高い」

練習の間隔が「大変さ」をつくり出し、それが学びを強化する。ある研究では、スペイン語の単語の学習者を二つのグループに分けて実験をした。一つのグループは、単語を学んで同じ日にテストを受け、もう一つのグループは1カ月後にテストを受けた(注10)。その後、その単語について何も勉強しない状態で、8年後にもう一度テストした。すると、1カ月後にテストしたグループは、同日にテストしたグループよりも、覚えていた単語の数が2・5倍以上だった。このように、スペイン語のある一定量の学習では、間隔を空けて大変さをつくり出すことによって、学習がより効果的になった。

これほど長い時間待たなくても、間隔を空ける効果は得られる。アイオワ州立大学の研究者たちは、被験者に単語のリストを読んで聞かせ、その後、被験者に覚えている単語を言わせた(注11)。すぐに言わせたグループと、15秒の練習時間を置いて言わせたグループ、練習させないために15秒の間、簡単な計算をさせてから単語を言わせたグループの三つがあった。最もよくできたのはすぐに言わせたグループで、次が15秒の練習時間を取ったグループ、最下位が15秒計算したグループだった。そして、全員がテスト終了と思った瞬間に、抜き打ちテストが実施された。リストの中で覚えている単語を紙に書き出しなさい、という指示だ。すると、最下位だったグループが突然1位に躍り出た。短い時間の練習は、効果も短かった。反対に、計算問題をしたグループは、単語を忘れないようにしようと頭を悩ませ苦労したことで、短期的な情報を長期的な記憶に変換することができた。すぐに復唱したグループとすぐに練習したグループは、抜き打ちテストではほとんど何も答えられなかった。繰り返すことは、頭を悩ませることほど重要ではなかったということだ。

学習中に正しい答えを出すことは、悪いことではない。ただし、進歩があまり速すぎてはいけない。さもなければ、オベロンのような(もしかするとマクダフのような)結果に終わり、知識が最も必要な時に蒸発してしまう。ある心理学者のグループが言うように、ヒントを過剰に与えた場合と同様に、「習得のレベルが急激に進歩したように見えるが、一定期間後に効果がなくなる」(注12)。ある程度の分量では、学習は短期的に非効率なほうが、長期的には大きな効果をもたらす。自分でテストしてみてあまりにも成績がよかったら、シンプルな対応策として、同じ内容をもう一度練習する前に時間を置くことによって、テストをもっと難しくするといい。フラストレーションは学んでいない証拠ではない。むしろ、簡単にできてしまうことのほうが、学んでいない証拠だ。

リンクトインやミディアム(Medium)などのプラットフォームには、最新だが裏づけのない学習テクニックがたくさん掲載されている。特別なサプリメントや、「脳トレ」のアプリ、脳波を変える音など、どれもが驚異的に急速な進歩をもたらすと謳っている。一方で、米教育省はしっかりとした科学的な裏づけのある学習方法を選び出すよう、6人の科学者と1名の実績ある教師に依頼し、２００７年に報告書を発表した。(注13) その中で選ばれたのが、「間隔を空ける」「テストをする」「関係を認識する問題を用いる」だった。いずれも、短期的な成果が犠牲になる方法だ。

リッチランドが研究した「関係を認識する」問題に関して言うと、最良の学びの道はゆっくりとしたもので、あとで高い成果を上げるためには、今出来がよくないことが不可欠だ。しかし、この事実を受け入れるのは難しい。あまりにも直感に反するので、学習者は自分自身の進歩について誤解し、教師のスキルについても誤解する。ゆっくりとした学びの重要性を証明するには、相当ユニークな研究が必要だ。(注14) 恐らく、米空軍士官学校のような環境がなければ研究は難しいだろう。

全額支給の奨学金を受ける見返りとして、空軍士官学校の士官候補生たちは、卒業後最低でも8年間は軍で働かなければならない（うち5年は現場勤務）。彼らには科学と工学を中心とする系統だった厳しい教育プログラムが用意され、全員が数学に関する科目を少なくとも三つ受講する。

毎年、新入生は約20人ずつ、「微分積分1」のクラスにランダムに振り分けられる。このクラスの指導効果を検証するため、二人の経済学者が、10年の間に指導を受けた1万人の学生のデータを集めた。教鞭を執った教師の数は約１００人。どのクラスも同じシラバス、同じ試験を使用し、課程が終わると同じフォーマットの評価シートを使って教師を評価した。

「微分積分1」が終わると、学生たちは再びランダムに「微分積分2」のクラスに振り分けられる。このクラスでも、シラバスは全クラス同じで、試験も同じだ。その後、さらに高度な数学や科学、工学の授業を受講する。経済学者たちは、高校の成績や入学時の共通テストの成績が、各クラスで均一になるように生徒を振り分けた。全教員がみな同じレベルの生徒を教えられるようにするためだ。試験の採点プロセスも標準化し、すべての学生が同じ方法で評価されるようにした。研究に当たった経済学者たちはこう記す。「『情に流されやすい』教師が、成績にゲタをはかせる余地がないようにした」。この点は重要だった。というのも、それぞれの教師の指導がどんな違いを生むかを検証したかったからだ。

予想にたがわず、「微分積分1」のクラスでは生徒に非常によい成績を取らせた教師がいて、彼らは学生からの評価もとても高かった。一方、全般にクラスの成績がよくない教師たちもいて、学生からは厳しい評価を受けていた。しかし、経済学者たちは、教員の長期的な付加価値を計る指標も見ていた。それは、「微分積分1」が事前履修科目となる高度な数学や工学のクラスで、学生たちが取った成績だった。その結果は驚くべきもので、「微分積分1」で生徒に優秀な成績を取らせた教員たちは、長期的には成果を上げられなかった。経済学者たちはこう述べる。「現時点での成績を高めるのが得意な教員たちは、平均してみると、その後のもっと高度なクラスでの成績にマイナスの影響を与えている」。スタート時にリードしていたかに見えた部分は、消えてしまった。

一方で、短期的には学生の頭を悩ませたものの、長期的にはよい成果を上げさせた教師は、

「関係を認識する」ことによって、「深い学び（deep learning）」を促していたと経済学者たちは考えている。その教師たちは、「カリキュラムの幅を広げ、学生たちに教材をより深く理解させた」。それによって、授業はより難しくなり、学生は達成感を得にくくなっていった。そのため、学生たちの「微分積分１」の試験の成績は低くなり、教師への評価も厳しかった。

逆もまた真なりだ。調査対象となった１００人の教師のうち、深い学びで最下位になった人、つまり、その後の高度なクラスで学生たちの成績が悪かった教師は、学生による評価では第６位、学生の「微分積分１」の試験の成績は第７位を獲得していた。学生は、現在の自分の成績をベースに教員を評価する。そうなると、その評価指標は、将来に向けて教師が学生をどのくらい成長させているかを見るには適さない指標になる。だから学生は、長期的な効果が最も低い教師に最高点を与えた。反対に、長期的に最もよい効果をもたらす教師に、学生たちは低い点を与えている。ちなみに、経験が少なく、資質も低い教師のクラスの学生たちは「微分積分１」の試験で高い成績を上げ、より経験豊かで資質が高い教師のクラスの生徒のほうが「微分積分１」では苦労したが、その後の授業では成績が上回った。

同様の研究が、イタリアのボッコーニ大学でも実施されている。[注15] １２００人の新入生が、経営学か経済学、法律学の入門クラスでランダムに振り分けられ、４年間かけてその後の既定の課程を学んでいった。その１２００人を対象とした研究では、先の研究と全く同じパターンが現れた。学生をできすぎと言えるレベルにまで導いた教師は高い評価を受けたが、学生の長期的な成果は損なわれた。

心理学者のロバート・ビョークが「望ましい困難」という言葉を最初に使ったのは１９９４年だった。[注16]その20年後、ビョークは共著書のある章を次のようにまとめた。「何よりも柱となるメッセージは、学生や教員は現在の成績を学びと解釈してはいけないということだ。確かに、学習プロセスにおいてテストでよい成績を取ることは『知識の習得』を示す。しかし、学習者と教師が注意すべきは、その好成績が示すのは、束の間のはかない進歩だということだ[注17]」

明るい話もしておこう。過去40年間、アメリカの全国調査[注18]では、「現代の学生の教育は自分が学生だった頃より悪くなっている」と答える人が年々増えていたが、その認識は間違っている。「国の成績表」とも言われる全米学力調査では、１９７０年代以来、スコアが着実に向上している。間違いなく、現代の学生の基礎的能力の習熟度は高まっている。教育は悪くなっていない。[注19]教育で掲げられているさまざまな目標も、以前よりもずっと高い。

教育に関して世界的な影響力を持つ教育経済学者のグレッグ・ダンカンが、この傾向について記している。40年前には、「解法を用いる」問題にフォーカスすることは、とても効果があった。というのも、当時は、タイピングやファイリング、工場での組み立てラインの仕事など、やり方が決まっている仕事で、中流階級の給与が得られる仕事がたくさんあったからだ。しかし、ダンカンによると、「その後徐々に、予期しなかった問題の解決が、賃金のよい仕事では求められるようになり、多くの場合、グループでそれに取り組む。（中略）このように、労働者に求められる能力が変化しているため、学校への要求も厳しくなっている」

次に示す算数の問題は、1980年代の初め頃に、マサチューセッツ州の小学6年生全員が受けた基本能力テストにあった問題だ。

「キャロルは自転車で1時間に10マイル走れます。キャロルが店まで自転車で行くとしたら、どれくらいの時間がかかりますか」
この問題を解くためには、次のうちのどれを知る必要がありますか。
(A) 店までどのくらいの距離があるか。
(B) キャロルはどんな自転車に乗っているか。
(C) キャロルにはどのくらい時間があるか。
(D) キャロルは店でいくら払わなければならないか。

2011年には、マサチューセッツ州の6年生は次の問題を解いていた。

ペイジとロージーとシェリルは、店でお菓子を買いました。全員が9ドルずつ払いました。

・ペイジはピーナッツを3袋買いました。
・ロージーはピーナッツを2袋と、プレッツェルを二つ買いました。
・シェリルはピーナッツを1袋とプレッツェルを一つ、ミルクシェークを一つ買いました。

（問題A）ピーナッツ1袋の値段はいくらですか。どうやってその答えを出したのかについても、説明するか式で示しなさい。

（問題B）プレッツェル一つの値段はいくらですか。どうやってその答えを出したのかについても、説明するか式で示しなさい。

（問題C）ミルクシェーク一つの値段で、プレッツェルはいくつ買えますか。どうやってその答えを出したのかについても、説明するか式で示しなさい。


1980年の問題では、「距離＝速さ×時間」というシンプルな計算式を覚えて、それを当てはめれば解くことができる。2011年の問題になると、複数の概念を組み合わせて、それを別々の状況に適用しなければならない。つまり、現代の教師が子どもの頃に受けた指導方法は、今日の教育で用いるには不十分ということだ。知識はますます、長続きするだけでなく、柔軟性が求められるようになっている。頭から離れず、また幅広く応用できるものでなければならない。

冒頭で紹介した中学2年生の数学のクラスでは、授業の最後にプリントの問題を解いていた。このように、同じことを、同じプロセスを用いて繰り返し練習することを、心理学者は「ブロック練習(blocked practice)」と呼ぶ。ブロック練習をすれば、その時の成績はとてもよくなる。しかし、知識を柔軟にするためには、さまざまな状況で学習しなければならない。その手法は、「多様性練習(varied practice)」と呼ばれ、研究者は「インターリーブ」あるいは「インターリービング」と呼ぶ［本来の意味は、本に白いページなどを挟み込むこと］。

インターリービングにより、帰納的推論［複数の事象をもとに一つの結論を導き出す推論方法］の能力が高まることがわかっている。さまざまな例が混ざった状態で示された時、生徒たちは抽象的な一般化の方法を学び、それによって、今までに出会ったことがない状況に対して、学んだことを応用できるようになる。

例を挙げよう。たとえば、あなたが美術館に行く予定があり、今まで見たことがない絵画でも、その作家(セザンヌか、ピカソか、ルノワールか)を言い当てられるようになりたいと考えたとする。美術館に行く前に、あなたはセザンヌの絵が印刷された暗記カードを山ほど学習し、続いてピカソの暗記カード、ルノワールの暗記カードと続けていくこともできる。しかし、その代わりに、暗記カードを全部一緒にして混ぜ合わせる。つまり、「インターリーブ」する。

練習の間は、あなたは頭を悩ませる（また、あまり自信もない）。しかし、美術館では、画家のスタイルを見分けられる能力がより身についていると感じるはずだ。暗記カードになかった絵でも大丈夫だ。

大学の数学の問題を使った研究[注20]でも、ブロック練習、つまり特定のタイプの問題ごとに学んだ学生と、全く同じ問題を混ぜて学んだ学生とでは、後者のほうがはるかにテストの成績がよかった。ブロック練習をした学生たちは、繰り返しによってそれぞれのタイプの問題の解き方を学んだ。多様性練習をした学生たちは、さまざまなタイプの問題を区別する方法を学んだ。

同様の効果が、チョウの種類の見分け方から、精神疾患の診断まで[注21]、あらゆる学習をしている人たちの間で見られた。海軍航空隊のシミュレーションの研究[注22]では、多様性練習に取り組んでいる人たちは、ブロック練習をしている人たちに比べて、特定の危険のシナリオを用いた訓練での成績はよくなかった。しかし、テストでは、全員が全く新しいシナリオに取り組むことになり、そこでは多様性練習をしたグループが、ブロック練習をしたグループに大勝した。

それでも、インターリービングは学習の進歩を感じさせない傾向がある。コーネルとビヨークによるインターリービングの研究[注23]では、80パーセントの学生が、多様性練習よりもブロック練習のほうがよく学べたと答えた。しかし、80パーセントの学生の成績は、それが真実ではないことを示していた。結局のところ、学びの感覚は、目の前の進歩に基づいている。しかし、深い学びは目の前の進歩とは異なる。コーネルは言う。「直感的に『ブロック練習がよい』と感じた時は、恐らく多様性練習をすべきだ」

インターリービングは「望ましい困難」の一つで、運動能力と学習能力の両方に有効だ。シンプルな運動技能の実験の例として、ピアノの練習がある。ピアノを習っている生徒が、左手で5分の1秒の間に15の鍵盤を飛び越えた音を続けて弾くというものだ。(注24)生徒たちは190回練習することができるが、飛び越える鍵盤の数を15だけに限って練習するグループと、8、12、15、20、22の鍵盤を飛び越える練習をするグループの二つに分け、練習のあと、15の鍵盤を飛び越えて弾くテストをした。すると、多様な数の鍵盤で練習をした生徒のほうが、15の鍵盤に絞って練習した生徒よりもずっと速く、正確に弾くことができた。「望ましい困難」の名づけ親であるビヨークは、プロバスケットボール選手のシャキール・オニールが苦手としていたフリースローについて、オニールはフリースローのラインからひたすら練習するのではなく、その一歩手前と一歩後ろから練習して、必要な調整能力を身につけるべきだとコメントしたことがある。(注25)

運動でも、学習でも、インターリービングにより、適切な方法を問題に適用する能力が高まる。これは、専門家の問題解決に見られる大きな特徴でもある。(注26)化学者でも物理学者でも政治学者でも、最も優れた問題解決者は、まず、どんなタイプの問題かを解明するために頭を絞り、次にその問題に適した戦略を適用する。暗記した戦略をすぐに適用しようとはしない。この点において、彼らは「親切な」学習環境で育ってきた専門家、たとえば、直感に大きく頼っているチェス・プレーヤーなどとは正反対だ。親切な学習環境の中にいる専門家は、まず戦略を選んで、そのあとで評価する。一方で、繰り返す頻度が少ない環境の中にいる専門家は、まず評価し、そのあとで戦略を選ぶ。

テストする、間隔を空けるなどの「望ましい困難」によって、知識が頭から離れなくなり、長期的なものになる。「関係の認識」やインターリービングなどの「望ましい困難」を経験すると、知識は柔軟になり、練習中には登場しなかった問題に活用できるようになる。これらすべてが学習の速度を遅くし、短期的には成績が下がる。ここから困った問題が生じる可能性もある。なぜなら、空軍の士官候補生のように、人は現在出ている成果によって反射的に進歩を評価するからだ。そして、空軍の士官候補生のように、それはたいてい間違っている。

2017年に、前出の教育経済学者、グレッグ・ダンカンは、心理学者のドリュー・ベイリーとともに67の早期教育プログラムを評価した。(注27) どれも、学習成績の向上を目的としたプログラムだ。ヘッドスタート〔低所得世帯向けの早期教育プログラム〕のようなプログラムを受けることで、文字通りスタート時点では先んじることができる。しかし、学習面での成果はせいぜいその程度だ。研究では、「フェードアウト効果」が広く見られることがわかった。つまり、一時的な学習面での優位性はすぐに消えて、たいていの場合、完全になくなってしまう。グラフにすると、意識的練習で先んじた子どもたちに、将来エリート選手になる子どもが追いついていくことを示したグラフに不気味なほどよく似ている。

ダンカンらによると、そうなる理由は、早期教育プログラムでは「閉じられた」スキル、つまり、決まったやり方を繰り返すことですぐ習得できるスキルを教えているからだという。そ

*二つの最も有名な集中的早期教育プログラムでは、そのプログラムが目標としている複数の認知的な指標でフェードアウトが見られる。しかし、重要で長期的な社会的効果、たとえば刑務所への収監率の減少なども見られる。目標としていた学習効果が消えても、大人と子どもがよい形で関わり合うプログラムが広く実施されることで、永続的な効果が生まれる可能性がある。私は、この点で子どものスポーツ・プログラムに注目したい。コーチと選手の関わり合いは、すぐ消えてしまう閉じられたスキルの伸長よりも、長期的な効果をもたらすかもしれない。

のようなスキルであれば、誰もがいずれは身につける。フェードアウトとは、スキルが消えてしまうのではなく、他の子どもたちが追いつくということだ。運動技能に関する同様の例に、子どもが他の子どもより先に歩けるよう教える、というものがある。(注28) しかし、誰でもいつかは歩くことを覚える。その時はすごいと思われるかもしれないが、早い時期に歩けるようになることはそれほど重要ではない。

継続的な学習効果を生み出したいのであれば、早期教育プログラムは、「開かれた」スキルにフォーカスすべきとダンカンたちは勧める。それが、その後の学びの足場となるからだ。子どもたちに少し早く読み書きを教えても、それが継続的な強みとはならない。そうではなく、読んでいる内容を理解するための手掛かりを探したり、それらを関連づけたりする方法を教えれば、継続的な強みとなる。問題は、すべての望ましい困難と同様に、早期教育プログラムはすぐに成果が出るが、深い学びには時間がかかることだ。ダンカンたちは「最も複雑なスキルを得るための成長には、最も時間がかかる」と表現する。

ダンカンはテレビ番組の『トゥデイ』に出演し、研究結果について話した。すると、親や早期教育の教師たちが、「子どもたちは確実に進歩している」と反論してきた。しかし、論点はそこではない。問題は、将来の学びへのインパクトを親や教師がどのくらい評価できるかだ。証拠を見る限りでは、空軍の士官候補生と同様に、あまりうまく評価できていない(*)。

目の前の進歩を見せつけられると、本能的に同じことをもっと繰り返したほうがいい、との思いが強くなる。だが、そのフィードバックは間違っている。深く学ぶためには、ゆっくり学ぶ必要がある。ヘッドスタート信仰は、成長させたいと思っている相手の役に立っていない。

長く使える知識は柔軟なもので、メンタル・スキーマ（考え方の枠組みや法則）によって構成され、それが新しい問題に適用される。多様性練習に取り組んだ海軍航空隊や、数学を学ぶ学生たちは、さまざまなタイプの問題における根本的な構造上の共通性を認識した。繰り返し出てくる問題のパターンには頼れなかったので、それまでに見たことがない戦いのシミュレーションにおいても、数学の問題においても、根本にある概念的な関連性を認識しなければならなかった。そして、新しい問題に対して、それに合う戦略を適用していった。

知識の構造がとても柔軟で、新しい領域や全く新しい状況にその知識を効果的に適用できる時、そうした適用を「遠い移転（far transfer）」と呼ぶ。遠くへの移転を促す、ある特別なタイプの思考方法がある。それはルリヤが調査したウズベキスタンの村人たちは用いることができなかった思考方法で、にわかには信じ難いほど、はるか遠くまで移転する。その思考方法は幅（レンジ）の広い思考の一つで、誰も十分には活用できていない。

第 5 章

未経験のことについて考える方法

Thinking Outside Experience

16世紀の終わり頃、宇宙は聖霊の力によって、天体が不動の地球の周りを回っていると考えられていた。その中で、ポーランドの天文学者、ニコラス・コペルニクスは、惑星が太陽の周りを回っているという説を唱えた。しかし、当時その考え方は正統ではなく、コペルニクスの説を講義したイタリアの哲学者、ジョルダーノ・ブルーノは激しく非難された。のちにブルーノは、宇宙にはほかにも太陽があり、その周りを惑星が回っていると主張するようになったため、異端とされて火刑に処された。(注1)

聖霊が操作している惑星にも、動くための手段は必要と考えた人々は、惑星は水晶玉のような球殻《きゅうかく》に乗って移動していると考えた。球殻は透明で地球からは見えず、複数の球殻が時計の歯車のように互いにかみ合っていて、一定の速度で全体が一体となって永遠に動き続ける。プラトンとアリストテレスがこの考え方の基礎を築き、このモデルは2000年間世界を支配していた。ドイツの天文学者、ヨハネス・ケプラーも、この時計仕掛けのような宇宙のモデルを最初は信じていた。(注2)

しかし、カシオペア座に新星が現れた時（実際は、恒星が一生を終える頃に起こす大爆発、超新星だった）、ケプラーは「不変の宇宙」という考え方が正しいはずはないと思うようになった。数年後、彗星がヨーロッパの空を横切った。透明な球殻があるなら、彗星によって球殻は破壊されるのではないか。彼は2000年間受け入れられていた常識を疑い始めた。

1596年、25歳になったケプラーは、惑星が太陽の周りを回っているというコペルニクスの考え方を受け入れた。すると、さらに深い疑問が湧いてきた。太陽から遠い惑星は、なぜゆっくり動くのか。最も遠い星は、それを動かす聖霊の力が弱いのだろうか。でも、それはなぜか。偶然だろうか。もしかしたら、聖霊はたくさん存在するのではなく、太陽の中に唯一の聖霊が存在し、それが近くの惑星に強い力を及ぼすのかもしれない。ケプラーの考えは、従来の説からあまりにもかけ離れていたため、思考の起点となる事実は何も存在しなかった。したがって、「アナロジー」［類推。さまざまな事象間に共通点を見つけ出すこと］を使うしかなかった。

においや熱は、その発生源から離れると消散する。ということは、太陽から発せられて惑星を動かしている不思議な力も、同じかもしれない。しかし、においや熱はその通り道の至るところで感じることができる。一方で太陽の聖霊の力は、「世界全体にあまねく降り注いでいるが、何か動くものがある場所だけにしか存在しない」と、ケプラーは記す。そんなものが存在しているという証拠があるだろうか。

光は「太陽の中に巣をつくる」とケプラーは書いた。光はその発生源と、光が照らす対象の中間には存在していないように見える。光にそんなことができるなら、他の物理的実体にも同じようにできるものがあるはずだ。ケプラーは「聖霊」という言葉に代えて「力」を使い始めた。ケプラーの言う「動かす力」は、重力の概念の先駆けとなるものだ。この頃はまだ、宇宙全体に作用する物理的な力の概念を、科学の世界が受け入れていなかった。それを考えるとケプラーの発想は驚くべき知的跳躍だ。

動かす力が太陽から発せられて宇宙に広がっているとしたら、光自体や光のような力が惑星を動かしているのではないかと、ケプラーは考えた。そうだとすると、その動かす力は、光のように遮ることができるのだろうか。惑星の動きは、日食や月食の間も止まらない。であるならば、動かす力が光に類するものでも、光に依存するものでもない。また別のアナロジーが必要になった。

ケプラーは新しく発表された磁力に関する文献を読んだ。そして、惑星は両端に極がある磁石のようなものかもしれないと考えた。（注3）惑星は軌道上で太陽からの距離が離れている時ほどゆっくりと動く。だから、太陽と惑星は、どちらの極が近くにあるかによって、互いに引き寄せ合ったり反発し合ったりしているのではないか。そうであれば、惑星が太陽に近づいたり遠ざかったりする理由が説明できるかもしれない。しかし、なぜ惑星は軌道上を動くのだろうか。太陽の力が惑星を前に進めているようにも思える。では、次のアナロジーはどうだろう。

太陽は軸を中心に自転しており、それによって動かす力の渦ができ、その力で惑星が潮流の中のボートのように動かされる。ケプラーはこの考えが気に入った。しかし、また新しい問題が生じた。惑星の軌道が完全な円ではないことを、ケプラーは認識していた。ということは、太陽はいったいどんな奇妙な潮流をつくり出しているのか。この潮流のアナロジーはボートを漕ぐ人がいないと完成しなかった。

渦を巻く川では、潮流に対して直角に漕ぐとボートを操れる。だから、惑星も太陽の潮流の中でも舵を取れると、ケプラーは推測した。渦を巻く潮流は、すべての惑星が同じ方向に動いていることの説明になる。また、それぞれの惑星は、渦の中心に引き寄せられないように舵を取っている。だから、軌道は完全な円にはならない。では、各惑星の船長は誰なのだろうか。

ここでケプラーは最初の聖霊の話に引き戻された。だが、その考え方は気に入らなかった。「ケプラーよ、そなたは惑星に二つの目をつけたいと思うのか」と、ケプラーは自問している。

行き詰まると、ケプラーはアナロジーを片っ端から活用した。光、熱、におい、潮流、ボートを漕ぐ人だけでなく、メガネ、天秤ばかり、ほうき、磁石、磁力のあるほうき、群集を見ている演説者などだ。ケプラーはその一つひとつを厳密に調べ、毎回新たな疑問を思いついた。

やがてケプラーは、天体は互いに引き合っていて、大きなものほど引く力が強いという結論に達した。ここから彼は、月は地球の潮の満ち干に影響していると主張するようになった（それは正しかった）。ガリレオは、大胆に真実を見いだす象徴のように言われているが、「月が水を支配している」というのはばかげた考えだと、ケプラーをあざ笑った。(注4)

ケプラーの知的な放浪は、壮大な旅となった。スタート地点は、聖霊が乗り移った惑星が、相互にかみ合っている透明な球殻の上に乗っていて、その球殻は完全な円であり不動の地球を取り巻いている、という考え方だった。それが最後には、惑星運動の法則の解明に至った。その法則は、惑星は楕円の軌道を動き、その軌道は太陽との関係から予測できるというものだ。

さらに重要なのは、ケプラーが宇宙物理学を切り開いたことだ。彼は万物の物理的な力について、誰かから教わったのではない。当時は重力の概念がまだ存在せず、惑星を動かす推進力の概念もなかった。(注5①) ケプラーはすべてをアナロジーだけで見いだした。宇宙における現象について、初めて因果関係を示す物理法則を発見した人物となり、自分でもそのことを認識した。惑星運動の法則を発表した時、彼はこう書いた。「物理学者よ。よく聞くがよい。我々はこれから汝の領域に侵入する」(注5②)。ケプラーの代表作のタイトルは『因果に基づく新天文学』。

自然現象へのアプローチとして錬金術がまだ一般的だった頃に、ケプラーは目に見えない力が世界を満たしていることを示し、それがやがて科学に革命をもたらした。ケプラーは自分の頭脳がたどった曲がりくねった道筋を細かく記録した。その記録は、考えがクリエイティブに変容してきたことを示す貴重な記録でもある。一般的な言い方だと、ケプラーは既存の枠組みにとらわれずに思考した、ということになるが、彼が実際にしていたのは、行き詰まった時、完全にその領域の外に出て考えたということだ。

ケプラーはそのためのお気に入りのツールを持っていた。それを使って、他の人たちが疑いもなく受け入れていた常識に、外側から目を向けた。「私はアナロジーを特別に好んでいる。アナロジーは私の最も信頼できる師、自然の秘密をすべて知っている（中略）アナロジーを大いに活用すべきだ(注6)」とケプラーは記している。


ノースウェスタン大学の心理学者、デドレ・ゲントナーを喜ばせようと思ったら、ケプラーの話をするといい。彼女の身振り手振りが大きくなり、べっ甲のメガネが上がったり、下がったりする。ゲントナーはアナロジー思考の権威として、恐らく世界で最も有名だ。深いアナロジー思考とは、表面上はほとんど共通性がないように見える領域やシナリオの間で、概念的な類似点を発見することだ。これは意地悪な世界の問題を解こうとする時に強力なツールとなる。ケプラーはアナロジーがことのほか好きだったので、ゲントナーは当然、ケプラーが大好きだ。

ゲントナーはケプラーについて、現代人には誤解されてしまうかもしれないトリビアを披露した。しかし、死後400年以上たっているにもかかわらず、「彼が格好悪く見えてしまうかもしれないから、公表しないほうがいい」と彼女は言った。

ゲントナーは私にこう話した。「さまざまなことを関係で考える能力こそが、人間が地球を支配している理由の一つだと思う。他の種にとって、関係を理解するのはかなり難しい」。アナロジー思考は、新しいものをなじみ深いものにする。あるいは、なじみ深いものに新たな光を当てる。なじみのない文脈の見たこともない問題について考えることを可能にし、また、全く見えないものでも、アナロジー思考によって理解できるようになる。

学生は分子の動きを、ビリヤードのボールの衝突のアナロジーで理解できるだろう。電力の原理は配管を通る水の流れにたとえられる。生物学の概念からのアナロジーが最先端の人工知能に活用され、「ニューラル・ネットワーク」になった。ニューラル・ネットワークは、脳の神経細胞のように、いくつかの材料からイメージを特定する方法を学ぶことができる（たとえば、ネコの特徴を認識して写真を検索するなど）。「遺伝的アルゴリズム」も生物学からのアナロジーで生まれたもので、自然淘汰による進化がその概念の基盤になっている。遺伝的アルゴリズムでは、ソリューションが試され、評価されて、その中でより成功率の高いものが生き残って次のラウンドに進む。アナロジー思考は、ルリヤが調べた村人たち、つまり直接の経験に基づいて問題を解決していた人たちにとって、最も異質な思考方法だ。

ケプラーが取り組んでいた問題は、彼にとって新しいだけでなく、人類すべてにとって新しいもので、活用できる経験のデータベースはなかった。宇宙における「遠隔作用」(注7)（姿を見せずに宇宙を横切って、狙った場所で表出する不思議な力）について、ケプラーはにおいや熱、光などのアナロジーを用いて、概念的にそれが可能なのかを検討した。その後も、磁石やボートなど、アナロジーを山ほど用いて問題を考え抜いた。

もちろん、世の中にある問題のほとんどは新しいものではない。その場合には、人は過去の自分の経験に基づいて、ゲントナーが言う「表面的類推」をする。「表面上似ていることを思い出したら、それは関係も似ている場合が多い」とゲントナーは言う。たとえば、古いアパートで浴槽の排水溝の詰まりを直した経験があれば、新しい部屋で台所の流しが詰まった場合にも、それを思い出すだろう。

しかし、頭に浮かんだ表面的なアナロジーが新たな問題でも効果を発揮するには、「親切な世界」であることが前提だ、とゲントナーは言う。親切な学習環境と同じように、親切な世界は繰り返しのパターンが基盤になっている。「一生の間、同じ村やサバンナにいるなら表面的なアナロジーが使える」。しかし、現代はあまり親切な世界ではなく、過去の経験に頼らない思考が求められる。前章で取り上げた数学を学ぶ生徒のように、見たことがない問題を解くために、戦略を選ぶ力を持つ必要がある。「今日の生活では、共通点を抜き出したもの、あるいは関係的に似ているものを思い出す必要がある。クリエイティブになりたいのであれば、この点はより重要だ」とゲントナーは私に言った。

1930年代に、カール・ドゥンカーは問題解決の授業で、認知心理学の分野で非常に有名な問題を出した。

あなたは医師で、胃に悪性の腫瘍がある患者を担当している。手術は不可能だが、腫瘍を退治しなければ患者は死亡する。その腫瘍を破壊できるある放射線がある。もし、放射線が十分な強さで腫瘍に到達したら、腫瘍を破壊できる。しかし、その強さだと、放射線が通過する部分にある健康な細胞も破壊される。放射線の強さが不十分だと、健康な細胞に被害はないが、腫瘍への効果もない。腫瘍を放射線で破壊して、同時に健康な細胞の破壊を避けるためには、どんな方法を用いればよいか。(注8)

腫瘍を処置して患者を救えるかどうかは医師であるあなたにかかっているが、放射線は強すぎるか、あるいは弱すぎる。どうすれば、この問題を解決できるだろうか。あなたが考えている間に、ちょっとした話をしよう。

昔、ある国の将軍が、残忍な独裁者から中心部に位置する要塞を奪おうとしていた。すべての兵士をその要塞に同時に到着させることができれば、問題なくその要塞を奪える。要塞からは、タイヤのスポークのように多くの道が放射状に延びていた。しかし、道には地雷がばら撒かれていたので、少人数のグループでなければ、どの道であってもうまく進めそうになかった。将軍は計画を思いついた。兵士を少人数のグループに分け、各グループが別々の道を通って要塞に向かう。兵士たちは時計を合わせて、別々の道を通ってきても同時刻に要塞に到着するようにする。計画はうまくいった。将軍は要塞を占拠し、独裁者を追放した。(注9①)

もう患者は救えただろうか。まだ考え中であれば、もう一つ話をしよう。

何年も前に、小さな町の消防署長が薪小屋の火災の現場に到着した。早く消し止めなければ、近くの家屋に火が燃え広がってしまう。近くに消火栓はなかったが、薪小屋は湖のすぐ近くだったので、水はたくさんあった。すでに、近所の人たちが何十人も集まって、バケツリレーで水を汲んでは順に小屋に水をかけていた。しかし、効果は全くなかった。ここで消防署長は驚くべき行動を取った。みんなに水をかけるのをやめさせたのだ。そして、全員を湖に行かせてバケツで水を汲ませ、全員が戻ってくると小屋を取り囲むように並ばせた。そして、「イチ、ニのサン!」の合図で、全員が同時に水をかけた。火はすぐ弱まり、やがて鎮火した。町は消防署長のすばやい判断を称えて、給与を引き上げた。(注9②)

そろそろ患者を救う方法がわかっただろうか。わからなくても、気にしなくていい。最初の段階で答えがわかる人は少ない。この「ドゥンカーの放射線問題」を解ける人はわずか10パーセントほどだ。放射線の問題と要塞の話を聞くと、約30パーセントが正解する。さらに消防署長の話を聞けば、約半分の人たちが正解する。要塞の話と消防署長の話を聞き、それを放射線の問題解決に活用するよう言われると、約80パーセントの人が患者を救える。

答えは、「複数の弱い光線をさまざまな方向から腫瘍に当てる」だ。そうすれば、健康な細胞を傷つけず、腫瘍で光線が一点に交わることにより、腫瘍を破壊できる強さを持たせられる。ちょうど、将軍が兵士を分散させて要塞で合流させたように、また消防署長が近所の人たちを薪小屋の周囲に並ばせて、そのバケツの水が燃えている薪小屋で一斉に交わるようにしたように、放射線でも同じ効果を出せる。

正解率は、1980年代のアナロジー思考の研究で得られたものだ。正解できなかったとしても本当に気にする必要はない。実際の実験ではもっと長い時間が与えられる。正解を出せたか、出せないかは重要ではない。大事なのは、ここから問題解決について何がわかるかだ。

異なる領域から類似の事例が一つ提供されただけで、放射線問題の正解率は3倍になり、さらに別の領域からの事例が増えると、正解率はさらに高まった。要塞の話による正解への影響度と、次に挙げる原則を話したことによる影響度は同じだった。それは、「何らかの目的を達成するために大きな力が必要だが、その大きな力を直接かけることができない場合、さまざまな方向から同時に力をかけても、同じ効果をもたらす可能性がある」。

この調査をした研究者たちは、類似の事例が問題解決につながると予測していた。しかし、放射線問題では、要塞の話を手掛かりとするよう指示されるまで、多くの人がそうしなかったことに驚いた。「心理学の実験に参加しているのだから、すべての被験者は（調査の）最初の話が二番目の話とどう関係するかを考えるだろうと思っていた（注9③）」

だが、研究者の言う「明確ではない（注9④）」問題を前にすると、最も優れたツールを使おうという直感はあまり働かないようだ。経験に基づいた人間の直感は、タイガー・ウッズの領域、つまり問題と答えが繰り返されるような「親切な世界」向けにできている。

米ソ冷戦の中、スタンフォード大学で国際関係学を学ぶ学生を対象に実施された実験(注10①)では、親切な世界の論法に従うことの危険性が示された。つまり、よく知っている一つの事例だけから結論を導き出す危険性だ。学生には、次のような問題が与えられた。

ある架空の小さな民主主義国が、全体主義的な隣国の脅威にさらされている。学生たちは、国連がどう対応するべきかを決めなければならない。ここで、半分の学生たちには第二次世界大戦を思い起こさせる状況（貨車に乗った難民、フランクリン・ルーズベルトと同じニューヨーク州出身の大統領、「ウィンストン・チャーチル・ホール」での会談）が示され、残りの学生にはベトナム戦争を想起させる状況（リンドン・ジョンソンと同じテキサス州出身の大統領、ボートに乗った難民）が示された。第二次世界大戦を想起させられたグループは、戦争をすることを選ぶ割合がはるかに多くなり、ベトナム戦争を想起させられたグループは、非軍事的な外交による解決を選んだ。

これと同じような現象があちこちで観察されている。大学のフットボールのコーチは、ある一人の選手の潜在能力を評価する際、紹介文でその選手がかつて活躍したどの選手にたとえられているかによって、ほかの説明は全く同じであっても、全く異なる評価をした(注10②)。

放射線問題では、表面上は似ていないが、根底部分の構造が似ている複数の状況を活用することが、正解への道筋だった。問題の解決に取り組む多くの人はケプラーではない。彼らの思考は目の前の問題の細かな部分にとらわれる。医学の問題なので他の医学的知識を使おうとする人もいるが、かけ離れた分野のアナロジーを用いようとはしない。しかし、そうすべきである。手元にある問題とは表面上、かけ離れたものがアナロジーに使える場合があることも知っておくべきだ。意地悪な世界では、一つの領域の経験に依存することには限界があるだけでなく、悲惨な結果を招く恐れがある。

たった一つのアナロジー、特に非常に似た状況のアナロジーを用いると、それだけでは「内的視点（inside view）」と戦えないという問題が生じる。内的視点はダニエル・カーネマンとエイモス・トベルスキーが名づけたものだ。目の前にある特定のプロジェクトの詳細だけをもとに判断を下す時に用いるのが、内的視点だ。

カーネマンは、個人的にもこの内的視点の危険を経験した。カーネマンが意思決定の科学に関する高校のカリキュラム(注11)を作成するチームをつくった時のことだ。週に一度のミーティングを1年間続けたあと、カーネマンは「このプロジェクトが終了するまでにあと何年間かかると思うか」を、チーム全員に聞いた。すると、最も短いもので1年半、長いもので2年半という答えだった。続いてカーネマンは、カリキュラム作成の有名なエキスパートで、他のプロジェクトも見てきたシーモアという人物に、他のプロジェクトと比べてどうかと尋ねた。

シーモアはしばらく考えた。さっき、彼はあと2年と答えていた。他のチームとの比較についてカーネマンから質問されるまで、シーモアはこのプロジェクトを他のプロジェクトと比較しようとは考えもしなかったと言った。彼が見てきたチームの40パーセントはプロジェクトが終わらず、思いつく限りでは7年未満で終了したものは一つもないと話した。

　カーネマンのグループは、失敗するかもしれないプロジェクトにあと6年も費やしたいとは思わなかった。グループはこの新たな意見について数分間議論したが、あと2年くらいだろうというグループの全体的な見方を信じて前に進むことにした。それから8年たって、ようやくプロジェクトが終了した。その時点で、すでにカーネマンはチームを離れており、それが実施された国に住んでもいなかった。そして、そのカリキュラム作成を依頼した機関は、すでに興味を失っていた。

　人間が自然に内的視点をとろうとする傾向は、「外的視点（outside view）」によって覆すことができる。外的視点は、現在の問題とは異なるものの中に、構造的な類似性を求めて精査する。外的視点はたいてい直観に反しているので、それを持つためには、現在のプロジェクトの表面的な特徴は無視して、視点を外に移し、構造的に類似した事例を探す必要がある。そのためには、狭いマインドセットから、広いマインドセットに変える必要がある。

　２０１２年の実験で、シドニー大学教授で事業戦略が専門のダン・ロバロと二人の経済学者は、ケプラーのようなやり方でさまざまなアナロジーを大量に用いれば、自然に外的視点を持つことができ、より優れた意思決定ができるのではないかと考えた。ロバロは以前、内的視点についてカーネマンとともに研究した人物だ。ロバロたちは、未公開企業に投資するベンチャーキャピタリストを集めた。(注12) 彼らはさまざまな領域のプロジェクトについて、日々いくつもの投資を検討している。ロバロたちは、ベンチャーキャピタリストなら自然に外的視点を持つかもしれないと考えた。

ベンチャーキャピタリストに対して、彼らが現在担当している実際のプロジェクトに関して、成功までの道のりを詳細に示しながら評価して、投資収益を予測するよう求めた。続いて、直接には担当していない投資プロジェクトで、先に評価したプロジェクトと概念的に類似したものをいくつか挙げるように言った。たとえば、自分のプロジェクトと同じように、技術的にリスクのある製品の販売や開発のプロジェクトなどだ。これらのプロジェクトについても、投資収益の予測を依頼した。

その結果、ベンチャーキャピタリストたちは、自分自身のプロジェクトの収益予測を、担当外の類似プロジェクトよりも約50パーセント高く推計していることがわかった。収益の見込みを修正するチャンスが与えられると、彼らは自分の担当プロジェクトの収益見込みを減らした。「彼らはショックを受けていた。特に、年長の人たちのショックは大きかったようだ」とロバロは話した。ベンチャーキャピタリストたちは、詳細を知り尽くしている自分のプロジェクトを、自分が部外者の他のプロジェクトとは全く違う方法で評価していた。

この現象もあちこちで見られる。ある馬が競馬で勝つかどうか、ある政治家が当選するかどうかを尋ねられたら、詳細を知れば知るほど、たとえばその馬の体調[(注13)]や政治家の経歴や方針などを知れば知るほど、検討中のシナリオが起こると答える確率が高くなる。[(注14)]

心理学者は、その人が内部の詳細をよく知っていて詳しく検討できるほど、その評価は極端なものになることを度々示している。ベンチャーキャピタリストの場合、彼らは自身のプロジェクトを詳しく知っていて、そのプロジェクトが大きな成功を収めると評価する。しかし、概念的に類似している他のプロジェクトを評価するよう求められると、それも変わってくる。もう少し例を挙げよう。学生が大学を評価する場合、理工学部のいくつか特定の分野が全国で10位以内に入っていると言われたほうが、理工学部のどの分野も10位以内に入っていると言われるよりも、その大学を高く評価する。また、ある有名な研究では、被験者はある個人の死因を「自然死」ではなく、「心臓病やがん、その他の病気」と判断するほうがはるかに多かった(注15)。目の前の問題に特有な細かな事項にだけ注目することはとても正しいことのように感じられるが、たいていの場合、とても間違っている。

オックスフォード大学ビジネススクールで、大型プログラム・マネジメントの学科長を務めるベント・フライフヨルグによると、世界の主要なインフラ・プロジェクトの約9割が予算を超えてしまうという(注16)(平均で28パーセント上回る)。その原因の一つは、プロジェクト・マネジャーがプロジェクトの細かな部分に集中しすぎ、過度に楽観的になることにある。カーネマンのカリキュラム作成チームは、専門家がたくさんいるので、他のグループのような遅延は起きないと考えた。プロジェクト・マネジャーたちも、同様の楽観主義に陥ってしまう。

フライフヨルグは、スコットランドの鉄道建設プロジェクトについて研究した。そのプロジェクトでは、外部のコンサルティング・チームが実際にアナロジーのプロセスを用い、当該プロジェクトの詳細を無視して、構造的に類似している他のプロジェクトにフォーカスした。コンサルタントは、この計画では、詳細な情報を活用して建設プロセスが厳密に分析されていることを確認した。しかし、総費用3億2000万ポンドという見積もり額は、他のプロジェクトのアナロジーを用いると、相当低いと判断した。(注17)実際、その鉄道が3年遅れで開通した時、費用は10億ドル近くに達していた。それ以降、イギリスのインフラ・プロジェクトでは外部視点のアプローチを導入するようになり、過去の多くのプロジェクトとの比較を事実上強制するようになった。

ベンチャーキャピタリストを対象とした実験のあと、外的視点の研究者たちは映画事業を研究し始めた。(注18)映画業界は当たり外れを予測しにくいハイリスク・ハイリターンの業界として有名で、実績データは豊富にある。研究者は、映画ファンにアナロジー思考をさせたら、映画の成否を正確に予測できるのではないかと考えた。そこで、まず数百人の映画ファンに、これから公開される映画に関して、主演の俳優の名前、宣伝ポスター、あらすじなどの基本情報を提供した。その頃公開された映画は『ウェディング・クラッシャーズ』『ファンタスティック・フォー』『デュース・ビガロウ、激安ジゴロ!?』などだった。併せて、古い映画作品40作のリストも提供し、それぞれの映画がどのくらい新規公開の映画と類似性があるか、点数をつけるよう求めた。

研究者は、こうして得られた類似性のスコア（および、それがシリーズ作品であるかなど、映画に関する少しの基本情報）を用いて、新規公開作品の興行収入を予測した。同時に、これとは別に、数学的な興行収入予測モデルも作成した。そこには過去の700作品と新規公開作品に関して、ジャンル、予算、主演俳優、公開年、クリスマス・シーズンの公開かどうかなどの情報を詰め込んだ。そして、この二つのモデルに予測の正確さを競わせた。すると、類似性スコアのモデルは、細かな情報をあまり入れていないにもかかわらず、数学モデルよりもはるかに正確だった。映画ファンによる類似性スコアモデルは、新規作品19本のうち15本で数学モデルよりも正確な予測を出した。興行収入の予測は、『宇宙戦争』『奥さまは魔女』『パニック・フライト』では実績との差異は4パーセント未満で、『デュース・ビガロウ、激安ジゴロ!?』では、1・7パーセント外れただけだった。

ネットフリックスも、「おすすめ」のアルゴリズムの改善に関して、同じような結論に達した。(注19)映画ファンそれぞれの特性を解析して、何が好きかを判断するのは非常に複雑な作業だ。それよりも、同様の視聴履歴がある他の顧客との類似性を見たほうが、より正確な予測ができる。つまり、「あなたは何が好きか」がわかるふりをするのではなく、「あなたは誰に似ているのか」を調べることにしたわけだ。そうすれば、複雑な部分はその中で捉えられる。

映画の興行収入予測の研究で、新規公開作品と最も似ている過去作品を1本だけ映画ファンに選んでもらうと、不思議なことに予測の力はなくなってしまった。最善と思われるアナロジー一つだけでは、うまく予測できなかった。外的視点の柱となる多くの参照データをアナロジーに用いると、はるかに正確な予測ができた。

第1章を振り返って、ゲイリー・クラインが研究した親切な学習環境の直感的なエキスパート、たとえばチェスのマスターや消防士のことを思い出してみよう。彼らは複数の選択肢を考え出すのではなく、表面的な特徴のパターンを認識して、それをもとに直感的に決定を下した。時間がある時には、その決定について考慮するかもしれないが、たいていの場合は直感に従った。今回も恐らく前回と同じなので、限られた範囲での豊富な経験が効果を発揮する。しかし、新しいアイデアを出したり、不確実性の高い新たな問題と向き合ったりする場合は、これとは全く違う。直感に支配される前に、さまざまな選択肢を評価することが、意地悪な世界でうまくやるコツだ。

ロバロと共同研究者のフェルディナンド・ドゥビンは、経営学専攻の学生150人に対して、架空のコンピューター用マウスのメーカー、ミッキー社を救う戦略を立てるように言った。ミッキー社はオーストラリアと中国で事業を展開するが苦戦しているという設定だ。学生たちにはミッキー社の状況について学び、その業績を改善するため思いつく限りの戦略を挙げるよう指示した。その際、一部の学生に対して、一つまたは複数の企業に言及し[注20]（たとえば、「ナイキやマクドナルドの事例で、あなたが推奨する戦略について補足することはできるが、それだけではいけない」など）、それ以外の学生にはそうした指示を与えなかった。

すると、一つの企業を示された学生は、示されなかった学生よりも多くの戦略を考えついた。複数の企業を示された学生は、さらに多くの戦略を考え出した。言及された企業がミッキー社の事業から離れたものであればあるほど、アイデアの創出に効果があった。ナイキやマクドナルドを示された学生は、アップルやデルなどのコンピューター関連企業を示された学生よりも、多くの戦略を考え出した。幅広い事例を参照することを思い起こしただけで、学生はよりクリエイティブになることができた。

しかし残念なことに、学生たちは、戦略オプションを発案する際に他の企業を参考にするのであれば、同じ分野の一つの企業にフォーカスするのが一番よいだろうと述べた。参考にする企業を限定し、表面的に最もよく似た企業を用いるのがよいはずだという考えだ。「アナロジーを何に使うかにかかわらず、そのやり方は通常間違っている」とロバロは私とのインタビューで話した。

アナロジーを使って、直感的な内的視点から外的視点へと移ることを試みている企業がある。2001年に、世界有数のコンサルティング会社、ボストン・コンサルティング・グループ（BCG）は、社内のコンサルタント向けに幅広いアナロジー思考を促進する材料を集めたサイトを開設した。(注21)インタラクティブな「展示物」は分野によって分類され（人類学、心理学、歴史など）、またコンセプト（変革、物流、生産性など）や戦略テーマ（競争、協力、連合・連携など）によっても分類されている。たとえば、買収後の企業統合について戦略を立てているコンサルタントは、11世紀に征服王ウィリアムがどのようにしてイングランドをノルマン帝国に「統合」したかに関する「展示」を見たり、シャーロック・ホームズの観察方法について書かれた資料を読んで、当たり前と思えるような細かな事項からも学べる、という気づきが得られるかもしれない。また、急速に事業を拡大しているスタートアップ企業を担当しているコンサルタントは、プロイセンの軍事戦略家が、「勝利後に勢いを維持すること」と「やりすぎて失敗すること」の微妙な均衡について書いた文献からアイデアを得るかもしれない。もし、これらの題材がビジネス上の緊急の問題からかけ離れているように思えたとしたら、まさにそれこそがポイントだ。

デドレ・ゲントナーは、みんながケプラーのようになって、問題を理解するためにかけ離れたアナロジーを活用できないかと考えた。そこでゲントナーは「曖昧な分類のタスク」の作成に関わった。そのタスクは25枚のカードで構成され、それぞれのカードには現実世界の現象が書かれている。たとえば、インターネットのルーターがどのように機能するか、経済バブルがどのように起こるか、といったことだ。各カードは大きく二つのカテゴリーに属す。一つのカテゴリーは分野（経済、生物学など）で、もう一つのカテゴリーは「根底にある構造」だ。参加者はカードを類似のカテゴリーに分類するように言われる。

根底にある構造の例で言うと、経済バブルと極地の氷が溶けている問題は、ともにポジティブ・フィードバック・ループの例として分類できる（経済バブルでは、消費者は株式や不動産が値上がりすると考えて購入する。購入によって価格は上昇し、さらなる購入につながる。極地の氷の問題では、氷が溶けると、宇宙に跳ね返される太陽光の量が減り、それによって地球の温度が上がって、さらに氷が溶ける）。

「汗をかく」ことと、米連邦準備銀行（ＦＲＢ）の行動は、ともにネガティブ・フィードバック・ループの例として分類できる（汗をかくと体温が下がるので、さらに汗をかく必要はない。ＦＲＢは経済を刺激するために金利を下げる。経済成長が早くなりすぎたら、金利を引き上げて、経済成長を緩やかにする）。

ガソリン価格の上昇が食料品価格の上昇につながる様子と、脳内でメッセージがニューロンの間を伝わるステップは、ともに因果の連鎖の例と考えられる。一つの出来事が別の出来事を引き起こし、それがまた別の出来事へと、一本の線のようにつながっていく。

さらには、ＦＲＢの金利の変更と、経済バブル、ガソリン価格の変動を、「経済」という同じ分野に分類することも可能だ。汗をかくことと、ニューロン間のメッセージの伝達は、ともに生物学の分野としても分類できる。

ゲントナーたちは、この「曖昧な分類のタスク」をノースウェスタン大学のさまざまな専攻の学生に課した。(注22) すると、全員がカードを分野別に分類することはできたが、根底にある構造の分類ができる学生はかなり少なかった。その中で、共通する構造を見つけ出すのが特にうまいグループがあった。それは、「統合科学プログラム」などに属し、さまざまな領域の授業を取っている学生だった。ノースウェスタン大学のウェブサイトでは、このプログラムについて卒業生が次のような説明をしている。

「統合科学プログラムは、たとえて言うならば、生物学副専攻、化学副専攻、物理学副専攻、数学副専攻が組み合わさって、一つの専攻になっている感じです。このプログラムの第一の目的は、自然科学と数学のすべての領域に触れることによって、自然科学の異なる領域の間に共通点を見いだせるようになることです。（中略）統合科学プログラムを専攻すれば、分野を超えたつながりが理解できるようになります」

統合科学プログラムについて私に説明してくれた教授は、個々のアカデミックな学部はこのプログラムにあまり好意的でないと言う。そうした学部では、学生に一つの学部内で専門的な授業を受けさせたいと考え、統合科学プログラムに入ると、学生が後れを取るのではないかと心配する。ゲントナーが「多様な基本領域」と呼ぶものを身につけさせるよりも、それらの学部は専門に特化することを急ごうとする。しかし多様な基本領域は、アナロジー思考や概念的な関連性の見つけ方を育み、学生はそれらを使って直面している問題を分類する力を養える。これこそが、最も優秀な問題解決者に見られる能力だ。

優れた問題解決に関する研究の中でも特に被引用回数の多いある研究(注23)では、分野横断的な科学者のチームが非常にシンプルな結論を出した。それは「優れた問題解決者は、問題の根底にある構造を見抜く能力に優れており、そのあとで、それに適した戦略を適用する」というものだ。一方で、問題解決力に劣る人は、「曖昧な分類のタスク」に参加した学生によく見られたように、表面的であからさまな特徴だけで問題を分類する。科学者たちは、問題解決で特に高い実績を上げる人は、「まず問題の分類から始める」と分析した。

教育学の草分け的存在であるジョン・デューイは、著書『行動の論理学』で、「よく位置づけられた問題は、半分解決されている」と記す。

ケプラーが、宇宙の姿を描き直すという複雑なアナロジーを考え続けるきっかけとなったのは、彼自身が混乱したことだ。ガリレオやアイザック・ニュートンとは違って、ケプラーはその混乱を文字に書き著した。「重要なのは、自分の言うべきことを読者に伝えるだけではなく、その理由や口実や、私を発見に導いた幸運な偶然を伝えることだ（注24）」

ケプラーは若くして天文学者のティコ・ブラーエの天文台で働き始めた。当時、それは最先端の天文台で、デンマークの国家予算の1パーセントが投じられていたほどだ（注25）。しかし、ケプラーには誰もやりたがらなかった仕事、火星とその複雑な軌道の研究が回ってきた。軌道は円でなければならないはずなのに、ブラーエの観測結果はそれと食い違っていた。そこでケプラーは、その理由を解明しなければならなかった。火星は時折、軌道を逆戻りしたり、小さな円を描いたりするように見え、そのあと元々の方向に戻っていく。火星の「逆行運動」として知られる現象だ。それまでの天文学者は巧妙に理由をこじつけて、火星が球殻の上にいながらなぜそのような動きをとれるのかを説明してきた。

ケプラーはこじつけを受け入れることができなかった。同僚たちにも助けを求めたが、誰にも相手にされなかった。ケプラーの前任者たちは、火星がなぜ軌道から外れるのかを、宇宙の全体的な見方を変えることなく、何とかごましてきた。短期間のはずだったケプラーの火星研究は（ケプラーは8日で終わると考えていた）、結局5年間に及び、火星がいつどこに現れるかを示す計算を続けた。厳密に計算できるようになると、ケプラーはその研究をやめた。

かなり近い線までいっていた。だが、完璧ではなかった。ケプラーが計算して出した火星の位置と、ブラーエの観測結果が、2回だけ異なっていたのだ。その違いはわずか8分（0・13度）だったので、自分のモデルが正しく、観測のほうが少しずれていたと考えることもできた。

そうしなければ、5年間の仕事がムダになってしまう。しかし、ケプラーは自分のモデルのほうを捨てた。「もし、8分の差など無視してもいいと思ったとしたら、この仮説につぎはぎを当てて済ましていたかもしれない」(注26)とケプラーは記した。

この誰もやりたがらなかった仕事を手掛かりに、彼の宇宙の見方が変わっていく。ケプラーは未知の領域にいた。アナロジーが本格的に開始され、ケプラーは宇宙の姿をつくり変えた。光、熱、におい、ボート、ほうき、磁石。最初は、ぴったりと当てはまらない観測結果から始まり、最後には、アリストテレスの時計仕掛けの宇宙の姿を、完全に覆すことになった。

ケプラーが取った行動は、今日の世界クラスの研究室で特徴的に見られるものだ。心理学者のケビン・ダンバーは、1990年代に研究室の生産性について記録し始め、たまたまケプラー的思考の現代版に行き当たった。予期せぬ発見があった時、優れた研究者も「現在の理論が正しく、観測結果のほうがずれている」とは考えず、どこか新しい場所へと漕ぎだすチャンスと考える。その時、アナロジーが未知の場所へのガイドになる。

ダンバーが最初にこの研究を始めた時、彼はシンプルに研究所での発見のプロセスをリアルタイムで記録していただけだった。(注27)ダンバーが対象としていたのは、分子生物学の研究室で、遺伝子工学やHIVをはじめとする感染症の治療法の解明など、まだ切り開かれていない世界を開拓しようとしていた。ダンバーはアメリカの四つの研究室に、何カ月もの間、毎日通ってじっと観察を続けた。やがて、アメリカだけでなく、カナダやイタリアなどの多くの研究室に対象を拡大した。

それぞれの研究室は、表面上は大きく異なっていた。何十人もの研究員がいるところもあれば、小さなところもある。男性だけの研究室があった一方で、女性だけの研究室も一つあった。すべてが世界的によく知られていた。

毎週の研究室のミーティングが、最も興味深い観察対象だった。週に一度、研究室のチーム全員が集まる。研究室の責任者も、大学院生も、ドクター取得後のフェローも、実験助手も参加して、研究室のメンバーが直面している課題について議論する。科学者といえば孤独で、黙々と試験管をのぞき込むような姿を想像しがちだが、研究室のミーティングは、そのイメージとは全く違う。ダンバーは、意見が自由に、伸び伸びと交わされるのを目にした。アイデアが活発に議論され、新しい実験が提案され、実現には何がネックになるのかについて話し合われ、それは「科学におけるとてもクリエイティブな瞬間だった」とダンバーは言う。彼はミーティングを録音した。

最初の15分くらいは、事務的な話も多い。備品を発注するのは誰の番か、ものを散らかしっぱなしにしないように――。それが終わったらいよいよ本番だ。メンバーの誰かが、予期しなかったことや、よく理解できない発見を発表する。ケプラーの火星の軌道に相当するものだ。科学者はまず、自分に落ち度がないかを慎重に探す。計算の間違いがないか、器具の調整が十分かを確かめる。問題がなければ、研究室は結果を真実のものとして受け止め、何が起きているのか、今後何をすべきかなどのアイデアが飛び交い始める。録音した1時間のミーティングをダンバーが書き起こして、問題解決のための行動を分類するのに8時間かかった。それをもとに、ダンバーは科学のクリエイティビティーのプロセスを分析し、そこで多数のアナロジーに気づいた。

ダンバーは重要なブレークスルーが起こるのを、その目で目撃した。そして、予期しない発見を人類にとっての新たな知識に変えている研究室は、多くのアナロジーを用いていることを発見した。アナロジーは、さまざまな領域から生まれていた。中でも、研究者のバックグラウンドが多様な研究室では、幅広いアナロジーが提案されており、予期しない問題が生じた時に、ブレークスルーがより確実に起きていた。そうした研究室は、ケプラーが何人も集まっているかのようだった。その中には、多彩な経験と関心を持った人々がいた。彼らを悩ませる情報を却下するか、あるいは受け入れて取り組むかを判断する時には、そのメンバーの幅（レンジ）を活用して、アナロジーを用いて考えた。しかも、多数のアナロジーを活用した。

比較的簡単な課題の場合は、よく似た実験との比較から始める。あまり見られない課題だと、もっと遠いアナロジーが活用される。表面的な類似性からは離れて、深いところにある構造的な類似性を探求する。ある研究室のミーティングでは、平均で4分ごとに新しいアナロジーが会話に加えられ、その中には生物学とは全く異なる分野のものもあった。

ある時、別々の二つの研究室が、ちょうど同じ頃に同じ実験上の問題に直面した。測定したいと思っていたタンパク質がフィルターに詰まってしまうため、分析が困難になるという問題だった。A研究室は大腸菌の専門家だけで構成され、もう一方のB研究室は化学や物理学、生物学、遺伝学のバックグラウンドを持つ科学者と医学部の学生がメンバーだった。「B研究室では、医学の学位を持つ人の知識を活用して、そのミーティングで問題を解明していた。A研究室では、すべての問題に大腸菌の知識を使って対処しようとしていたが、それでは解決できなかったので、何週間も実験をすることになった。私はB研究室で解決方法を知ってしまったので、妙な立場だった」とダンバーは私に言った（ダンバーの研究の条件に「ある研究室の情報を別の研究室に伝えてはならない」があった）。

予期せぬ問題を前に、どれだけの幅（レンジ）のアナロジーを使えるかによって、どれだけ新しいことを学べるかが決まった。ダンバーのプロジェクトの期間中に、何一つ新しい発見ができなかった唯一の研究室では、全員のバックグラウンドが似ていて、非常に専門に特化しており、アナロジーはほぼ使われていなかった。「研究室の全員が活用できる知識が同じである場合、みな同じような考えを持っているので、問題が生じてもアナロジーを生み出すための情報は一人分しかない(注28)」。これがダンバーの結論だ。

「それは株式市場に似ている。つまり、さまざまな戦略を混ぜて使う必要がある」とダンバーは私に言った。

ノースウェスタン大学の統合科学プログラムのように幅広い学問を混ぜて提供するコースでは、そうしたコースならではの問題もある。それは、絞り込んだ専攻やキャリアで他者に先んじることを諦める必要があるということだ。それが学習の面で長期的にはよいことだったとしても、受け入れるのはなかなか難しい。

リッチランド（第4章）が研究した「関係を認識する」問題でも、フリン（第2章）がテストした幅広い概念でも、ゲントナーが評価した構造的な類似性でも、レンジの側、あるいはゆっくり知識を身につけるべきと考える側では、互いに利益を巡って競うようなことはない。しかし、早期教育や早期の専門特化がユーザーにとってひどい長期戦略であっても、それを売り込もうとする勢力が世の中にあふれている。これは問題だ。なぜなら、あらゆることの中で最も重要な知識や見聞は、ゆっくりと身につける必要があるからだ。その重要な知識とは、「そもそもあなたは何に取り組むべきなのか」「何があなたに合っているのか」だ。

第6章

グリットが強すぎると起こる問題

The Trouble with Too Much Grit

その少年の母親は、音楽と美術に造詣が深かった。だが、少年は母親とは違った。ある時、家で飼っているネコをスケッチしてみたが、あまりにも出来が悪かったので、自分で絵を破って二度と描こうとはしなかった。(注1) その代わりに、時々弟とビー玉をしたり、そり遊びをしたりしてオランダでの子ども時代を過ごした。そして、たいていの時間は何かを眺めていた。

当時の名高い育児書は、子どもが気の向くままさまよい歩くのは、自分の想像の中に「溺れる」として反対している。しかし、少年は何時間も一人で歩き回った。嵐の中でも、夜中でも歩いた。何キロも歩いて、鳥の巣を何時間も眺め、水生昆虫が小川を渡ろうとするのを追いかけた。甲虫の採集には特に熱中し、正式なラテン語の名前を書いて分類するほどだった。

13歳になると、少年は昔の巨大な王宮の中につくられた新設の学校に進学。しかし、その学校は家からとても離れていたので、学校の近くの家に下宿しなければならなかった。授業中は上の空のことも多かったが真面目な生徒で、自由時間には詩を暗唱して過ごした。

学校の美術教師は有名人で、デザインが国の経済の原動力になるべきだと主張していた。彼の改革運動は成功を収め、政府はすべての公立学校でスケッチの授業を義務化するようになった。その教師は教壇に陣取って長々と講義するのではなく、生徒を教室の真ん中に集めて、その間を縫うように歩き、一人ひとりに声をかけた。生徒は誰もがその教師を崇拝したが、少年が強く心を動かされることはなかった。その美術教師の主張の中核に遠近法があり、美術教育拡大のための新たな法律でも遠近法について言及されていたが、少年はその美術教師から授業で遠近法を教わったことはなかったと、大人になってから文句を言った。

少年は他人と一緒に暮らすのが好きではなく、15歳になる直前に学校を辞めてしまった。その後1年と4カ月は、ただ自然の中を長時間散歩する以外、ほとんど何もしなかった。それを永遠に続けるわけにはいかなかったが、他に何をすればいいのか、わからなかったのだ。幸いなことに、少年の叔父は画商として大成功を収めており、ナイトの称号を得たばかりだった。叔父は少年を大都市にある自分の画廊で働かせることにした。

アートの制作には興味を示さなかった少年だが、売ることには気持ちをかき立てられた。自然の中で磨いてきた観察力を石版画や写真などに向け、甲虫を分類したようにアートを分類した。20歳になる頃には重要な顧客を相手にするようになり、海外にも営業に出かけた。両親には、自分はもう二度と仕事を探す必要がない、と自信満々に言ったが、実際は、そうはならなかった。

田舎から都会に出てきたこの青年は人間関係に不器用で、上司と意見が合わない時に丸く収めることができず、顧客との駆け引きも、顧客を利用しているようで好きになれなかった。青年はやがて、顧客と直接取引をしなくても済むロンドン支店に転勤させられた。その頃、フランスは芸術革命の真っ最中で、パリ支店に転属となり、22歳の時には、これから有名になろうとしている芸術家のスタジオがあった。だが、ずっと先にこの青年の伝記作家が記したように、その新しい芸術も青年の「記憶に残ることはなかった」(注2)。というのも、この頃青年には他に夢中になっていたものがあったからだ。それは宗教だった。何年ものちに、青年が弟とこの革命的な芸術家たちについて語り合った時にも、青年は「そんな人たちには全

く会ったことがない」と言った。(注3)

青年はついに画廊から解雇され、イギリスの海沿いの街にある寄宿学校で補助教員となった。1日に14時間働いて、フランス語から数学まで教え、子どもたちを教会に連れていったほか、寮の管理や用務員の仕事もした。しかし、この学校はオーナーにとって単なる新規事業の一つで、青年は安い労働力にすぎなかった。青年は別の準教員の仕事を見つけた。今度はもっと環境の整った寄宿学校だ。しかし、そのわずか数カ月後に、青年は南アメリカで伝道師になると決めた。両親は「自分のやりたいことばかり追いかけるのはやめなさい(注4①)」と説得し、以前のように安定した生活をするように言った。母親は青年が自然の中で何かをすることを願った。そうすれば青年が「より幸せで落ち着く(注4②)」と考えたからだ。だが青年は、父親と同じ道を歩むことに決めた。教育を受けて、一人前の牧師になるという道だ。

それまでの間の仕事として、父親は書店員の職を探してきてくれた。青年は本を愛し、朝8時から真夜中まで働いた。その書店が洪水にあった時には、本の山を次から次へと安全な場所に移し、その強靭な体力は同僚たちを驚かせた。青年の新たな目標は、牧師になるための大学に合格することだった。

今度は、青年はそのあふれんばかりの情熱を勉強に注ぎ込んだ。家庭教師とともに勉強して、本の文章を丸ごと一冊、手で書き写したりした。「目を開けていられる限りは、座っていなければ(注5)」と、青年は弟に手紙を書き送り、自分には「練習すれば完璧にできるようになる」と言い聞かせた。だが、ラテン語とギリシャ語がなかなか頭に入ってこない。青年は叔父の家に引っ越した。戦争の英雄で厳格だったその叔父は、シンプルに「負けるな」（注4③）と言い続けた。青年は仲間の学生が起きる前に勉強を始め、みんなが寝たあとまで勉強すると決意した。叔父は青年が夜明け前から本を読んでいたのを目撃している。

それでも、勉強はなかなか進まない。25歳の誕生日が近づいた頃、経済革命によって一部の市民、たとえば画商の叔父のような人たちがとてつもない金持ちになり、一方で絶望的な貧困に陥った人たちがいるという説教を聞いた。すると、青年は大学を諦めて、神の言葉をもっと早く広めようと決めた。短い教育プログラムを選んだが、その学校が求めるような簡潔で力強い説教が得意ではなく、青年はそのプログラムに落第した。しかし、説教したいという青年を誰も止めることができず、青年は炭鉱の町へ向かった。神の啓示が最も求められている場所だ。

青年がその町に着くと、空は暗く、レンブラントの絵に描かれる暗い影を思い起こさせた。その町で労働者に説教をした。労働者は非常に虐げられており、坑道の外の世界を「地獄の空高く」（注6）と表現するほどだった。青年はエネルギッシュに宗教的な奉仕活動に取り組み、自分の衣類や金銭を他人に譲り、病人やケガ人に日夜寄り添った。病人もケガ人も大勢いた。

青年が到着した直後、爆発が連続して起こり、121人の炭鉱労働者が亡くなった。ガスが地上に流れ出し、まるで巨大なガスバーナーが地表近くに埋まっているかのように火柱が上がった。被害にあった地元の人たちは青年が人々を落ち着かせているのを見て、その献身ぶりに驚いた。だが同時に、人々は青年を奇妙だとも思い、子どもたちはその説教を聞かなかった。じきに、当座しのぎの牧師の仕事は終わり、27歳になった青年は意気消沈していた。画商として勢いよくスタートしてから10年たった今、青年には財産も、実績もなく、どこに向かうのかもわからなかった。

青年はその思いを、今や画商として一目置かれている弟への手紙に注ぎ込んだ。青年は自分を春のカゴの鳥にたとえた。何か大切なことをすべき時だと強く感じるのに、それが何なのか思い出せない。だから「頭をカゴに強くぶつけてみる。それでもカゴは変わらずそこにあるので、鳥は苦しんで頭がおかしくなってしまう(注7)」。人間も同じで、「常に自分自身のことを理解しているとは限らず、自分に何ができるのかわからないが、本能的に、何かの役に立てると感じる。(中略)僕は自分がすごく特別な存在になれるとわかっている。(中略)僕の中には何かがある。でも、いったいそれは何なのか」。青年はこれまで、生徒であり、画商であり、教師で、書店員で、未来の牧師で、旅する伝道師だった。最初は有望だったのに、その後は何をやってもことごとく失敗していた。

弟たちは、大工か床屋の仕事をしたらどうかと勧めた。妹は青年がパン屋に向いているのではないかと考えた。熱心な読書家だったので、図書館員もよいかもしれない。

しかし、絶望の底で、青年はその猛烈なエネルギーを、最も達成しにくいものに向けた。弟への次の手紙は、とても短いものだった。「今、絵を描きながら手紙を書いているんだ。すぐに絵に戻らなくちゃいけない(注8)」。青年はかつて、絵を描くと、人々に真実を届けられなくなると考えていた。今や青年は、周囲の人たちを描くことによって真実を追究しようとしていた。彼は子どもの頃にデッサンが下手だと気づいてから、絵を描くのをやめていた。だから、初歩の初歩から始めなければならず、『デッサンのABC』という本を読んだ(注9)。

その後、ほんの短い期間だけ、正式な訓練を受けようとしたことがある。画家だった義理のいとこによる水彩画の訓練だ。青年のウィキペディアのページの「教育」の項目には、このいとこの名前だけが挙がっている。しかし、青年は水彩画に必要な繊細なタッチに苦戦し、この師弟関係も1カ月で終わってしまった。画商の元上司は、芸術界で流行仕掛人のようになっていたが、青年の絵は売り物として展示する価値がないと断言した。元上司はこう言った。「一つ確かなことは、お前は芸術家じゃないってことだ(注10①)」。そして、きっぱりと言い放った。「始めるのが遅すぎたな(注10②)」

青年は33歳になろうとする頃、美術学校に入学し、10歳ほど若い生徒と机を並べたが、それもわずか数週間しか続かなかった。デッサンのコンテストで、審査員は無情にも青年に「10歳の子どもが入る初心者クラスに移ったらどうか」と勧めた。

その職歴と同じように、青年の芸術への情熱もあちこち移り変わった。ある時は、真の芸術家はリアルな肖像画だけを描くと感じ、肖像画がうまく描けないと、翌日には真の芸術家は風景画だけを描くと考えた。またある時にはリアリズムを、ある時には純粋な表現を追求した。ある週には、芸術は信仰心を表すための媒体となり、次の週にはそのような考え方は純粋な創作の邪魔となった。ある年には、真の芸術は黒とグレーの影だけで構成されると考え、そのあとには、鮮やかな色彩こそが芸術家にとって真に重要なものだとした。移り変わる度に完全に惚れ込み、そのあとはまた完全に、すばやく手を引いた。

ある嵐の日、青年は砂丘にイーゼルと油絵具を引っ張り出した。それまで、ほとんど油絵を描いたことがなかった。突風の合間を縫って、小屋から駆け出したり駆け入ったりしながら、キャンバスに絵の具を叩きつけるように厚く塗っていった。風で飛ばされた砂がキャンバスに付いた。時には、絵の具をチューブから直接キャンバスに絞り出した。絵の具の粘りと、それを嵐の中で使うためのスピードが、青年の想像力を解き放ち、完璧なリアリズムを追求していた時に青年を苦しめていた技術的な欠点から、青年を解放した。この1世紀以上もあとに、伝記作家はこの日の出来事を次のように記している。「(彼は)驚くべき発見をした。自分は絵が描ける、ということだ[注11]」。そして、青年は「最高に楽しい」と感じ、「絵を描くのは思っていたより難しくない[注12]」と弟に書き送った。

青年は次から次へと実験を続け、言葉を度々翻して、絵に太陽の光を取り込む試みを激しく非難したかと思えば、まさにそのためにキャンバスを外に持ち出したりした。また、深い黒にとりつかれて色のない作品を描いたかと思えば、やがてそれを永遠に葬り去って、鮮やかな色彩を用いるようになった。この方向転換は徹底していて、夜の空を描く時にも黒を使わなくなったほどだ。色彩について何かが学べるかもしれないと考えて、青年はピアノのレッスンも受けるようになった。

残りわずかな人生で、青年はあちこちに移り住み、芸術的な変遷も重ねた。青年はついに完璧なデッサンという目標を投げ捨て、また、以前に不可欠だと考えていたが、マスターできなかったすべてのスタイルを投げ捨てた。青年は新しい芸術を生み出した。激しく、絵の具を大

*青年はこの言葉をフランス語で弟に書き送った。"ce qui ne passe pas dans ce qui passe"(消えていくものの中で、生き続けるもの)。

量に使い、色彩にあふれ、永遠のものを捉える（＊）ことを除いて何のルールもない芸術だ。青年は、誰でも理解できる絵を描こうとした。特別な訓練を受けた一部の人だけが理解できる高慢な絵は描きたくなかった。それまで何年間も正確な姿を描こうとしてきたが、それを完全に捨て去って描いた絵は、木々の間を歩く人の顔がなく、手は鍋つかみのような形だった。

肖像画を描くためにモデルを使ってその姿を模写する際には、青年は心の目を使うようになった。ある晩には、寝室の窓から、子どもの頃に鳥や甲虫を眺めていた時のように、遠くに連なる丘を眺め、空の様子が移り変わるのを何時間も見ていた。絵筆を取り上げた時には、青年の想像力で、近くの町が小さな村に変わり、そびえ立つ教会が小さなチャペルに変わった。手前にあった深い緑のイトスギの木は巨木となって、うごめく夜空のリズムを表すように、海藻のようにキャンバスを這い上がった。

こうしたことが起きたのは、10歳向けのデッサンのクラスを勧められてから、わずか数年後のことだった。それでも、窓から眺めた夜を描いた『星月夜』や、失敗を続けながらも新しいスタイルで描かれた青年のたくさんの絵は、新たな芸術の時代の幕を開け、美と表現の新しい概念を生み出した。生涯最後の2年間に、実験的に数時間で急いで描かれた青年の絵は、文化的にも金額的にも、世界に存在するものの中で最も価値が高いものとなっている。

フィンセント・ファン・ゴッホが無名なまま死んだというのは誤りだ。ファン・ゴッホが亡くなる前の革命的な創作期間には、熱烈なレビュー[注13]が一本書かれ、パリでは噂の人となった。

ファン・ゴッホは印象派のムーブメントを無視し、嘆き、やがてそれを刷新したが、印象派を代表する画家のクロード・モネは、その年の展覧会ではゴッホの作品が最もよいと言い切った。

ゴッホの絵のうちの4枚は、現在の価格に換算すると1億ドル以上で売られ、ほかにももっと有名な絵もある。今やゴッホの絵は、靴下から携帯電話のケースまであらゆるものを飾り、その名前がついたウォッカ（ファン・ゴッホ・ウォッカ）まである。だが、ゴッホが及ぼした影響は、それにとどまらない、

「ゴッホがいたから、アーティストの行動が変わった」と、アーティストで作家のスティーブン・ネイフは言う（ネイフはグレゴリー・ホワイト・スミスと共著で、ゴッホの伝記を書き、ファン・ゴッホ・ミュージアムのキュレーターはその本を「最も信頼できる伝記」と評した）。ゴッホの絵は現代芸術への橋渡しとなり、どんなアーティストよりも（もしかしたら、どんな人間よりも）幅広い人々にインスピレーションを与えた。美術館に行ったことがない10代の子どもでも、ゴッホの絵のポスターを壁に貼っている。日本人旅行者もゴッホの墓を訪れる。

２０１６年、シカゴ美術館は、代表的作品である『ファン・ゴッホの寝室』３部作を展示した。ゴッホによると、この絵は「頭を休め、むしろ想像力を休める」ための絵だという。この展覧会には記録的な数の観客が訪れ、急遽、来場者に対して、空港の簡易保安検査の列のような混雑管理方式が導入された。

しかし、仮にゴッホが37歳でなく34歳で亡くなったとしても（この頃のオランダの平均寿命は40歳だった）[注14]、彼の波乱に富んだ人生は特に例外的なものではなかった。たとえば、ゴッホ

と一時期、一緒に暮らしていたポール・ゴーギャンも、同じように変遷を重ねた。ゴーギャンはサンテティスムとして知られるスタイルを創始した。それは鮮やかな色彩とはっきりとした輪郭が特徴で、伝統的な絵画のような微妙なグラデーションは用いない。ゴーギャンも、作品の値段が1億ドルを超えた数少ない芸術家の一人だが、そのゴーギャンも働き始めて最初の6カ月は商船に乗っていた。そのあとに見つけた天職は、株式ブローカーだ。1882年に株式市場が暴落して、ようやくゴーギャンはフルタイムの画家になった。35歳の時だった。(注15)

ゴーギャンの人生の転換は、「ハリー・ポッター」で知られる作家のJ・K・ローリングを思い起こさせる。ローリングも、20代の頃は仕事でも私生活でも「大失敗ばかりしていた」(注16)と本人が語っている。短い結婚生活は「内部崩壊」してシングルマザーとなり、元は教師だったが失業して生活保護を受けていた。炭鉱の町のゴッホのように、あるいは株価暴落後のゴーギャンのように、ローリングも失敗によって「自由になり」、自分の才能や関心に合うことをしようと踏み出した。

3人とも、スタートが遅かったにもかかわらず、突出した業績を上げた。例外的に遅咲きで成功した人の話を選び出したと思われるかもしれないが、スタートが遅いのは例外ではなく、スタートが遅かったからと言って、それが不利に働いたわけでもない。むしろ、スタートが遅かったことが、3人のその後の成功には不可欠だった。

「マッチ・クオリティー」は経済学の用語で、ある仕事をする人とその仕事がどのくらい合っているか、つまり、その人の能力や性質と仕事との相性を表す言葉だ。

ノースウェスタン大学の経済学者、オファー・マラマッドがマッチ・クオリティーを研究しようと思ったきっかけは、彼自身の経験にあった。マラマッドはイスラエルで生まれたが、父親が海運会社で働いており、9歳の時に家族で香港に引っ越し、そこでイギリスの学校に通った。イギリスの学校制度では、高校の最後の2年間のうちに自分の専攻を決める必要があった。「イギリスの大学に出願する場合は、特定の専攻を決めて応募する」とマラマッドは私に語った。当初は、父親がエンジニアだったので自分も工学がいいだろうと思っていた。だが、最後の最後で、専攻を決めないことにした。「何をやりたいのかわからなかったから、アメリカの大学に出願した」とマラマッドは言う。

大学では、最初にコンピューター・サイエンスを学んだが、それは自分には向いていないと、すぐにわかった。最終的に経済学と哲学に落ち着く前にも、いくつもの科目を学んでみた。専門特化のタイミングがキャリアの選択にどう影響を及ぼすかについて長い間興味を持ち続けることになったのも、この経験があったからだ。1960年代後半には、その後ノーベル経済学賞を受賞するセオドア・シュルツが、「経済学は、高い教育を受けた労働者ほど生産性が高いことをよく示しているが、教育のもう一つの役割を無視している」と主張した。それは、学生が教育を受けながら自分が何者でどんな仕事に合っているのかを探す間、専門特化を遅らせる役割[注17]だ。

専門特化のタイミングを研究するために、無作為抽出した人を使った実験はできないが、マラマッドはイギリスの学校制度を利用して自然実験［実社会に自然に生じた現象の原因と結果を観察・分析・考察する］ができることに気づいた。(注18) 当時、イングランドとウェールズの生徒は大学に入る前に専攻を決めて、専門的な狭い範囲のプログラムに応募しなければならなかった。それに対してスコットランドでは、大学の最初の2年間はさまざまな分野の学習が求められ、それ以降もいろいろな学問を試しに学んでみることができた。

どの国でも、どの大学の課程でも、学生は専門的な分野のスキルを学び、それを通じて選んだ分野と自分とのマッチ・クオリティーを知ることができる。学生が早く専攻を決めれば、専門的なスキルをより多く身につけられる。反対に、いろいろな学問を試したあとでゆっくり専攻を決めれば、就職する際に、専門分野の知識は少ないが自分の能力や性質に合った仕事かどうかを、よりはっきり感じられる。果たして、どちらのほうがいいのだろうか。

もし、大学教育がもたらしてくれる恩恵が、単純に仕事のためのスキルを提供することだとしたら、早く専門特化した学生のほうが、卒業後に専攻とは無関係な分野にキャリアを変える確率は低くなるはずだ。彼らは専門のキャリアに特化したスキルをより多く蓄積しているので、仕事を変えたら失うものもその分多くなるからだ。だが、もし大学教育の恩恵が、マッチ・クオリティーについて知ることだったとしたら、その場合は早い段階で専門特化した学生のほうが、専門とは無関係な分野に仕事を変える確率が高くなるはずだ。なぜなら、どんな分野が自分の関心や能力に合うのかを判断する前に、さまざまな領域を試してみる時間がないからだ。

マラマッドは数千人の大卒者のデータを分析した。その結果、イングランドとウェールズの大卒者のほうが、スコットランドの大卒者よりも、高い割合で専攻とは全く別の分野に仕事を変えていることがわかった。また、スコットランドの大卒者は、専攻を決めるのが遅く、専門的なスキルが少ないため最初は収入が少ないが、すぐに追いつくこともわかった。(注19) イングランドとウェールズの大卒者は、仕事を変えると失うものも多いはずなのに、大学卒業後や就職後に、より高い確率で自分の専攻とは関係ない仕事を選んでいた。彼らは試すチャンスが少なかったため、その道が自分に合うのかがわかる前に、狭く限られた道を進んでいった。つまり、イングランドとウェールズの学生は、あまりに早く専門特化したため、間違った選択をするケースが多かったということだ。(注20)

マラマッドは次のようにまとめた。「マッチ・クオリティーの向上による効果は、(中略) スキル取得の遅れによるマイナス分を上回る」(注21)。学問やスキルを学ぶことは、自分自身について学ぶことほど重要ではない。さまざまな分野の探索は、ちょっとした贅沢ではなく、教育の中心的な課題なのだ。

スコットランドでは、イングランドやウェールズよりも多くの大学生が、高校では学べない学問、たとえば工学などを専攻するが、それも当然のことだろう。イングランドとウェールズでは、高校の早い段階での限られた知識だけをもとに、将来の道を決めなければならない。これはたとえるならば、16歳の段階で、恋人と結婚するかどうかを決めさせられるようなものだ。その時には、すごく素敵なことだと思うかもしれないが、経験を積むにつれて、それほど素敵なことではなかったと思えてくる。イングランドとウェールズでは、投資してきたキャリアと

＊レヴィットはさらに詳細に分析し、コインを投げた結果が、実際に決断に影響したことを示した。コインの結果にかかわらず、誰もが自由に行動できるはずなのに、転職を考えていてコインの表が出た人は、裏が出た人よりも転職をする確率が高かった。コインのアドバイスに従った人の中では、コインの表を出した（転職した）ことは、その後の幸福度の上昇につながった。

「別れる」確率がより高くなる。なぜなら、早く「身を固めすぎる」からだ。キャリアを異性とのつきあいのようなものだと考えたら、そんなに早く身を固めたいとは誰も思わないだろう。

しかし、社会人が仕事の内容をがらりと変えるのは、その人が早く専門特化したかどうかにかかわらず、よいことだ。「スキルの相当部分を失うので痛手もある。だが、仕事の内容が変わったあとは、成長するスピードが速くなる」とマラマッドは言う。それまでの経験をもとに、より自分に合った仕事を見つけるからだ。

『ヤバい経済学』の著者で経済学者のスティーブン・レヴィットは、この本の読者をうまく活用して[注22]転職について実験した。「ヤバい経済学実験（Freakonomics Experiments）」のウェブサイトで、大きな人生の決断を考えている読者に、ウェブ上に設定したデジタルコインを投げて決めてみないか、と呼びかけたのだ。表が出れば「その決断を実行せよ」、裏が出れば「やめておけ」。実験には、タトゥーを入れるべきか、出会い系サイトを試してみるべきか、子どもを持つべきかなど、さまざまな悩みを持つ約2万人が参加した。そのうち、２１８６人が転職を考えている人だった（2万人の中で、転職について考えている人が最も多かった）。

だが、重大な決断を偶然に任せてよいのだろうか。その答えは、転職を考えていてコインの表が出たら、「もっと幸せになりたいなら、コインに従うべし」だった。コインの表が出て、実際に転職した人たちを6カ月後に調査すると、（表が出たのに）転職しなかった人に比べて幸福度が大幅に高かった（*）。レヴィットは言う。「『勝者は決してやめない。やめる人は決して勝てない』などの格言は、善意から出た言葉だとしても、アドバイスとしては非常によくないと思う」。レヴィットは自分が持っている重要なスキルの一つとして、「断念すること[注23]」を挙げる。プロジェクトでも、研究分野全体でも、ほかにより適したものがあれば断念する。

ウィンストン・チャーチルの「決して屈するな。決して、決して、決して」という言葉はよく引用されているが、この言葉には続きがある。それは、「名誉と良識に基づく信念が（屈することを）許す場合を除いては」だ。

「教師の離職」は行政の大きな頭痛の種となっているが、労働経済学者のキラボ・ジャクソンは、そこには転職の価値が表れているという。ジャクソンの研究によると、新しい学校に転職したあとのほうが、教師は生徒の成績を高められるという。この結果は、教師が学力の高い学校や、優秀な生徒のいる学校に転職したから得られたわけではない。「教師は、その学校に合っていないことを理由に転職する場合が多い。教師の転職によって、（中略）教師の配置が最適な状態に近づいているのかもしれない[注24]」

つまり、「転職者は勝者」ということであり、これはやめることに関する古い格言とは真っ向から対立するように思える。また、もっと新しい現代心理学の概念とも対立するようだ。

心理学者のアンジェラ・ダックワースは、「やめること」に関して最も有名になった研究[注25]を実施した。ダックワースはこの研究で、米国陸軍士官学校（ウエストポイント）の基礎訓練兼オリエンテーションで、どの新入生が途中でやめるかを予測した。この訓練は、昔から「ビースト・バラックス（獣の小屋）」という別名で知られている。

6週間半にわたる肉体的・精神的に過酷な訓練の目的は、高校を卒業して夏休み気分の若者たちを、見習いの士官に変えることだ。士官候補生は朝5時半までに整列し、ランニングか自重トレーニングを始める。朝食の食堂では、椅子にまっすぐに座って、顔を皿のほうに寄せずに、食べ物を口まで運ばなければならない。この間、上級生は新入生に質問を浴びせかける。「牛はどうだ?」は「どのくらい牛乳が残っているか」という意味だ。新入生は次のように答えなければならない。「はい。牛は歩き、話し、ミルクでいっぱいです！このウシ属の種のメスから絞られた乳状の液体は、N度と非常に豊かです」。Nにはテーブルに残っているミルクのパックの数を当てはめる。

朝食のあとは、授業と肉体的訓練が待っている。たとえば、窓のない催涙ガス室でガスマスクを外して、顔に焼けつくような痛みを感じながら、何かを暗唱する。嘔吐する必要はないが、しても構わない。消灯は午後10時で、また翌朝には一から始まる。

この訓練では、新入生の意欲が危うくなる。ウエストポイントに入るためには成績優秀である上、運動能力に優れ、連邦議会議員の推薦も得なければならず、怠け者はそもそもビーストに参加できない。それなのに、最初の1カ月が終わる前に、何人かがやめていく。

入学を許可されるために、唯一かつ最も重要な基準となるのが「志願者総合評価スコア」だ。これは共通テストの成績や高校の順位、体力テスト、リーダーシップなどを総合して得点化したものだ。しかし、ダックワースは、このスコアではビースト終了前に誰がやめるかを予測できなかった。[注26] そこで、情熱と忍耐力の組み合わせ、つまり彼女が「グリット（やり抜く力）」

とうまく言い表したものを調べることに決めた。ダックワースは自己評価テストを設計し、グリットの二つの構成要素について調べた。構成要素の一つは、基本的には労働倫理［よく働くことを善とする労働観］とレジリエンスで、もう一つは「興味の一貫性」、つまり自分の望みをしっかりと把握していることだ。

２００４年のビーストの開始時に、ダックワースは１２１８人の新入生にこのグリット調査を実施した。新入生は12の項目を読んで、それがどのくらい自分に当てはまるかを5段階で自己評価する。たとえば、シンプルに労働倫理を問う項目（「私は努力家です」「私は勤勉です」など）もあれば、忍耐力や焦点がぶれないことを問う項目（「私は目標を決めるが、その後、別の目標に変えることが多い」「毎年、興味のあることが変わる」）もあった。

「志願者総合評価スコア」ではビーストの脱落者を予測できなかったが、「グリット・スコア」ではそれよりもよい予測ができた。そこで、ダックワースは研究の範囲を他の領域にも広げた。たとえば、単語の綴《つづ》りの正確さを競う全国大会「スクリップス・ナショナル・スペリング・ビー」の決勝戦などだ。出場者がこのスペリング・コンテストでどこまで進めるかを、言語性ＩＱ［言語を使った思考力や表現力の知能指数］とグリットの両方で予測できることをダックワースは示した。最もよいのは言語性ＩＱとグリットを両方とも山ほど持っている場合だが、グリットがほとんどなくても高い言語性ＩＱが高ければ補え、逆に、言語性ＩＱが低くても高いグリットで補えた。

ダックワースの研究は、どんどん一人歩きするようになった。スポーツチームやフォーチュ

＊バスケットボールについて、実際にNBAの選手だけを対象にこの研究を実施したら、「身長と得点は反比例の関係にある」という結果が出る年が出てくるだろう。もし、研究者が「NBAの選手ではない人は調査対象から外されている」ことを公表しなければ、「身長の低い子を持てば、NBAで得点を稼げるようになる」と親たちは思うかもしれない。

ン500に含まれている企業、学校、米教育省などがこぞってグリットを推奨し、グリットを育てようとし、グリットのテストまでしようとした。ダックワースはこの研究によってマッカーサー賞、通称「天才賞」を受賞したが、それにもかかわらず、この熱狂ぶりに対して、ニューヨーク・タイムズ紙の論説記事の中で次のように思慮深く応じた。「私は意図せずに、自分が強く反対する考えに加担してしまったのではないかと心配している。それは、よい悪いを判定するような性格評価だ」(注27)。グリットはほかの面でも、その本来の調査結果以上に拡大解釈され、誇張されている。

一つには調査範囲の問題がある。士官候補生が「志願者総合評価スコア」を基準に選ばれたという事実は、統計学者の言う「範囲の制限」につながる。士官候補生はその高いスコアゆえに選ばれたので、選ばれた人たちはそのスコアが測定する側面では非常によく似ている(範囲が制限されている)。そうなると、選考のプロセスで評価されていない変数が、比較の上で突然に重要性を増してくる。

これをスポーツにたとえると、NBAの選手だけを調査対象として、バスケットボールにおける成功要因について調べたようなものだ。その調査では、成功を予測する指標として、「身長は重要ではなく、意志の強さは重要だ」という結論になる可能性がある。NBAの選手には人類全体の中でも、背の高い人がそもそも選ばれている。だから、調査対象者の間での身長の振れ幅は小さい。そのため、身長は成功要因として実際ほど重要に見えなくなる(*)。

同様に、ウエストポイントやスペリング・ビーで見られた、グリットやそのほかの性質の重要性は、もっと対象者の範囲を拡大すると、また違って見えるかもしれない。ウエストポイントの合格者だけでなく、高卒者全体の中から調査対象者を無作為抽出してビーストでの生き残りを予測したら、肉体的な強さや学校の成績、リーダーシップの経験などが、グリットよりも大きな成功要因になるだろう。ダックワースと共同研究者も、特に選ばれた人たちだけを調査対象としたことにより、「この調査の外的妥当性［一般化して、他の集団にも使えること］を必然的に制限することになった[注28]」と述べている。

新入りの士官候補生は、グリットのスコアがどうであれ、大半がビーストをやり遂げる。ダックワースが調査した最初の年は、途中でやめたのは1218人中71人、2016年は1308人中32人だった[注29]。ここでもっと突き詰めて考えるべき点は、ウエストポイントをやめたことはよい決断だったのか、ということだ。

ウエストポイントの卒業生によると、ビーストやその後のカリキュラムで、士官候補生が学校をやめていく理由はさまざまだという。「どちらかというと頭脳派で、肉体派ではない候補生たちは、ビーストは期間が短いから何とか戦って、新学期にたどり着く。肉体派にとっては、ビーストは最高の場所だと思う」。2009年に卒業し、情報将校としてアフガニスタンで勤務したアシュリー・ニコラスは言う。しかし、ビーストを修了したものの、そのあとになってウエストポイントは自分の能力や興味に合っていないと気づく生徒もいる。「1学期には、学業についていけなくて、ビーストの時よりもっと多くの生徒がやめていった。ビーストでは、ものすごくホームシックになったか、あまり合ってないと気づいた人たちがやめた。合っていないと思った生徒たちは、自分ではそれほどウエストポイントに来たいと思っていなかったのに、周囲のプレッシャーを受けて入った人が多かった」。つまり、ビーストの間にやめた少数の人たちは、忍耐力がなかったというより、ウエストポイントとのマッチ・クオリティーの低さ、つまり、自分に合う場所ではないと知り、対応しただけだった。

同様に、スペリング・コンテストのために語根を覚え始めたものの、もっと別のことに学習時間を使いたいと考える子どもたちもいただろう。それはグリットの問題かもしれないし、スペリングとのマッチ・クオリティーの低さがわかってそう思ったのかもしれない。マッチ・クオリティーは、実際にやってみるまではわからない。

カーネギーメロン大学教授で経済学と統計学を担当するロバート・ミラーは、「複数のスロットマシンのプロセス」という形でキャリア・マッチングのモデルをつくった。ちなみに、ウエストポイントに通うというのも、もちろん大きなキャリア上の選択だ。「複数のスロットマシンのプロセス」とは、次のような架空のシナリオから成る。一人のギャンブラーがずらりと一列に並んだスロットマシンの前に座っている。レバーを1回引いて得られる賞金は、スロットマシンごとに異なっている。ギャンブラーはいろいろなマシンを試してみて、賞金が最も高くなる方法を探す。

ミラーはマッチ・クオリティーのプロセスもこれと同じだと示した。最初は何も知識がないところから始め、このマシンでよいのかどうか、できるだけ早く情報が得られるやり方でさまざまな道を試す。そして、どこにエネルギーを注ぐべきか、だんだんと考えを修正していく。

ミラーによると、若者はリスクの高い仕事に惹かれる傾向があり、それは「若くて愚か」と表現されたりもするが、実は全く愚かなことではないという。[注30] それは逆に理想的だ。若者は年長の社会人よりも経験が少ないので、最初に試すべきなのは、リスクもリターンも大きく、多くのフィードバック情報が得られる仕事だ。プロのスポーツ選手や俳優を目指したり、ベンチャー企業を立ち上げたりするのは、成功の可能性は低いが、うまくいけば見返りは大きい。また、常にフィードバックが得られ、容赦なく選別される環境なので、挑戦してみて自分に合っているかどうかが早く学べる。少なくとも、フィードバックが少ない環境よりは学びが早い。もし合っていないと判断したら、別のものを試し、他の選択肢や自分自身についての情報を集めていく。

キャリア関連の本で世界的な人気を得ているセス・ゴーディンは「やめる人は決して勝てない」という考え方を否定する本を書いた。それによると、「勝者」（自分のドメインでトップに立つ人）は合っていないと感じたら早くやめ、やめることについて悪い感情を抱かないという。ゴーディンは、「やめる勇気がなくて仕事にしがみついていると失敗する」[注31]と言う。ただし、単に仕事が大変だからという理由でやめることは勧めていない。長い道を歩むうえで、困難に屈しないことは強みになる。しかし、やめるべき時がわかることは、戦略的に非常に大きな強みなので、何かを始めようとする時には、やめる時の条件を挙げておくべきだとゴーディンは言う。彼によると、ここで最も大切なのは、やめようと思う気持ちが、忍耐力が足りないためなのか、それとも、もっと自分に合うものを見つけたからなのかを感じ取ることだ。

ビーストは、スロットマシンとして最適だ。非常に優秀な高卒者のグループが、軍隊経験が微塵もない状態でウエストポイントのレバーを引く。そうすることで彼らはハイリスク、ハイリターンのプログラムを開始して、その1週目から、自分が軍隊の規律に合っているかどうか、大量の情報を得ることになる。

大多数が最後までやり抜くが、大勢の若者が一人残らず、自分が入ろうとしている世界を正確に理解しているとは考えにくい。途中でやめた人たちは、本当は最後まで続けるべきだったのだろうか。もし、将来を考え直したのではなく、瞬間的にパニックになってやめたのだとしたら、彼らには軍隊生活についての新情報が必要だったかもしれない。だが、それを提供すれば、おそらくもっと多くの人がもっと早く脱落するはずだ。

卒業後に5年間の現場勤務をする見返りとして、ウエストポイントの士官候補生は、税金を元手にした約50万ドルに相当する奨学金を受け取る。だからこそ陸軍は、1990年代の中頃から、ウエストポイントの卒業生の約半分が5年の勤務を終えるとすぐ軍隊を辞めてしまうことに苛立っている。5年の軍隊勤務というのは、士官教育のコストにやっと見合う程度の期間でしかない。さらに、勤続20年を迎える前、つまり40歳代前半になるまでに4分の3がやめる。(注32)ちなみに、20年勤めれば生涯にわたって年金をもらえる。

米国陸軍の戦略研究所が2010年に発表した研究論文(注33①)によると、「尉官級［大尉、中尉、少尉］の離職率の急上昇に見られるように、教育投資に対するリターンがどんどん低下しており、陸軍士官の先行きが暗くなっている」と警告している。

ウエストポイントの士官候補生は、ビーストや難しいカリキュラムを終えても、高い確率で離職してしまう。離職率はすべての士官訓練の中で最も高い水準にある。士官訓練プログラムには、ウエストポイントのほかに、一般の大学に通いながら受けられる「ROTC（予備役将校訓練課程）」や、大学を卒業した民間人またはすでに入隊している兵士を対象とした「OSC（幹部候補生学校）」がある。これらの士官訓練への投資効果は、投資額と反比例している。最も長く軍に留まるのがOSCの訓練生、次に2年間の奨学金を受けたROTCの訓練生、その次に3年間の奨学金を受けたROTC訓練生が続き、最後がウエストポイントの卒業生と全額の奨学金を受けたROTC訓練生となる。軍が「将来の士官として見込みがある」と期待し、資金を投じた人物ほど、できるだけ早く軍から離れようとする。陸軍の目標は上級士官を育てることであり、単にビーストを修了させることではない。軍の打つ手はすべて裏目に出ている感じだ。

そのパターンがあまりにも明確なので、軍の高官はウエストポイントが離職者を育てていると判断し、「陸軍のやめ方を教えている学校」(注33②)への投資を減らすべきだと主張するようになった。もちろん、ウエストポイントもROTCも、やめ方を教えているわけではない。では、士官候補生は、ビーストを修了するのに必要だったグリットを突然失ってしまったのだろうか。

そうではないようだ。戦略研究所の研究論文の執筆陣は少佐と元中佐と大佐で、全員がウエストポイントの教官だが、3人が問題として指摘したのはマッチ・クオリティーの難しさだった。陸軍が将来有望と判断した士官候補生ほど、奨学金を受ける確率が高くなる。その奨学金を受けた勤勉で有能な人物は、若手士官として能力を開花させ、やがて軍隊以外にも多くのキャリアの選択肢があることに気づく。そうして、何か別のことを試してみようと決心する。つまり、彼らは20代になって自分自身について知り、マッチ・クオリティーを考えて決断するようになったということだ。

ウエストポイントでは、以前はパイプから水が漏れるように人がやめていったが、1980年代にはパイプに穴が開いたようになった。ちょうど国全体がナレッジ・エコノミーに移行していた時だ。2000年には、水漏れは激流となった。そこで陸軍は、勤続者にボーナスを支払うことを決め、若手士官があと何年か軍で働くと約束すれば、現金を支払うことにした。それには5億ドルの税金が使われたが、全くのムダになった。元々勤務を続けるつもりだった士官は何はともあれボーナスを受け取り、やめる決心をしていた士官は受け取らなかった。陸軍は手痛い教訓を得た。問題はカネではなく、マッチングの問題だった。

かつての工業全盛時代、あるいは研究論文の執筆者たちが「会社人間の時代」と呼んだ時代には、「企業は高度に専門化しており」、従業員は繰り返し同じような課題に取り組んでいた。またその頃は年金が充実していて、転職は不誠実と見なされていた。専門的な職務とそうした文化があったので、他社への転職は難しかった。加えて、企業は外部から人材を採用する必要がなかった。従業員が対峙していたのは親切な学習環境で、その改善につながるのは繰り返しの経験でよかったからだ。

しかし、1980年代までに企業文化は変化していった。同論文によると、ナレッジ・エコノミーによって「概念化と知識の創造に優れた従業員（中略）に対する需要が、大きく拡大した」。幅広い概念スキルがさまざまな仕事に必要となり、キャリアの主導権が突然、会社の内側ばかりを見ていた雇用者側から、外側にさまざまなチャンスを見いだした従業員側に移った。労働者がマッチ・クオリティーを追求して転職しようとするのに合わせて、民間企業の間で、効率的な労働市場が急速に広がった。こうして世界が変わっている間も、陸軍は工業全盛時代から変化していなかった。

先の研究論文によると、陸軍は他の多くの官僚組織と同様に、マッチ・クオリティーが重視される市場に加われなかった。「人材のマッチングの仕組みが全く存在しない」と、論文は指摘する。若い士官が方向転換をして陸軍をやめるのは、意欲の喪失が原因ではない。それが表しているのは、自分を伸ばそうという強い意欲によって士官の目標が大きく変化したことだ。

先ほど登場した元情報将校のアシュリー・ニコラスは、「陸軍をやめて後悔している同級生に、会ったことがない」と言う。ニコラスは陸軍勤務のあと数学教師になり、その後、弁護士になった。ニコラスによると、軍隊は生涯のキャリアにはならなかったが、誰もがウエストポイントでの経験にとても感謝しているという。

民間企業が、高いマッチ・クオリティーが求められる状況に対応していったのに対し、陸軍はただカネを配っただけだった。しかし、陸軍も少しずつ変わり始めた。どんな組織よりもヒエラルキーの強い陸軍が、個人の適性に柔軟に対応するプログラムを提供し始めている。「士

*陸軍は「能力ベースの選択」というプロセスも開始した（注35）。これは士官候補生や若手士官が訓練を進める際、自分の能力や興味を再評価し、陸軍がそれに力を貸すというものだ。その目的はまさにマッチ・クオリティーを高めることだ。陸軍大佐のジョアンヌ・ムーアによる2017年のプレゼンテーションでは、士官候補生が入隊する時に夢見ている仕事は、その人に合わない場合が多いことが示された。試してみて初めて、自分に合うかどうかがわかるので、方向転換する能力はマッチ・クオリティーを高める上で重要だ。

官向けキャリア満足プログラム」は、ROTCの奨学生やウエストポイントの卒業生が、自分のキャリアを自分でコントロールできるようにするためのものだ。このプログラムでは、さらに3年間勤務を続ける見返りとして、部門（歩兵部隊、情報、エンジニアリング、歯科、ファイナンス、獣医、通信技術、ほか多数）や地域を選べるようにした。若手士官をカネで引き留める作戦が無残にも失敗したのとは裏腹に、マッチ・クオリティーを高める手法は成功している。プログラムの最初の4年間で、自分でキャリアを選ぶことを条件に、4000人が勤務期間の延長に合意した（*）。

ただ、これはまだ小さな一歩だ。国防長官のアッシュ・カーターが、2016年にウエストポイントの学生会議に参加した時、勇気のある士官候補生たちから、「陸軍のキャリアパスは各自の成長に合わせて変えることができず硬直的だ」と意見され、この点について多くの懸念を聞かされた[注34]。カーターは陸軍の「工業全盛時代」の人事管理を大幅に変えると約束した。厳格な「昇進するか、やめるか」のモデルから、各自のマッチ・クオリティーを高めるためのチャンスを提供する仕組みに改革するという。

ウエストポイントの士官候補生は、高校を卒業したばかりの時には、スキルもなく、世界にあるさまざまな仕事の選択肢についてもほとんど知らない。だから、グリット調査の「私は目標を決めるが、その後、別の目標に変えることが多い」という項目には、「全く違う」と答えていたかもしれない。しかし、それから数年たつと、自分のスキルや興味についてもっとわかるようになる。すると、別の目標を追いかけることは、グリットに欠ける人の道ではなく、賢明な人の道となった。

直感的に、私はグリット調査に興味をそそられた。根性、気骨、勇気などを指す、日常会話的な意味での「グリット」であれば、私は豊富に持っていると思うことが多い。私は身長が1メートル68センチしかないが、生徒数の多い公立高校で陸上競技をやり、そのあとフットボール、バスケットボール、野球をやった。コロンビア大学ではディビジョンI〔全米大学体育協会が認定するスポーツのレベル。Iが最高でⅢまである〕の陸上のチームに自分から希望して入り、800メートルのランナーとなった。

1年生の時、私の記録は、チームで最も遅い人のタイムから遠く離れていた。つまりダントツで遅かった。それでも、チームと一緒に練習することは認められた。遠征に参加しない限り、一緒に練習しても別にコストがかかるわけではないからだ。スカウトされて入った新人はシューズをもらえるが、私はもらえなかった。遠征チームが春休みにサウスカロライナ州に練習に行く時も、家には帰らず静かなキャンパスに残って、集中して黙々と練習した。

チームに入ってから2年間、吐き気を催すようなトレーニングと、自尊心が傷つけられる試合が続き、みじめな日々を過ごした。その間、スカウトされた優秀なメンバーがやめていき、別のメンバーが補充された。私も、何度となくもうやめようかと思った。しかし、自分に効果があるトレーニング方法が次第にわかってきて、タイムも上がっていった。

4年生になると、私は室内記録で大学の歴代10位内に食い込んだ。東部代表チームのメンバーに2回選ばれ、参加したリレーチームは大学記録を更新した。私と同学年で、もう一人大学記録を更新したメンバーがいたが、それはグリットにあふれていた私のルームメイトで、彼も私以外で唯一、自分からチームに入ったメンバーだった。スカウトされて入った同学年の選手はほぼ全員やめた。私は「まれに見る困難を乗り越えて、スポーツで高い実績を上げた」運動選手に贈られる、グスタフ・A・イエーガー記念賞を受賞した。私の「まれに見る困難」とは、1年生の時にとびきりダメだったことだ。スカウト選手ではないのでヘッドコーチと話したことはほとんどなかったが、授賞式のあとコーチは、私が1年生の時の練習を見ていて気の毒に思っていたと打ち明けた。

このストーリーは特別なものではなく、どこのチームにもある話だ。しかし、私の仕事への取り組み方を象徴する話だと思う。それでも私のグリット・スコアは、アメリカ人の成人全体のちょうど中間だった。(注36) 私は自分が勤勉で、失敗してもくじけないと評価して得点を稼いだ。しかし、「毎年、興味のあることが変わる」ほか、ウエストポイントの卒業生のように、私も時々「目標を決めるが、その後、別の目標に変えることが多い」と打ち明けて、かなりのポイントを失った。

私は17歳の時、将来はパイロットを経て宇宙飛行士になりたいと思って、米国空軍士官学校に出願しようと考えていた。その時だったら、グリット・スコアは最高レベルだっただろう。わざわざシカゴまで行って、下院議員のシドニー・イェーツから推薦状をもらう約束まで取りつけた。

だが、士官学校へは出願しなかった。最後になって気持ちが変わり、別の学校で政治学を学ぶことにした。大学では政治学の授業を一つ取ったが、最終的には地球・環境科学を専攻し、天文学を副専攻として、将来は科学者になろうと決めた。だから、学生の間も卒業後も研究に取り組んだが、やがて、自分は一つか二つのことを解明するのに生涯を費やすタイプではないと気づいた。むしろ、常に新しいことを知って、それをみんなに教えるようなタイプだ。こうして私は科学からジャーナリズムに転向した。最初の仕事はニューヨークの深夜担当の事件記者だった（深夜から午前10時までに起こる事件で、ニューヨーク・デイリーニュース紙に載るようなものに、楽しい事件は一つもない）。

自分のことをよく知るようになるにつれ、目標や興味の対象は変わり、それは私の生きる力となる仕事に出会うまで続いた。その仕事とは、関心のある事を幅広く調査することだった。スポーツ・イラストレイテッド誌で働いていた時には、就職希望の学生たちが、同誌で働くにはジャーナリズムを専攻したほうがいいか、それとも英語がいいかと質問してきた。私は、全くわからないが、統計学か生物学だったらムダにはならないだろうと答えた。

私は自分が情熱やレジリエンスを失いつつあるとか、ウエストポイントをやめた元士官候補生が入学時の意欲を失ったとは思わない。一方で、グリット・スコアを使って、厳しい基本訓練を修了できる士官候補生や、スペリング・コンテストで勝ち抜く子どもたちを予測できることには納得がいく。子どもや少年少女が自分の目標を持つ中で、あるいは選択肢が限られている中で、中心的な課題となるのは、目標達成のための情熱とレジリエンスを持つことだ。800メートル走の選手も同じだ。スポーツで目標を持つことの強さは、それが明白で測定しやすいことにある。だからこそ、2018年冬季オリンピックの最後の週末に、サーシャ・コーエンは、引退するスポーツ選手に向けて自身のコラムで次のようにアドバイスした（コーエンは、2006年トリノオリンピックの銀メダリストだ）。

「人生のルールはスポーツのルールとは違うことを、オリンピック選手は理解する必要がある。(注37)一つの目標を達成しようと毎日懸命に頑張る選手は、グリットと決意とレジリエンスを持っている。だが、競争の中で肉体的・精神的に頑張る力では、引退後に待ち受ける課題に立ち向かえない。だから、引退したら旅行や、詩を書く、起業、遅くまで外出するなど、あまり目標が明確でないことに時間を使おう」

広い世界では、そもそもマッチ・クオリティーの高い目標を見つけることは相当難しい。その過程では、粘り強さが障害になる恐れもある。

ギャラップ社が、150カ国、2000人超の社会人を対象に実施した最近の調査(注38)によると、回答者の85パーセントが、仕事に「熱心に取り組んでいない」あるいは「積極的にさぼっている」と答えた。セス・ゴーディンによると、このような状況では、海に漂うゴミのように流されるまま仕事を続けるよりも、やめるほうがむしろエネルギーがいるという。問題は、人間が「サンクコスト（埋没コスト）の誤り」にとりつかれていることだ。つまり、何かに時間とカネを費やすと、すでにその時間もカネも消えてしまっているのに、それがムダになる気がして手放すのがイヤになる、ということだ。

心理学の博士号を持つジャーナリストで、プロのポーカープレーヤーでもあるマリア・コニコヴァは、著書『コンフィデンス・ゲーム（The Confidence Game）』で次のように述べる。人はサンクコストを気にかけるようにできているので、詐欺師はそれにつけこむ。まず、ターゲットに対して何回か小さな頼みごと、あるいは投資話を持ちかけ、そのあとで大きな頼みごとや投資話を持ちかける。人はいったんエネルギーやカネを投資すると、そのサンクコストが切り捨てられず、客観的に見れば悲惨な状況が迫っているのに、投資し続けて自分が望んでいたよりも大金を投じてしまうという。「投資すればするほど、たとえ損が出ていたとしても、絶対にうまくいくと固執するようになる」

スティーブン・ネイフは、ファン・ゴッホの伝記を書くために、10年間かけてその生涯について調べた。そこで私は、ファン・ゴッホになったつもりでグリット調査の質問に答えてくれないかと頼んだ。

ファン・ゴッホの労働倫理は、拡張されて信念になっていた。ファン・ゴッホは、父親が「種をまく人」の説教で用いたイメージに心酔していた。種をまく人はあとで収穫できるように、今働いておかなければならない。「先を考えない人たちが見放した畑を考えてみなさい」と、父親のドルスは言った。ネイフとスミスによると、ファン・ゴッホは「種をまく人」のイメージを、「逆境の中での粘り強さの手本」として用いていたという。ファン・ゴッホはすべての仕事で、他の人たちより多く働けば成功すると信じていたが、いつもやがて失敗する。ファン・ゴッホの関心は揺れ動いた。画家として落ち着いたあとでも、あるスタイルや画材にすべてのエネルギーを注ぎ込んだかと思ったら、すぐにそれを完全に否定した。グリット調査の項目、「私はあるアイデアやプロジェクトにしばらく夢中になるが、その後、関心を失う」はファン・ゴッホそのものだ。少なくとも、晩年になって独自のスタイルを見いだし、クリエイティビティーを爆発させるまでは、その状態だった。

ファン・ゴッホはマッチ・クオリティーを最適化した例であり、ロバート・ミラーの言う「複数のスロットマシンのプロセス」を体現している。選択肢をあらん限りの力で試し、それが自分に合っているかを、できるだけ早く知ろうとした。そして、また別のことに進み、同じことを繰り返す。誰も到達したことのない、彼だけが優れている場所に着くまで、それが繰り返された。ネイフの評価によるゴッホのグリット・スコアは、勤勉さでは高かったが、一つの目標やプロジェクトを続けるという面では低かった。全体の中では、下から40パーセントの位置だった。

大変名誉なことに、私は2017年から、パット・ティルマン財団への応募書類を退役軍人たちと一緒に審査するよう依頼された。「はじめに」で触れたように、この財団は退役軍人や現役軍人、軍人の配偶者に奨学金を出しており、私は2015年からそこで講演している。ウエストポイントの卒業生からも、意欲的な応募書類がたくさん届いていた。

そのエッセイはどれも面白く、感動的なものだった。ほぼすべてのエッセイが、何らかの学びについて書かれていた。たとえば、アフガニスタンで学んだ教訓や、国内のハリケーン被害の救援活動、プレッシャーのもとでの通訳、軍人の配偶者として引っ越しを繰り返す中で他の軍人の配偶者を支援して学びを得たこと、などについて書かれていた。軍内でのあつれきや、官僚的な機能不全への苛立ちから得た教訓について書かれているものもあった。こうしたエッセイからわかるのは、予想もしていなかった経験が、新しい目標や、眠っていた才能の思わぬ発見につながったことだ。

奨学金を得た応募者は、ティルマン奨学生のコミュニティーに参加する。このグループに所属する優秀な人たちは、同年代の人たちよりも方向転換が遅くなったことを心配しており、そのことが本書を書くきっかけにもなった。彼らと遅めの専門特化について話したことは、学びに時間がかかったことへの奨学生たちの不安を、和らげることにもなった。

まっとうな人であれば、情熱と忍耐力が重要ではないとは言わないだろう。ひどい日が1日あったとしても、それがやめるべき合図だとは思わない。しかし、もし関心やフォーカスの対象が変わるのは欠点であり、競争上不利と考えるなら、それは単純なタイガーのストーリー、つまり、できる限り早く対象を決めてそれを続けるという話にたどり着く。しかし、ファン・ゴッホが繰り返したように、またウエストポイントの卒業生がナレッジ・エコノミーの夜明け以降やってきたように、実際の経験に応じて方向を変えるのはとても重要だ。そのためには、自分に最適な対象を見つける確率を高める行動が必要になる。ただし、その行動は、人生の戦略としては一見よくないように思えるかもしれない。なぜなら、その行動とは「短期計画」だからだ。

第7章

「いろいろな自分」を試してみる

Flirting with Your Possible Selves

フランシス・ヘッセルバインは、ペンシルベニア州西部の山間部で、製鉄所や炭鉱で働く人たちの間で育った。(注1)「ジョンズタウンでは、5時半と言ったら5時半きっかりだから」と、ヘッセルバインはいつも言う。ヘッセルバインのマンハッタンのオフィスには、企業幹部や軍の将校、連邦議会議員がリーダーシップのアドバイスを求めて列をなすが、ちゃんと時間をとってほしいなら、約束の時刻通りに来なければならない。100歳の誕生日を過ぎても、ヘッセルバインは平日には毎日オフィスに来て、こなせる以上の仕事を抱えている。

ヘッセルバインは訪問者に、自分はこれまで「報酬のある仕事」を四つ経験したとよく話す。四つとも代表かCEOだ。どれも自分で手を挙げてなったわけではなく、そのうちの三つは断ろうとした。ヘッセルバインのこれまでの人生は、彼女が思いもしなかった方向に進んできた。

高校時代には、脚本家として本に関わる人生を送りたいと夢見ていた。高校を卒業すると、ピッツバーグ大学の短大に入学し、さまざまな授業に挑戦するのを楽しんでいたが、父が病に倒れた。病院でヘッセルバインが見守る中、父はこの世を去った。その時、ヘッセルバインは17歳。3人きょうだいの一番上だった。父の額にキスをし、自分が家族の面倒を見ると誓った。その学期が終わるとヘッセルバインは短大を退学して、百貨店のペン・トラフィック・カンパニーに就職し、広告担当アシスタントになった。

やがて結婚し、夫のジョンが第二次世界大戦で海軍に入隊する直前に、息子が生まれた。ジョンはカメラマンとして従軍し、戦争から戻ると写真スタジオを開設。高校の卒業写真からドキュメンタリー映像まで、何でも撮影した。ヘッセルバインは夫を手伝い、何でもやった。顧客が「犬の写真を絵のようにしたい」と言えば、油絵具を取り出して色を塗った。

ヘッセルバインはさまざまな人が住むジョンズタウンの多様性を愛し、大切に思っていた。だが、そのために人の醜さにも直面した。夫のジョンは、新しく設立されたペンシルベニア人間関係委員会の活動の一環として、町の中で起きている人種差別の事案を取り上げた。たとえば、理髪店が黒人の髪を切らないといったことだ。その理髪店が「黒人の髪に合う道具がないからだ」と反論すると、ジョンは「それなら、合う道具を買うべきだ」と応じた。学校の教師が二人の黒人の子どもを校庭から追い出すと、ジョンはその教師に差別をやめるように申し入れ、教師に「裏切り者」と言われた。ヘッセルバインは、そのとき思った。多様性を重視するコミュニティーは、次の質問に「イエス」と答えられなければならない。「さまざまな人たちが私たちのコミュニティーを見て、自身と同じような人をそこに見つけられるか」

34歳の時、その地域で有名な女性がヘッセルバインのもとを訪れ、「ボランティアとしてガールスカウト第17団のリーダーになってくれないか」と頼んだ。前任のリーダーがインドで布教するために去り、近所のほかの人たちにも声をかけたが断られたという。ヘッセルバインも「自分には8歳の男の子が一人いるが、女の子のことは何も知らないから」と言って3回断った。するとその女性は、ガールスカウトを解散させるしかないと言った。教会の地下室に集まる、つつましやかな家庭の10歳の少女30人から成るグループだ。それを聞いたヘッセルバインは、正式なリーダーが見つかるまでの間、6週間だけ引き受けることを承諾した。

リーダーとしての役割に備えるため、ヘッセルバインはガールスカウトについての本を読んで研究した。すると、ガールスカウトはアメリカで婦人参政権が得られる8年も前に設立され、創設者は少女たちに「(あなたたちは) 医師にも、弁護士にも、飛行士にも、熱気球の操縦士にもなれます」と励ましたことを知った。それを読んで、ヘッセルバインは小学校2年生の時、将来はパイロットになりたいとみんなの前で言って、同級生に笑われたことを思い出した。ヘッセルバインは教会の地下室を訪れて、6週間のボランティアを始めた。結局その後8年間、10歳だった少女たちが17歳になって高校を卒業するまで、リーダーを務め続けた。

その後も、特にそのつもりもなかったのに、ガールスカウトのボランティアをあちこちで務めることになった。40歳代半ばには、ギリシャで開かれた国際ガールスカウト・ミーティングに出席するため、初めて海外に出た。その後もインド、タイ、ケニアと、海外への訪問が続いた。そうしているうちに、自分はボランティア活動が大好きだと思うようになった。

すると、また新たな依頼があった。慈善団体のユナイテッド・ウェイの地元支部から、キャンペーン団長を引き受けてくれないか、という依頼だった。当時、女性のキャンペーン団長は、女性のパイロットと同じぐらい珍しかった。それでも、ボランティアとしての仕事であり、何も失うものはないとヘッセルバインは考え、引き受けた。

しかし、ヘッセルバインが、全米鉄鋼労働組合の地元代表をキャンペーンの副団長に指名すると、突然、ユナイテッド・ウェイの代表が「それはあまりよくない」と横やりを入れてきた。製鋼会社のベツレヘムスチールが、ユナイテッド・ウェイの大口支援者だったからだ。しかし、ヘッセルバインは自分の意志を曲げなかった。そして最終的には、企業と組合の両方を味方につけることに成功した。その年、ペンシルベニア州の小さな町であるジョンズタウンは、人口1人当たりの寄付金額が全米トップとなった。ヘッセルバインはそのポジションを臨時のものと考えていたので、翌年、退任した。

そして1970年、ジョンズタウンでガールスカウトを支援していた企業のリーダー3人が、ヘッセルバインを昼食に招き、地域のガールスカウト連盟の代表を決めたと伝えた。前任者は辞任し、同連盟は財政的に深刻な状況にあった。

「よかったですね。新しい代表は誰ですか？」とヘッセルバインは尋ねた。

「あなたですよ」と3人は答えた。

「私は報酬のある仕事はしません。ボランティアですから」とヘッセルバインは答えた。

3人のうち1人は、ユナイテッド・ウェイの理事会メンバーだった。彼は、ヘッセルバインが代表となって財政を立て直さないのであれば、ユナイテッド・ウェイはガールスカウトとの協力関係を断ち切ると言った。ヘッセルバインは、「では6カ月間だけ、経験豊かな専門家が就任するまで引き受けましょう」と答えた。

こうして、54歳にして初めて、ヘッセルバインは「報酬のある仕事」に就くことになり、そのために経営書をむさぼるように読んだ。就任して1カ月くらいたつと、この仕事が自分に合っていると思うようになった。結局、そのポジションに4年間留まった。

地域代表としてのヘッセルバインの仕事は順調だったが、ガールスカウト全体の状況はひどいものだった。1960年代後半から1970年代前半にかけて、アメリカ社会は劇的に変化した。かつてない数の少女たちが大学進学や就職を考えるようになり、セックスやドラッグといった厄介な問題についての情報も求められていた。しかし、ガールスカウトは昔のままだった。会員数は急減し、全米ガールスカウト連盟のＣＥＯのポジションは1年近く空席だった。

１９７６年、ＣＥＯ検討委員会が、ヘッセルバインにニューヨークに面接に来てくれないかと尋ねた。過去のＣＥＯはリーダーとして輝くような経歴の持ち主ばかりだった。ドロシー・ストラットン大佐は、心理学の教授や大学学長を歴任し、米国沿岸警備隊の婦人部隊の創設者で、ＩＭＦ（国際通貨基金）の最初の人事部長だった。直近のＣＥＯだったセシリー・キャナン・セルビー博士は、16歳でラドクリフ・カレッジに入学し、ＭＩＴで物理生物学の博士号を取得し、その知識を活用して戦時中の技術を細胞研究に応用した。セルビーは産業界から教育界まで、アメリカ国内のさまざまなポジションでリーダーとして活躍した。それに対してヘッセルバインは、国内に３３５ある地域のガールスカウト連盟の一つでトップを務めたのみ。ずっとペンシルベニアで暮らすつもりだったので、面談の依頼を丁重に断ろうとした。

だが、夫のジョンは違った。ジョンはヘッセルバインに、仕事は断ってもいいが、面談が受けられるようにニューヨークまで車で送っていくと言った。結局、面談を受けたヘッセルバインは、「ＣＥＯになったら何をしますか」と尋ねられ、ＣＥＯに就くつもりが全くなかったので、伝統にメスを入れて組織を完全に変革すると気楽に返事をした。活動は今の時代に合わせたものに変え、数学や科学、技術に力を入れる。階層的なリーダーシップ構造は廃止して「円形のマネジメント」を取り入れる。スタッフは、はしごの段に位置するのではなく、同心円のブレスレットのビーズのような存在となり、さまざまな人とコンタクトを取って、各地の連盟から上がってきたアイデアを、中央の意思決定者に伝える。そして、多様な人々が参加する組織とし、さまざまな生い立ちの少女たちがガールスカウトを見た時に、そこに自分のような人がいると思える組織にしたい――。

1976年7月4日、ヘッセルバインは300万人のメンバーがいる組織のCEOとなり、ニューヨークに着任した。

ヘッセルバインのリーダーシップのもと、まず廃止されたのは、これまで神聖視されていたハンドブックだった。その代わりに、年齢層に合わせた4種類のハンドブックをつくった。その制作に当たったアーティストには、アラスカで流氷が来るような場所に住む6歳の先住民の女の子が、ハンドブックをパラパラと見た時、自分と同じような子がガールスカウトのユニフォームを着ている絵を見つけられるようにしてほしい、と頼んだ。また、あらゆる人種の女の子に参加してもらうためには、どんなメッセージを出すのがよいかも検討した。その結果できあがったのは、詩のような言葉を配したポスターだった。

「多様性はいいことだ。だが、時期尚早な上に、やりすぎなんじゃないか。まずは組織の問題を解決し、それから多様性を考えるべきだ」とヘッセルバインは言われた。だが、ヘッセルバインは多様性こそ最優先で取り組むべき問題だと考えていたので、さらに前進させた。ターゲットとしたマイノリティー層を代表するリーダーを集め、チームを編成した。また、ミッションステートメントから、活動やプログラムを経験するともらえるバッジまで、あらゆるものを時代に合わせて刷新した。数学やパソコンのバッジもできた。さらには、ボランティアやスタッフが大切にしていたもののあまり使われなくなったキャンプ場を、断腸の思いで売却した。ヘッセルバインは13年間CEOの地位に留まった。その間に、マイノリティーのメンバー数は3倍になった。全体でのメンバー数も25万人増え、新たに13万人がボランティアとして加わった。クッキー販売事業は年間売上高3億ドル以上に成長した。

1990年にヘッセルバインはガールスカウトの仕事を引退した。経営思想家として崇拝されているピーター・ドラッカーは、ヘッセルバインはアメリカで最も優れたCEOだと言い切った。「彼女なら、アメリカのどんな企業でも経営できる」(注2)。その数カ月後、ゼネラルモーターズ(GM)のCEOが引退すると、ビジネスウィーク誌がドラッカーに、誰が次のGMのCEOになるべきかと尋ねた。するとドラッカーは、「私だったらフランシス(ヘッセルバイン)を選ぶね」(注3)と答えた。

ヘッセルバインがガールスカウトを引退したまさにその翌日の朝、保険会社のミューチュアル・オブ・アメリカ・インシュアランスの会長から突然、電話がかかってきた。「ニューヨークの五番街にあなたの新しいオフィスがあるが、いつ見にくるか」という内容だった。ヘッセルバインはすでにボードメンバーだったが、同社は社内にヘッセルバインの居場所をつくりたいと考えていた。「オフィスを寄付するので、それをどう利用するか考えておいてほしい」とのことだった。その時まで、ヘッセルバインは明確な長期計画を持たず、あらゆることをその場で考えながら人生を歩んでいた。

ヘッセルバインは、非営利の財団を設立し、社会起業家に優れたビジネスの手法を活用してもらうための支援をすると決めた。ヘッセルバインはその理事会のメンバーになるが、すでにペンシルベニアに自宅を購入しており、しばらくはそこに留まって本を書くつもりだった。

財団の設立チームは、ピーター・ドラッカーに名誉会長への就任を依頼した。するとドラッカーは、ヘッセルバインがCEOになるなら、という条件で承諾した。そのため、ヘッセルバインはペンシルベニアでの執筆活動を終わりにした。世界最大の少女のための組織であるガールスカウトの舵取りから引退して6週間後、ヘッセルバインは財団のCEOに就任した。資金も資産もなく、無料で使えるオフィスがあるだけの財団だったが、最初はそれで十分だと考えた。それからスタッフをそろえて、今日ではフランシス・ヘッセルバイン財団の運営に忙しい日々を送っている。

ヘッセルバインは大学を卒業していないが、オフィスには23もの名誉博士号の学位証が飾られている。米国陸軍士官学校でリーダーシップの授業を担当したので、同校から贈られた光り輝くサーベルや、さらには、アメリカで民間人が受けられる最高の勲章である、大統領自由勲章も置かれている。(注4)

私はヘッセルバインの101回目の誕生日の直後にオフィスを訪れ、その時には助言された通りに、温かいミルクを1杯持っていった。そしてまず、どんな教育を受けてリーダーシップを身につけたのかと尋ねた。間違った質問だった。ヘッセルバインは手で払うような仕草をしながら、「どんな教育を受けたかなんて聞かないで」と言った。彼女の説明によると、その時自分にできて、そこから何か学べるかもしれないと思ったことをしてきた。それがどんどん積み重なっていき、リーダーシップの訓練になったという。同様に、スティーブン・ネイフはゴッホの生涯について、多様な経験が積み重なる中で、ある種の「説明できない消化のプロセス」が起きたと言う。ヘッセルバインは、「リーダーになる準備をしていたとは思わなかったし、リーダーになるつもりもなかった。ただ、その時々で必要だったことをして、そこから学んできただけ」と言った。

ただし、「その時は気づかなかったけれども、振り返ってみれば重要な学びがあったのかもしれない」とヘッセルバインは言う。たとえば、多様な人たちが暮らすジョンズタウンで、人間の受容の力と排斥の力の両方を見た。客のどんな要望にも応える写真スタジオの仕事では、臨機応変を学んだ。経験不足でガールスカウト団のリーダーになった時には、他の人たちとともにリーダーシップをとった。ユナイテッド・ウェイのキャンペーンでは、いつもは対立しているグループを一つにした。国際ガールスカウト会議に出席するまでは海外に行ったことがなかったが、世界中から来た仲間たちと共通点を見つけられることを学んだ。

ヘッセルバインがガールスカウトで初めて参加した研修で、別の新任のリーダーが、この研修では何も得るものがないと言うのを耳にした。ヘッセルバインがそのことを、縫製工場に勤めるボランティアの女性に話したところ、その女性は「何かをつかんで持って帰るには、大きなバスケットが必要なのよ」と言った。ヘッセルバインは今日でもそのフレーズを繰り返す。

その意味は、「心を大きく開いておけば、どんな経験からでも何かを学べる」ということだ。60歳の時に、面接を断りたいと思った仕事が天職となった女性であれば、その言葉を信念としているのもうなずける。ヘッセルバインには長期的な計画は何もなく、ただ興味のあること、必要なことをしようと思ってきただけだ。彼女が最もよく口にする言葉は、「私は将来を決めつけない」。

50代半ばから始まったヘッセルバインのプロフェッショナルとしてのすばらしいキャリアは他に類を見ない。しかし、彼女と同じようにあちこち変遷する生涯は、珍しいものではない。

「非常に曲がりくねったキャリアパス」に関しては、ハーバード大学の「心と脳と教育プログラム」のディレクターであるトッド・ローズと、計算論的神経科学者のオギ・オーガスによって、幅広く研究されてきた。二人は、遠回りして成功をつかんだ人を探すために、マスター・ソムリエ〔ソムリエの最高資格保持者〕から動物のトレーナー、調律師、助産師、建築家、エンジニアまで、各分野で卓越した業績を上げている人たちを幅広く調査した。

オーガスは、「独自の道筋を切り開いてきた人は、5人インタビューしてやっと1人見つかるくらいだろうと思っていた。半数を大幅に超えるとは考えてもいなかった」と話す。

しかし、ふたを開けてみると、ほぼすべての人が一筋ではない道筋をたどっていた。「さらに驚いたのは、誰もが自分は例外と思っていたことだ」とオーガスは言う。最初の調査対象者50人のうち、45人がとても曲がりくねったキャリアを歩んでおり、あちこちにジャンプしてきた経歴を恥ずかしいと思っていた。そして、誰もが言い訳のように「たいていの人はこんなことはしないと思うけれども」と付け足した。オーガスは言う。「彼らは、最初の道から外れるのはとてもリスクが高いと、周囲の人たちに言われていた。だが、私たちが知っておくべきなのは、最初の道から外れるのは異常ではなく当たり前ということだ」

この調査には「ダークホース・プロジェクト」という名前が付けられた。なぜなら、調査対象者を増やしても、ほとんどの人が自分をダークホース、つまり、普通はあり得ない道をたどっていると考えていたからだ（*）。

ダークホースたちは、マッチ・クオリティーを高めようとしていた。オーガスはこう説明する。「彼らは周りを見回して『ああ、私は遅れてしまった。ほかの人はもっと早く始めて、私より若いのに多くのことを身につけている』とは決して言わず、こう考える。『ここに現在の私がいて、私のモチベーションがあり、好きだとわかったことがある。ここに私が学びたいことと学ぶ機会がある。チャンスはいくつかあるけれども、現在の私に合っているのはこの中のどれだろうか。もしかしたら、1年後にはもっとよいものを見つけて、また別のことをしているかもしれない』」

どのダークホースも斬新な道のりを歩んできたが、一つ共通点があった。それは、オーガスによると「みな長期計画ではなく、短期計画を実践していた」。

遠目から見ると、長期的なビジョンを持っているように見える人でも、よく見てみると短期的な計画で動いていることが多い。2016年に、ナイキの共同創業者のフィル・ナイトが、

*労働統計局のデータを見ると、ミレニアル世代が職を転々とするのは、ナレッジ・エコノミー（知識経済）から自然に続いている傾向だ。ベビーブーム世代後半の人たち（1957年から1964年生まれ）は、18歳から50歳までの間に少なくとも11の仕事に就いた。男性でも女性でも、教育レベルが違っても、この傾向はほぼ同じだった。

〔若き日の〕長期的ビジョンとナイキを創業して何をしたかったのかについて聞かれた。するとナイトは、「実はプロのスポーツ選手になりたいと思っていた(注5)」と答えた。だが、あまり上手ではなかったので、何かスポーツに関わる方法を探そうとした。ナイトは大学で陸上競技をしており、そのコーチがたまたまシューズをいじるのが好きで、のちにそのコーチとナイキを共同創業した。ナイトは「高校2年生の時点で、将来何をするかはっきり決めている人たちを見ると、気の毒だと思う」と言う。自叙伝でナイトは「僕はあまり目標設定が得意ではない(注6)」と書き、創業期のナイキの行動目標は、早く失敗して、学んだことを次の事業に生かすことだと述べた。ナイトは短期間に次々と向きを変え、その学びを生かして前に進んでいった。

オーガスは、「自分を見つめて曲がりくねった道を行くのではなく、明確な目標を定めて早く始めるほうが安定を確保できるので合理的とする考え方」を「標準化誓約（standardization covenant）」と呼ぶ。「私たちが調査をした人たちも、長期的な目標を追求してはいたが、それは探索の期間を経て初めて持った目標だった」とオーガスは言う。「もちろん、法律や医学の学位や博士号の取得は、間違ったことではない。だが、自分に合っているかどうかがわかる前に深く関わるのはリスクが高い。また、その道は変えられないものだと思ってはいけない。医学部で学んでいる途中で、自分自身に関する何かに気づく人もいる」。たとえば、チャールズ・ダーウィンがその例だ。

ダーウィンは父親の意向に従い、医師になるつもりだった。でも、ダーウィン本人によると、医学の講義が「耐えられないほど退屈」と気づき、手術用のこぎりを引いていた時、逃げ出した。「もう授業に出席することはなかった。あれほどまで強い動機になったものはほかにない」[注7]とダーウィンは書いている。当時、ダーウィンは聖書直解主義者〔地球は6日間でつくられたなど、聖書の記述をそのまま信じる人〕で、自分は聖職者になるべきだと考えた。そう考えながら、出席する授業を次々と変えた中に植物学の授業があった。やがてその教授が、海外での無給の仕事をダーウィンに紹介した。[注8]イギリス海軍の測量船、ビーグル号への乗船だ。

「あと1回だけこの寄り道をしたら、ちゃんとした生活をする」と（叔父の助けを借りて）父親を説得し、ダーウィンは恐らく歴史上最もインパクトのあるギャップイヤー〔就職や進学の前に自由に過ごす1年〕を開始した。息子に対する父親の願いは、やがて「自然死を迎えた」[注9①]。何十年ものちに、ダーウィンは自分を発見したプロセスを振り返り、「一度は聖職者になろうと考えたことは、今思えば滑稽」[注9②]と記した。ダーウィンの父親は医師を60年以上も続けたが、血を見るのをひどく嫌っていた。ダーウィンは、「もし父が、自分の道を自分で考えて選んでいたら、医師にはならなかったはずだ」[注9③]と書いた。

マイケル・クライトンも医学を専攻した。作家として食べていける人は数少ないと思ったからだ。医学部に入った当初、「医師という仕事はやりがいがある」[注10]と感じていたが、数年すると医療行為に幻滅するようになり、ハーバード・メディカル・スクールを卒業すると、作家の道に入った。それでも、彼が受けた医学教育はムダにはならなかった。その知識を作品に生かし、世界で大きな人気を博したからだ。たとえば、小説『ジュラシック・パーク』や、エミー賞ノミネートが史上最多の124回となったテレビシリーズ『ER 緊急救命室』などだ。

最初は安全で確実に感じられたキャリアであっても、自分のことをよく知ったあとでは、ダーウィンの言葉を借りると「滑稽なもの」に見える可能性がある。仕事や生き方の好みは、ずっと同じではない。なぜなら、人間は変化するからだ。

心理学者のダン・ギルバートはこれを「歴史の終わり幻想（注11）」と呼ぶ。私たちの望みやモチベーションは、時とともにかなり変わっている（たとえば、昔の髪型を見てみればわかる）が、将来はそれほど変化しないと思い込んでいる。ギルバートの言葉によると私たちは、「まだ製作途中なのにできあがったと言い張っている作品」だ。

ギルバートと共同研究者は、18歳から68歳まで、1万9000人以上の好みや価値観、性格について調べた。その一部の人に、この先10年間で自分がどのくらい変化するかを予測してもらい、それ以外の人たちには、過去10年間の自分の変化を振り返ってもらった。

予測をした人たちは、「今後10年で自分はほとんど変わらないだろう」と回答した。一方、振り返った人たちは、「過去10年間で大きく変化した」と言い、喜びや安心、成功、誠実さなどの価値観も変化し、休暇や音楽、趣味などの好みは変わり、友人すら変わったと答えた。また、予測をした人たちは、今、自分が好きなバンドの10年後のコンサートに行くとしたら、チケット代として平均129ドルを払うと答えた。一方で、振り返った人たちは、10年前に好きだったバンドのコンサートに今行くとしたら平均80ドルしか払わないと回答した。今のあなたは、過去の自分のように次々と消え去っていく。そんなことは考えにくいだろうが、数々の証拠が示されている。

内気な子どもが内気な大人になる可能性が高いのは事実だが、必ずそうなるとは言えない。また、ある部分の性格が変わらなかったとしても、ほかの部分の性格が変わる。ただ一つ確かなことは、人は変わるということだ。年を取るにつれて世代全体が変わる部分と、個人として変わる部分がある。

人格形成について研究するイリノイ大学の心理学者、ブレント・W・ロバーツは、別の心理学者とともに、92の研究結果を集計し(注12)、いくつかの性格特性は年齢とともに変化することを明らかにした。人は大人になると、人当たりがよくなり、より良心的になって、感情が安定し、神経質ではなくなるが、新しい経験には慎重になる。中年になると、より堅実で慎重になって、好奇心が弱まり、新しいものを受け入れにくくなり、創造力がしぼむ（＊）。こうした変化による影響はよく知られている。たとえば、大人は年を取るにつれて暴力的な犯罪を起こしにくくなり、安定的な人間関係を築く能力が高まる。

最も重大な性格の変化は、18歳から20代後半にかけて起こる。だから、早期に専門特化することは、まだ存在しない人間のマッチ・クオリティーを予測することだと言える。うまくいく可能性もあるが、当たる確率は低い。加えて、性格の変化は次第にゆっくりになるものの、何歳になっても止まることはない。時には、瞬間的に変化することもある。

ＹｏｕＴｕｂｅのおかげで、「マシュマロ・テスト」は世界で恐らく最も有名な科学実験にな

＊統計に興味がある人のために言うと、ある人の10代の時の性格特性と、年を取ってからの性格特性の相関係数は、0.2から0.3くらいだ（相関係数が1の場合、同年代の他者と比較して、その人の性格特性が全く変化しないことを意味する。偶然的測定誤差はないと仮定）。「75歳の人は、その人が15歳だった時とは明らかに異なる。もちろん、昔の性格の痕跡は残っている」とロバーツは私に説明した。

った。このテストは、実は1960年代後半から70年代前半にかけて連続的に実施された。

元々の実験はシンプルだった。実験者は幼稚園児の前にマシュマロ（あるいはクッキー、プレッツェルなど）を一つ置き、「自分が戻ってくるまでマシュマロを食べずに待てたら、そのマシュマロともう一つおまけのマシュマロをあげる」と言ってその部屋から出ていく。もし待てなかったら、目の前のマシュマロを食べてもよいが、おまけのマシュマロはもらえない。どのくらい待てばよいのかは事前に伝えない（年齢によって、15分から20分くらいだ）。だから、ごほうびが欲しければ、園児はただ待っていなければならない。

心理学者のウォルター・ミシェルとその研究チームは、被験者となった子どもたちを追跡調査し(注13)、長く待てた子どもほど、学業でも、社会的、経済的にも成功していて、ドラッグも使用していない可能性が高いと発表した。

マシュマロ・テストは科学実験の世界では以前からよく知られていたが、子どもたちの将来を予測しようと考えたメディアや親たちが、独自にテストを実施してYouTubeに掲載し、爆発的に有名になった。

動画はどれも可愛らしく興味深い。大体の子どもが、少なくともしばらくは待てる。中には、マシュマロをじっと見たり、触ったり、においを嗅いだり、舌でそっと触れてみて、まるで熱かったかのように引っ込めたり、いったん口の中に入れてから引っ張り出したり、大きくかぶりつくまねをしたり、気づかれないくらい小さくちぎってミクロレベルの試食をする子もいる。マシュマロにさわり始めた子どもは、動画が終わる前に食べ終わっている。待てた子は、気をそらす方法をいろいろと用いていた。目をそらす、お皿を横に押しやる、目を覆う、後ろを向いて叫ぶ、歌う、独り言を言う、数を数える、椅子の上でバタバタ動く、自分の頬をたたくなどだ。ある少年は、マシュマロ以外のあらゆる方向を見て時間をやり過ごし、実験者が二つ目のマシュマロを持って戻ってくると、我慢の限界に来ていたのか、直ちにマシュマロを二つ一緒に口に押し込んだ。

マシュマロ・テストに未来を見透す水晶玉のような魅力があるのは否定できないが、誤解されていることも間違いない。ミシェルの共同研究者の正田祐一は、マシュマロを食べてしまった子の多くが、問題なく成長している(注14)と繰り返し指摘している(＊)。正田は、この研究で最も注目すべき点は、子どもたちが「マシュマロを食べ物ではなく雲だと思ってみる」など、シンプルな思考方法で行動を変えたことだという。

マシュマロ・テスト後を追跡した正田の研究は、人の性格は生まれつきのものだという議論と、育てられるものだという議論の橋渡しをする。性格特性はほぼ完全に生まれつきのものか、それとも、ほぼ完全に環境によるのか、という極端な議論もある。正田は、こうした「人間・状況論争」の両陣営とも正しく、両陣営とも間違っていると言う。

人がある特定の状況にどう対応するかには、その人の性格が影響を及ぼす。しかし、状況が変わると、性格が驚くほどに違って見える。正田とミシェルは、「……という状況ならば、……のように行動する」というパターン(注15①)について研究した。たとえば、デイビッド(私)が大きなパーティーに参加した時、彼は内向的に見える。けれども、仕事で自分のチームといる時

＊マシュマロ・テストを再現した実験(注17)の結果が2018年に発表されたが、この実験が子どもの将来を予測する力は、最初の実験よりも小さかった。

は、外向的に見える（本当だ）。ではデイビッドは内向的か、外向的か。恐らくその両方であり、そこに矛盾はない。

オーガスとローズは、これを「文脈原則（context principle）」と呼ぶ。2007年にミシェルはこう記した。「調査からは次のようなことが起こり得る。家で積極的な子どもが学校ではほかの子より消極的、恋愛関係で拒絶されると極度に攻撃的になる男性が自分の仕事を批判された時には異常なほど寛容、医師の前では不安でくじけそうになる人が冷静な登山家、進んでリスクをとる起業家が人とのつきあいではリスクを取らない（注15②）」

ローズはもっと砕けた説明をした。「今日、あなたが車を運転していた時に、慎重で神経質なら、明日も慎重で神経質に運転すると考えて間違いない。しかし（中略）地元のパブで仲間とビートルズのカバーを演奏している時には、慎重で神経質ではないかもしれない（注16）」

ダニエル・カーネマンがイスラエル軍にいた時に、壁を越えるテストを基準に、戦闘では誰がリーダーになるかを予測して失敗したが、恐らく「文脈原則」も失敗の理由の一つだろう。私が大学で陸上部にいた時、あるチームメイトはトラックでは意欲と決意が無限にあるように見えたが、教室ではまるで存在感がなかった。その正反対の人もいた。つまり、私たちは、誰かに「グリットがあるか」と尋ねるのではなく、「いつならグリットがあるか」を尋ねるべきなのだ。「その人に合う状況に置けば、熱心に仕事をする可能性が高く、それはまるで外からグリットを得たように見えるだろう」とオーガスは言う。

人の性格は、時間や経験によって、また置かれた状況によって、私たちが予想する以上に変化する。そのため、若くて経験が少なく、置かれた状況が限定された狭いものである場合、確固とした長期目標を決めるのには準備不足だ。「私の物語」は進化し続ける。私たちは『不思議の国のアリス』の言葉を心に留めておかなければならない。アリスがグリフォンに、「お前の身の上話を聞かせてくれ」と言われた時、アリスはまさにその日の朝に始まった冒険から話し始める。アリスはこう言う。「昨日のことを話しても仕方ないわ。だって、昨日の私は今日の私と違うもの」。アリスの言葉には真実がある。それは、マッチ・クオリティーを最良の方法で最大化するためにとても重要だ。

ロンドン大学ビジネススクールの教授で、組織行動論が専門のハーミニア・イバーラは、「昇進するか、やめるか」しか選択肢がないような組織で、若いコンサルタントや銀行員が、どのように昇進するか（しないか）を研究した。その数年後に追跡調査を実施すると、かつて若きスターだった人材の中に、すでに会社をやめた人や、新しいキャリアに移っている人、会社からの逃亡計画を温めている人などがいることがわかった。

そこで、別の研究を始めた(注18)。今回は、起業家や弁護士、医師、大学教授、IT技術者などを研究対象に加え、研究の焦点は「転職」にした。調査対象は、アメリカやイギリス、フランスの30代から40代の野心的な専門職で、少なくとも8年間は仕事を変えていない人だった。イバーラはその研究を通じて、キャリア半ばのプロフェッショナルたちが、最初はちょっとした変化への願望を抱き、そのあと迷いの時期を経て、最終的に新しいキャリアへとジャンプするのを見てきた。まれに、このプロセスが同じ人に2回起きるのも目にした。

調査結果をまとめた時、その中心となった言葉はシンプルだが深いものだった。「自分がどんな人間であるかは、実際に生きることによってのみ知り得る。前もって知ることはできない」

イバーラは、人は人生を通じてマッチ・クオリティーを最適化すると結論づけた。具体的に言うと、人はさまざまな活動、グループ、状況、仕事を試して、よくよく考えて、自分の物語を変化させていく。そして、同じことを繰り返す。キャリアや性格を診断するツールや、コンサルティング業界は、これとは正反対の「自分を見つめれば、完璧に自分にマッチする仕事が見つけられる」といった概念をベースにしていて、宣伝コピーにも使っている。イバーラは言う。「自分の強みを見つけるためのツール類（ストレングス・ファインダー）は、自分がこれから成長し、進歩し、才能を開花させ、新しい何かを見つけることを全く考慮に入れずに、自己分析させようとする。それでも、人は答えが欲しいので、こうしたフレームワークはよく売れる。それに比べて、『何かを試して、何が起こるか見てみよう』と打ち出すのは難しい」

「質問に答えるだけで理想的なキャリアへの道が見えてくる」とさまざまなツールは謳《うた》い、心理学者が「人は変化する」「状況によって人の性格は異なって見える」と言っても気にもとめない。イバーラは、こうした一般的な通念に基づいた記事、たとえばウォール・ストリート・ジャーナル紙に掲載された「新たなキャリアを簡単に見つけだす」[注19]などの記事を批判する。この記事によると、新しいキャリアを見つけるコツは、行動する前に「自分が何を求めているかを明確に描く」ことだという。

しかし、イバーラはこうした鉄壁に見える原則を、鮮やかに覆してこう言う。「まず行動、それから考える」。そして、人には可能性が無限にあることを、社会心理学を活用しながら説明する。「それらの可能性は、実際に行動することで発見できる。新しい活動、新しいネットワークの構築、新しいロールモデルの発見によって、人は可能性に気づく」。私たちは自分がどんな人間なのか実践を通じて学ぶ。理論からではない。

フランシス・ヘッセルバインのことを思い出してみよう。ヘッセルバインはいつも、新しいことに少し首を突っ込むだけにしようと考えていた。それは、同年代の人たちが引退する年齢まで続いた。そしてようやく、自分は短期計画の連続から天職を見つけたことに気づいた。また、ファン・ゴッホは、これこそ天職だと何度も思ったが、実際にやってみて違うと気づき、間違っていないと納得するまでそれを続けた。

イバーラは、非常に大きなキャリアの転換をした人たちについて記している。38歳のピエールは、精神科医で人気作家でもあったが、あるディナーパーティーでチベットのラマ僧と会ったことをきっかけに、曲がりくねった道を経て、仏教の僧侶となった。もっと一般的な転換もある。46歳のルーシーは証券会社の情報技術マネジャーだったが、組織開発コンサルタントから受け取った自分に関する批判的な評価に打ちのめされ、そのコンサルタントの女性を自分のコーチとして雇った。すると、自分はテクノロジーよりも人をマネジメントすること（コンサルタントは、そこがルーシーの弱点だと言っていた）に刺激を受けるとすぐに気づいた。その後ルーシーは、講座を受講したり、カンファレンスに出席したり、ネットワークを広げてそれまで会わなかったような人にも会って、自分に何ができるかを考えるようになった。その度に、弱みが強みに変わっていき、最終的にはルーシー自身が組織開発のコーチになった。

キャリアを転換した人たちは、転換の最中にテーマが現れてきた。まず、仕事で力を十分に発揮できていないと感じ始め、やがて、以前は見えなかった世界と偶然に出会い、それがいくつもの短期の探索につながった。キャリアを転換した最初の頃は、ヘッドスタートの考え方にとらわれ、長期計画を持たずに短期的な探索を繰り返すやり方を理解できなかった。親友も、「そんなに急いじゃダメだ。今仕事を変えるべきじゃない。新しい興味や能力は趣味にしておいたら」と言った。だが、さらにいろいろと試してみるうちに、今こそ転職すべき時という気持ちが強まってきた。自分という人間にとっての仕事の意味は、一夜のうちには見えてこなかった。ヘッセルバインのようなスタイルで何かを一時的に試し、新しいロールモデルを見つけることから始めて、それまでの経験を糧にして次の短期計画に進む中で、それは見えてきた。キャリアを変えて金持ちになった人もいれば、逆に貧しくなった人もいたが、全員が一時的に後れを取ったと感じた。しかし、「ヤバい経済学実験」のコイン投げで見られたように、仕事を変えた人たちは以前より幸せになったと感じた。

イバーラのアドバイスは、ダークホースの研究者たちが指摘した「短期計画」ととてもよく似ている。両者の研究からわかるのは、「本当は、私は何になりたいのか」という問いに鉄壁の答えを出そうとするよりも、自分自身の研究者となって、小さな問いを立てて実験してみるほうがいいということだ。「いろいろな自分がある中で、そのうちのどれを今開拓してみるべきか。どうすれば開拓できるのか」。そう考えて、いろいろな自分と戯れてみる（＊）。壮大な計画を立てるよりも、すぐに実施できる実験を見つける。「『試して学ぶ』であって、『計画して実行』ではない」とイバーラは言う。

エアビーアンドビーやドロップボックスなどを育てた、インキュベーターのYコンビネーターの共同創業者で、コンピューター科学者のポール・グレアムは、高校の卒業式に出席する生徒に向けたスピーチを書き[注20]、イバーラの主張を凝縮して述べている。ただし、グレアムは実際に卒業式でこのスピーチをしていない。

自分が何がしたいのかは、簡単にわかる気がします。でも、本当はとても難しい。その理由の一つは、仕事の正確な姿を知るのが難しいからです。（中略）私が過去10年間にしてきた仕事の大半は、高校生の頃には存在していませんでした。（中略）このような世の中で、計画をガッチリ固めてしまうのは、賢明ではありません。

それでも、毎年5月になると、アメリカ中で「夢をあきらめるな」がテーマの典型的な卒業式のスピーチが繰り広げられます。何を言いたいかはわかりますが、その表現の仕方がよくない。というのも、そのスピーチでは、前もって立てた計画に拘束されることが前提になっているからです。コンピューターの世界では、このことを「早すぎる最適化」と言います。（中略）先の目標から逆換算して歩き始めるのではなく、今有望な状況からスタートして、前に進んでいきましょう。これまでに成功してきた人の多くは、そうしてきました。

＊テレビドラマの『グレイズ・アナトミー 恋の解剖学』や『スキャンダル 託された秘密』などのプロデューサーとして知られるションダ・ライムズは、面白半分に「イエスの年」と呼ぶ1年を設定した。ライムズは内向的で、突然の誘いは断りがちだったが、その1年の間はすべてに向き合い、すべてに「イエス」と言うことに決めた。すると、その年の終わりには、自分が何にフォーカスしたいのか深く理解できるようになった。

あなたは卒業式のスピーチのような感じで、20年後にどうしていたいかを決めて、「そこに到達するためには、今何をすべきか」と自問しているかもしれません。しかし、私が提案したいのは、将来に関して何も具体的に決めないことです。そして、現在の選択肢だけを見て、その中から、今後、有望な選択肢につながりそうなものを選んでみてください。

イバーラが「計画して実行」と呼ぶモデル（「行動してから学ぶ」モデルとは対極にある）は、天才の描写としてもよく用いられる。まず長期計画を立てて、その後、脇道にそれることなく実行するというモデルだ。たとえば、彫刻家のミケランジェロは、大理石の塊を前にすると、それに触る前から完成後の彫像の姿が見え、ただ余分な部分を削っていったと、まことしやかに語られる。いかにもそんな様子が想像できそうだが、真実ではない。美術史学者のウィリアム・ウォーレスによると、ミケランジェロは「試して学ぶ」の最たる実践者だったという。(注21)ミケランジェロはよく気が変わり、彫り進めていきながら、何度も計画を変更した。実際、ミケランジェロの彫刻の5分の3は未完成のままで、その度に、次の有望なアイデアに移っていった。ウォーレスの分析は次のような文章で始まる。「ミケランジェロが美術理論を説くことはなかった」。むしろ、ミケランジェロは試してみて、そこから先に進んでいった。彫刻だけでなく、絵も描き、優れた建築家でもあり、フィレンツェの要塞の設計にも携わった。20代後半には、美術を脇に追いやって、詩作に没頭した（その中には、絵画がどんなに嫌いになったかを書いたものもある）(注22①)。しかし、詩の半分以上は未完成だ。(注22②)

マッチ・クオリティーを高めようとする他の人たちと同じように、ミケランジェロは自分自身について学んだ。考えたのではなく、実践を通じて学んだ。アイデアから始めて、それを試し、変更し、より自分に合うプロジェクトがあれば、進んでそれを放棄した。ミケランジェロは何度でも試す人であり、イバーラの新たな格言に従って生きていた。「自分が何をするかがわかる時、自分が誰だかわかる」

本当のことを言うと、私はダークホース・プロジェクトについて調べたあと、自分の曲がりくねったキャリアのおかげで、声をかけられてこのプロジェクトに参加した。それは私の心に響くプロジェクトだった。私自身の経験のためでもあったが、私が尊敬する多くの人たちがダークホースだったからでもある。

ノンフィクション作家で映画監督でもあるセバスチャン・ユンガーは、かつて樹木管理士だった。29歳の時、松の木の上部に体を固定していて、誤ってチェーンソーで自分の足を深く切ってしまった。その経験から、危険な仕事についての物語を書こうと考えるようになった。2カ月後、まだ足を引きずっていた頃、ユンガーが住んでいたマサチューセッツ州グロスターから出港した漁船が行方不明になり、ユンガーはそれを題材に小説『パーフェクト・ストーム』を執筆。その後、戦争ドキュメンタリー『レストレポ前哨基地』を監督し、この作品はアカデミー賞にもノミネートされた。「あの時のケガは、人生における最高の出来事だった」とユンガーは私に言った。「あのケガがあったから、自分のキャリアについての見方が確立できた。

僕の人生で起こったよい出来事は、もとをたどれば全部が不運な出来事から始まっている。だから、何かが起きた時点では、それがよいことなのか、悪いことなのかはわからない。本当にわからないよ。わかるまでには、しばらく待つ必要がある」

私が大好きな小説家は、ダークホース中のダークホースと言えるかもしれない。村上春樹はミュージシャンになりたいと思っていた。「でも、あまり楽器がうまくなかった(注23)」と村上は言う。東京でジャズバーを経営していた29歳の春、野球の試合を観に行き、バットの音を聞いた。「美しく、響き渡る二塁打(注24)」だった。それを聞いて村上は、「自分は小説が書ける」と思った。なぜそう思ったのか。「その時はわからなかったし、今もわからない」。村上は夜になると小説を書いた。「文字を書く感覚をとても新鮮に感じた」。村上の14作品(そのすべてで音楽が大きく扱われている)は50以上の言語に翻訳されている。

ファンタジー作家のパトリック・ロスファスは大学で化学工学を勉強し始めたが、結局、「化学工学は退屈だとよくわかった(注25)」。そのあと、9年間にわたって専攻をいろいろと変えて、「とっとと卒業してくれと、丁寧に頼まれた」という。ロスファスの公式のプロフィールによると、その後「パトリック(ロスファス)は大学院に行った。それについてはあまり話したくない」。その間、ロスファスは少しずつ小説の執筆に取り組み、『風の名前』(作品中に化学が繰り返し登場する)は世界中で何百万部も売れ、人気テレビドラマ『ゲーム・オブ・スローンズ』の後継番組としてドラマ化されると期待されている。

小説家のヒラリー・ジョーダンは、偶然にも私が住むブルックリンのマンションの下の階に住んでおり、小説を書き始める前は広告会社で15年間働いていた。最初の小説『マッドバウンド』は、社会正義の問題を扱った小説を対象とする「ベルウェザー賞」を受賞した。2018年にネットフリックスがこの小説の映画版を買い、アカデミー賞4部門でノミネートされた。

ジョーダンと違って、マリアム・ミルザハニは最初から小説家になろうと思っていた。子どもの頃、学校の近くにあった書店に入り浸り、本を書くことを夢見ていた。数学の授業も受けなければならなかったが、「数学について考えたいとも思わなかった」(注26)とのちに語っている。だが、その後、ミルザハニは、数学は探検だと考えるようになった。「数学はまるで、ジャングルで道に迷って、集められるだけの知識を使って新しい方法を考え出し、運がよければ外に出る道を見つけられる。そんな感じのものだ」(注27)。2014年にミルザハニは、女性として初めて、世界で最も有名な数学の賞「フィールズ賞」を受賞した。

私がスポーツ・イラストレイテッド誌で働いていた時に会ったスポーツ選手の中で最も尊敬するのは、イギリスのトライアスロン選手(作家で人道支援家でもある)のクリッシー・ウェリントンだ。ウェリントンは27歳の時に、生まれて初めてロードバイクに乗った。それはネパールの下水処理施設のプロジェクトで働いていた頃だった。ネパールで、自分は自転車に乗るのが好きだと感じただけでなく、ヒマラヤの高地でもシェルパ(現地の少数民族)に遅れを取らないことがわかった。イギリスに戻って2年後、ウェリントンはトライアスロンの四つの世界大会のうち、一つ目で優勝し、ロングディスタンスの大会に進出した。競技を始めたのが遅かったため、この時点で5年間しか経験していなかった。彼女は引退時に、こう語った。「スポーツへの情熱は衰えていない。でも、新たな挑戦と経験への情熱のほうが、私の中でより強くなっている（注28）」

私はアイルランドの演劇のファンで、特にアイルランド人俳優のキーラン・ハインズが好きだ。ハインズはテレビドラマ『ローマ』のユリウス・カエサル役や、『ゲーム・オブ・スローンズ』のマンス・レイダー役でよく知られており、映画『アナと雪の女王』ではトロールの長のパビーの声も担当した。この本の執筆を口実に、私はハインズにそのキャリアについてインタビューした。ハインズは、ベルファストのクイーンズ大学法学部に入学した時、自分の進路選択に自信がなく、すぐに法律から関心がそれて、「ポケットビリヤードやポーカー、新しいダンスにすごく興味を持つようになった」。そんな中で、ハインズが12歳の時に学校の演劇でマクベス夫人を演じたのを見たクラスのチューター（指導員）が、法律の勉強はやめて演劇学校に応募したらどうかと勧めた。「両親がちょっと心配していたので、そのチューターはわざわざ、この件について私の両親に話をしてくれた。私は王立演劇学校に進学し、それがプロの俳優としてのスタートとなった」

スティーブン・ナイフとグレゴリー・ホワイト・スミスの共著によるファン・ゴッホの伝記は、私がこれまで読んだ本の中で、あらゆるジャンルを通じて最高の一冊だ。ナイフとスミスは法律大学院で出会ったが、二人とも法律学は自分に合っていないと思っていた。やがて二人は、実際に起きた犯罪から男性のファッションまで、さまざまな分野で本を執筆するようになった。編集者から「どれかにジャンルを絞って書いたらどうか」と言われても聞かなかった。

新分野に進んで飛び込んでいく二人の意欲は、思わぬ果実を生んだ。別の出版社の編集者が、弁護士を選ぶためのガイドブックを書いてほしいと頼んだことが発端となり、二人は「ベスト・ロイヤーズ」を設立することになったからだ。それをきっかけにほかの分野でも、同業者による推薦をベースとしたガイドブックが多数生まれた。「もし（弁護士を選ぶためのガイドをつくる）アイデアを受け入れなかったら、僕たちの人生はまるで違うものになっていただろう」とナイフは言う。恐らく、10年もかけてファン・ゴッホの人生について調べるための資金や自由もなく、画家のジャクソン・ポロックの人生についても調査できなかっただろう。ポロックの本で、二人はピューリッツァー賞を受賞した。

ナイフによると、ポロックは「（美術学校の）アート・スチューデント・リーグで、デッサンが最下位レベルの学生だった」。ファン・ゴッホと同様に、従来型の絵のスキルがなかったため、自分ならではの芸術のルールを開発したのだろう、とナイフは言う。

標準化された美術教育を提供する学校が多数生まれたことは、ナイフによると「アーティストが学校の製品のようになるという問題につながった」。いわゆる「アウトサイダー・アート」への関心の高まりも、そこから生じたのかもしれない。これは、標準的な美術教育を受けていないアーティストによる芸術だ。もちろん、正式な美術教育のルートを通ることに何の問題もない。しかし、それがアーティストを生み出す唯一の道だとしたら、一部の優れた人々はアーティストとして認められる機会がなくなる。「アウトサイダー・アーティスト」は、いわば独学のジャズミュージシャンの美術版で、その独創性はすばらしいものだ。２０１８年には、ワシントン・ナショナル・ギャラリーが、独学のアーティストだけに絞った展覧会を開催した。また、スタンフォード大学やデューク大学、イェール大学、シカゴ美術館の美術史プログラムでは、アウトサイダー・アートのセミナーが開かれるようになった。

キャサリーン・ジェントルソンは、独学のアーティストによる作品のキュレーターとして、2015年にアトランタのハイ・ミュージアムにフルタイムで雇われた。ジェントルソンによると、独学のアーティストはたいてい、ほかの仕事をしながら好きなことをちょっと試す形で制作を始める。「本気で作品制作を始めるのは、引退したあとがほとんど」だという。

ジェントルソンは彫刻家で画家のロニー・ホーリーを紹介してくれた。有名な独学のアーティストで、アラバマ州で極度の貧困の中で育った。1979年、ホーリーが29歳の時、姉の二人の子どもが火事で亡くなった。家族には墓石を買う余裕がなかったため、ホーリーは近所の鋳物工場に捨てられていた砂岩を拾ってきて、自分で彫った。「芸術が何なのかさえ知らなかったよ」。まるで自分の物語に驚いたかのように、ホーリーは大きく目を見開いてそう言った。だが、制作が心地よかったので、他の家族のためにも墓石を彫り、近所で見つけたあらゆる材料を使って、彫刻も始めた。

この話を聞いたのは、ホーリーの展覧会が開かれていたアトランタの画廊で、私は入り口の近くに彼と立っていた。その時、ホーリーは近くにあったクリップをつかむと、入り組んだ顔の形に曲げていった。そして、それを受付の女性が使っていた鉛筆の上部の消しゴムに、飾りのように差し込んだ。ホーリーの手は、何かに触れるとすぐにそれを別のものに変えてしまうように見えた。その様子から、アーティストになる前のホーリーを想像するのは難しい。

ジェントルソンはパラダイス・ガーデンについても教えてくれた。それはアトランタの北西145キロほどの場所にあり、牧師だった故ハワード・フィンスターの絵画や彫刻で埋め尽くされている。フィンスターは、いわば現代芸術界のフランシス・ヘッセルバインといったところだ。長年、さまざまな部品や植物などをブリコラージュした作品を自分の土地に展示してきたが、60歳を目前にした1976年のある日、自転車の修理をしていた時に、自分の親指についた白いペンキが顔のように見えるのに気づいた。その時「体が温かくなるのを感じ」(注29)、直ちに何万点もの作品の制作を始めた。たとえば、半分マンガのような独特なスタイルの絵画数千点などだ。それらの絵には、終末的な背景の中に、エルビス・プレスリーやジョージ・ワシントンなどの人物や、天使や動物がびっしりと描かれている。じきに、フィンスターは人気テレビ番組『トゥナイト・ショウ』に出演するようになり、R・E・MやトーキングヘッズのレコードジャケットEで制作なども手掛けた。

私がパラダイス・ガーデンを訪れると、コンクリートブロックの壁に固定されたフィンスターの巨大な自画像が、入り口で出迎えてくれた。絵の中のフィンスターは赤紫色のスーツを着てニヤリと笑っている。その絵の下にこう書かれていた。「1976年1月に、俺は絵を描き始めた。絵を習ったことは一度もない。これが俺の絵だ。やってみるまでは、自分に何ができるかなんてわかりっこない。自分の才能を見つけるには、とにかくやってみることだ」

第8章

アウトサイダーの強み

The Outsider Advantage

アルフ・ビンガムは、自分の専門分野が、少なくとも理屈の上では非常に限定されていることを率先して認めた。「僕の博士号は、化学ではなく有機化学。炭素が入っていないものに関しては、厳密には博士として振る舞えない」と、ビンガムは声を大にして言った。

1970年代の大学院で、ビンガムと同級生は、特定の分子をつくる方法を編み出さなければならなかった。「同級生はみんな優秀で、誰もが分子をつくることはできた。でも、どういうわけか、みんなよりうまい方法を見つけだす人が必ずいた。注意して見ていてわかったのは、一番よい方法は、通常学校では習わない知識を使って考え出されているということだ」。そして、ビンガム自身もある日、クラスで最も優れた方法を見つけた。

その時、ビンガムは、ある分子を四つの短いステップで見事に合成することができた。ここでカギとなった知識は、ビンガムが子どもの頃から知っていた焼き菓子用の材料、クリームタータだった。

「クリームタータを知っている化学者はほとんどいない。この時、僕は大学の化学研究で一般的な方法とはまったく別のやり方で分子をつくるプロセスを考えた。ここで僕が気づいたのは、費用対効果が高く、有効で適切な解決方法が生まれる時にはいつも、いくぶん偶然に、専門分野の外にあるアイデアが生かされているということ。このあと僕の関心は、『どうやって問題が解決されるか』から、『そのように問題を解決できる賢い組織をどうつくるか』に移っていった」。それから何年もたって、ビンガムは製薬会社のイーライリリーで研究開発戦略担当のバイスプレジデントになり、ついに賢い組織をつくるチャンスを手にした。

2001年の春、ビンガムは、イーライリリーの科学者が手を焼いていた21の問題を集め、それをウェブサイトに載せて誰でも閲覧できるようにしていいか、同社の幹部に尋ねた。すると幹部は、もしマッキンゼーのコンサルタントが「それはいい考えだ」と言うのならやってもいい、と言った。

「マッキンゼーの意見は、『やってみなければわからない。そのサイトを立ち上げて、結果を教えてほしい』だった」とビンガムは振り返る。そこでウェブサイトに問題を公開すると、その問題に関わっていた科学者たちが全員、「『あれは極秘情報だから公開は認められない』と最高科学責任者（CSO）に訴えた。『いったい自分たち以外の誰が、あの問題を解決できるというのか』と言いながら」。確かに、そうかもしれない。最も高い教育を受け、高度に専門化し、十分なリソースを持った科学者が解決できないとなると、誰ができるのか。CSOはすべての問題をウェブサイトから削除させた。

しかし、ビンガムは粘った。科学者が手を焼いていた問題は企業秘密ではなく、少なくとも試してみる価値はある。うまくいかなくても損はない。CSOはビンガムの意見を聞き入れた。ウェブサイトに再度、問題が公開され、秋には回答が寄せられ始めた。ちょうどアメリカで炭疽菌騒動［粉末化された炭疽菌が郵便で送付された］があった頃で、その時期に郵送されてきた白い粉を見て喜んだのはビンガムくらいだった。「僕はそれを分光器に入れてみて、『やった！また別のが来たぞ』と叫んでいた」

ビンガムが予想したように、外部の知識がカギだった。「僕たちの仮説は証明された。でも、ほかの学問にこれほど知識のポケットが隠れているとは思っていなかった。まさか弁護士から回答が寄せられるとは」

ある分子の合成方法は、化学の特許の仕事で知識を得た弁護士から寄せられた。その弁護士は、「催涙ガスについて考えていて」その問題の解決方法を思いついたと手紙に書いてきた。ビンガムのクリームタータと同じパターンだ。「催涙ガスはその問題には全く関係がなかった。でも、求めていた分子構造とパラレルであることに彼は気づいた」

大企業はいわゆる「ローカルサーチ」によって問題に取り組むとビンガムは言う。ローカルサーチとは、一つの領域の専門家だけを活用して、以前に成功したやり方を試そうとすることだ。外部に広く呼びかけるビンガムのやり方はとてもうまくいき、その手法を事業として独立させることになった。社名は「イノセンティブ」だ。

イノセンティブでは、さまざまな分野の企業が「シーカー（捜索者）」として「チャレンジ（問題）」をウェブサイトに掲載し、外部の「ソルバー（解決者）」が解決に当たる。企業はサイト掲載の費用と解決者への賞金を支払う。これまで掲載された問題の3分の1強[注1]が、完全に解決した。専門家が行き詰まった問題ばかりであることを考えると、解決率は驚くほど高い。

この過程でイノセンティブは、どのようにチャレンジを掲載すれば、解決策をより得られやすくなるかを学んだ。そのコツは、さまざまな分野のソルバーを引きつけられるように、チャレンジを説明すること。つまり、科学者だけでなく、弁護士や歯科医、機械工にも関心を持ってもらえれば、解決の可能性は高まる。

ビンガムはこれを「アウトサイド・イン」の思考と呼ぶ。すなわち、対象となる問題から遠く離れた分野の経験をもとに、解決方法を見つけることだ。歴史を振り返ると、このアウトサイド・インの思考によって、世界を変えた例がたくさんある。

ナポレオンはかつて、自軍の兵士たちがわずか数日分の食料しか持ち運べないことを心配していた。4世紀のローマ軍の記録にも「飢えは剣よりも残酷だ」(注2)と記されている。ナポレオンは科学や技術の推進に積極的で、1795年、食品保存の研究に賞金を出した。(注3)食品保存に関しては、世界で最も優秀な頭脳を持つ人たちが1世紀以上前から研究をしており、現代化学の父と言われるアイルランドの科学者、ロバート・ボイルもその一人だった。科学者たちが失敗を続ける中、首尾よく成功をつかんだのはパリの美食家で菓子職人のニコラ・アペールだった。

製缶協会によると、アペールは「何でも屋」で、味覚の世界を渡り歩き、菓子やワイン、ビール、ピクルスの製造、レストランのシェフまで、さまざまな仕事をした。食に関するアペールの飛び抜けて幅広い経験が、保存の科学に特化した科学者に打ち勝つことができた要因だ。アペールは『あらゆる種類の動物や野菜を何年も保存する方法（Art of Preserving All Kinds of Animal and Vegetable Substances for Several Years)』というタイトルの本でこう書いている。「私は食糧貯蔵庫やビール醸造所、倉庫、シャンパンの貯蔵庫に通い、また、菓子店や菓子工場、菓子問屋、酒蒸留所、食品店などで日々を過ごし、それによって得た強みを活用できた。その強みは、食料保存技術の開発に自らを捧げてきた大勢の人たちが持ち得なかったものだ」

アペールのやり方は、厚みのあるシャンパンボトルの中に食品を入れて栓をし、それを沸騰した湯の中にしばらく入れておく、というものだった。このイノベーションから、のちに生まれたのが缶詰だ。アペールは注目を集めるために、丸々一匹の羊を保存してみせた。(注4)この方法を使うと栄養分が保たれる。そのため、ビタミンCの欠乏が原因で発症し「船乗りの悪夢」と呼ばれて恐れられた壊血病も、予防できるようになった。パスツールが、熱で微生物を殺すという画期的な科学的発見をするのは、この60年後だ。

アペールの手法は公衆衛生に変革を起こした。しかし、ナポレオンにとっては残念なことに、この手法は英仏海峡を渡った。そして、1815年のワーテルローの戦いでは、イギリス軍がこの方法で食料を確保した。(注5)

イーライリリーでビンガムを批判した人たちも、歴史において頭のよいアウトサイダーやシロウトが、技術的なブレークスルーを起こしてきたことを知っていたが、高度に専門特化した現代では、そんなことは起こらないと考えた。

しかし、アウトサイド・インの解決者が、専門家が行き詰まった問題にどれほど貢献できるかは、ビンガムが期待した以上だった。「NASA（アメリカ航空宇宙局）が30年も取り組んできた問題が解決された。まだ信じられない」とビンガムは言う。

NASAは太陽嵐、つまり、太陽による放射性物質の噴出を予測できずにいた。太陽嵐によって、宇宙飛行士や宇宙で用いる機器が大きなダメージを受けてしまう。NASAは2009年に、イノセンティブを通じてチャレンジを掲示した。太陽物理学者たちは、門外漢が役に立つのかと懐疑的だったが、30年も行き詰まった状態だったので失うものは何もないと考えた。半年もたたないうちに、元エンジニアのブルース・クラギンが、望遠鏡が拾う電波を利用して問題を解決した。クラギンは、大手通信会社スプリントのグループ企業、スプリント・ネクステルを引退してニューハンプシャー州の田舎で暮らしていた。引退前に、クラギンは科学者のチームと一緒に仕事をする機会があった。その時、専門家は細部にとらわれ、肝心の問題解決が疎かになることに気づいた。「かつての経験があったから、そこから抜け出して前に進むことができた(注6)」とクラギンは言った。

ＮＡＳＡでは、当初、クラギンの解決方法に対して「私たちと異なる手法を用いていたため抵抗感があった」と公式の記録に書いている。

それこそがポイントだった。ただし、アペールとクラギンにはわずかだが、問題に関連のある経験があった。一方で、取り組んだ問題とは何の接点もないからこそ成功したアウトサイド・インの解決者もいる。

１９８９年に、原油タンカーのエクソン・バルディーズ号が座礁して、積み荷の原油がプリンス・ウィリアムズ湾に流出し、環境にも漁業にも大打撃を与えた。

原油が水と混ざった時に生じるベタベタしたものを、処理に当たる人たちは「チョコレートムース」と呼ぶ。そこに「低温」という条件が加わるとさらに粘度が増し、ピーナッツバターのような物質と戦わなければならなくなる。取り除くのは限りなく困難だ。事故から20年近く経過しても、12万リットルの原油がアラスカの海岸に残っていた。

原油流出事故への対応で最も難しいのは、水面から原油をすくい取ったあとに、その原油を作業用のはしけから汲み出すことだ。アラスカを本拠地とする石油流出回復研究所で研究プログラム・マネジャーを務めるスコット・ペゴーは、２００７年に、イノセンティブを試してみようと考え、冷たいチョコレートムースをはしけから取り出す方法に、2万ドルの賞金を出すことにした。

アイデアが届き始めた。たいていは実現に多額の費用がかかるものだったが、ジョン・デービスのアイデアは、とても安価でシンプルだった。ペゴーが思わずクスクス笑いだすほどだった。「全員がちょっと見てみて、『ああ、これならいけそうだ』と言った」とペゴーは振り返る。

デービスはイリノイ州に住む化学者で、出張で飛行機を待つ間にこのチャレンジの解決策を考えてきた。最初は化学的方法を考えたが、大きく方向転換をした。「化学物質をできる限り使いたくなかった」とデービスは言う。これ以上、化学汚染物質を増やしたくなかったからだ。デービスは自分の専門分野を離れ、別の分野のアナロジーを用いることにした。「この問題を、スラッシー［氷を砕いてジュースを混ぜた飲み物］を飲むイメージで考えてみた。スラッシーをかき混ぜるには、ストローをあちこち動かさないといけない。どうしたら、そんなに一生懸命にやらなくても、スラッシーを飲めるだろうかと考えた」

スラッシーの問題から、デービスは建築工事を手伝ったことを思い出した。何年も前に、友人が自宅から近くの湖まで長い階段をつくる時、一日中、手伝いに駆り出された経験だ。「バケツ運びなど、いろいろな作業をするために人手が必要だった。私はそんなに屈強じゃないから、あまり適任ではなかったけれど」。コンクリートが下のほうで必要になると、丘の上からシュート［コンクリートを流す管］を使ってコンクリートを送った。デービスは、太陽の下で大量のコンクリートが固まり始めているのに気づいて心配になった。友人の兄にそう言うと、兄は「見ててごらん」と言い、モーターについていた棒をつかんで、コンクリートに接触させた。「すると途端に、ヒューっとコンクリートが液状になった」。その棒は「コンクリート・バイブレーター」と呼ばれる金属性の道具で、その名前の通り振動することによってコンクリートの成分がくっつき合うのを防ぐ。「この出来事がふと頭をよぎり、これだと思った」

デービスはコンクリート・バイブレーターの販売会社に電話をかけ、いくつか細かい質問をし、バイブレーターを簡単にはしけに取りつける方法を図に描いた。コンクリートを液状にしたような効果を「チョコレートムース」にも及ぼすためだ。解決策は、図も含めて3ページに収まった。

ペゴーは言う。「時々、頭をピシャリと叩いて、『何で思いつかなかったんだろう』と思うことがあるけれど、もし業界内で簡単に解決できるなら、そもそも問題になっていない。あまり認めたくないが、そうしたケースは想像以上に多いかもしれない。私たちは自分の業界で集めた情報を通じてものを見る傾向があり、そのために壁に突き当たってしまう。戻ったり、別の道を行こうと考えたりするのは難しい」。ペゴーが言おうとしていたのは、心理学では「アインシュテルング効果」と呼ばれる。問題を解決しようとする時、人は自分がよく知っている方法に引きずられて、別のもっと優れた方法を無視してしまう。

デービスはその後、脱毛製品に関するチャレンジで、また賞金を獲得した。この時は、子どもの頃にチューインガムを太ももの上で転がしていた記憶が、解決方法の発見につながった。デービスに「問題の解決方法を考える際、他分野での経験を生かし、アナロジーを使って問題を考えようとしているか」と尋ねると、デービスはしばらく考えていた。さらに、「日々仕事で向き合う化学の問題ではどうか」と聞くと、「あまりやらない」と答えた。「そうするのは、自分の専門外の問題やパズルなど、型を破った考え方が必要な場合だ」

イノセンティブが機能するのは、専門家のフォーカスが狭くなると、打ち破るべき「型」がロシアの民芸品「マトリョーシカ人形」のようになるからだ。専門分野がいくつかに分かれ、そこからさらに細分化されていく。専門家が小さな人形の外に出られたとしても、次の少しだけ大きい人形の段階で行き詰まってしまう。そもそも、クラギンとデービスは「型」の外にいた。専門家のほうが知識やリソースなどあらゆる面で有利に見えるが、そうではなかった。一方で、問題を解決した人は、業界やそこに属する企業がなぜ自分たちで対処できなかったのか、不思議に思うことが多い。

ジョンソン・エンド・ジョンソンがイノセンティブに出した結核治療薬の製造に関する問題をある業界外のソルバーが解き、そのソルバーはサイエンス誌に次のように語った。「解決策は三晩で思いついた。このような問題を大手医薬品メーカーが解決できないのはなぜなのか」(注7)。

ハーバード大学イノベーション・サイエンス研究所の共同ディレクター、カリム・ラカーニーは、イノセンティブのソルバーたちに、解決した問題が自分の専門分野にどのくらい近いかを尋ねた。すると、「自分の専門分野から遠いほど、解決できる可能性が高い(注8)」ことがわかった。

組織の専門化が進み、オンラインでさまざまな情報に簡単にアクセスできるようになったため、「(新しい解決策は)業界の外側で開発されることが増えている(注9)」とラカーニーは記す。直感的には、専門分野に特化したエキスパートだけが、現代のイノベーションを生み出せると思いがちだが、専門化が進みすぎると、実は部外者《アウトサイダー》にチャンスが広がる。

「企業は難しい問題ほどローカルサーチに頼ろうとする傾向がある」と、イーライリリーのビンガムは気づいた。つまり、一つの分野の専門知識と、以前に効果があった方法に頼る(第5章で紹介した、大腸菌の専門家ばかりの研究室がその例だ)。そして、それに失敗すると行き詰まってしまう。非常に困難な問題の場合、「専門分野から生まれた解決方法は、私たちの研究によると劣っていることが多い(注10)」とラカーニーは述べる。「大きなイノベーションというのはほとんどの場合、その問題から遠く離れた分野の人が、問題を別の角度から捉え直して、解決策を生み出している」

イノセンティブがそのコンセプトを実現してみせてから、他の組織も、非常に専門的な分野でアウトサイド・インのソルバーを活用し始めた。カグル(Kaggle)はイノセンティブに似ているが、機械学習に関する問題に特化している。

中国の長沙に住むシュビン・ダイは、カグルのソルバー4万人の中で、本書執筆時点でトップに立っている。日中は、銀行向けのデータ処理チームのリーダーだ。カグルの出現によって機械学習に挑戦するチャンスができた。シュビンが好きな問題は、医療や自然保護に関するものだ。たとえば、アマゾンの森林火災の原因が人災か天災かを、衛星画像を使って判別できるようにして3万ドルを獲得した。コンテストで勝つために専門分野の知識は重要かとカグルのブログで問われ、シュビンはこう答えている。「正直に言って、専門分野の知識がそれほど役に立つとは思わない。（広く知られている）方法だけで勝てるほど、コンテストは甘くない。もっと工夫しないと」(注11)

コンピューター・サイエンスの教授で機械学習を研究するペドロ・ドミンゴスは、「カグルの医療関連のコンテストで勝つ人は、医学や生物学の教育を受けておらず、機械学習の専門家でもない場合が多い」と話した。「知識は諸刃の剣。知識を使ってできるようになることもあるが、反対に、何ができるか見えなくなることもある」

ブルース・クラギンやジョン・デービスのような外部の人たちが、関連のない分野の知識を組み合わせて活かす機会が訪れることを、ドン・スワンソンは予見していた。スワンソンは1952年に物理学の博士号を取得し、その後、コンピューター・システム・アナリストとして働き、情報の整理に魅せられた。1963年にシカゴ大学は、図書館学大学院の学長にスワンソンを抜擢した。38歳で民間企業出身、専門分野も異なる人物がそのポジションにつくのは前例がなかった。採用を発表する文書では「わが国の図書館学大学院の学長としては初めての物理学者[注12]」と紹介された。

スワンソンは、専門化が進むことによって、非常に少数の専門家向け出版物が増えて、クリエイティビティーが妨げられることを懸念した。「記録された知識の量と、（中略）人間の限られた知識吸収能力の差は非常にかけ離れていて、現在も絶え間なく離れ続けている[注13]」。各専門分野をマスターするのに一生かかるとしたら、どうやって新分野を開拓するのか、とスワンソンは疑問に思った。1960年、米国国立医学図書館が文献の標目として使った2語の単語の組み合わせは約100だった[注14]。それが2010年には、10万近くになっていた。スワンソンは、この知識のビッグバンが続くと、専門分野から分かれたサブの分野でも一つの銀河のようになり、互いに見えなくなるまで離れてしまうのではないかと感じた。分野横断的な問題解決が欠かせないと考えていたスワンソンにとって、これは難問だった。

危機を感じる一方で、スワンソンはチャンスだと思った。互いに論文を引用し合っていない分野同士、そして共同研究が行われていない分野同士の情報を結びつけたら、新たな発見を生み出せるのではないか――。スワンソンは、異なる分野の文献データベース同士を体系的に相互参照できるようにして、マグネシウム欠乏症と片頭痛の研究の間に、「無視されている11の関連性[注15]」を発見し、両者の関係について実際に調べることを提案した。これらの情報は公開されていたが、結びつけられたことがなく、スワンソンはそれを「未発見の公的知識」と呼んだ。

2012年に、米国頭痛学会と米国神経学会は片頭痛の予防に関する研究をすべて見直して、マグネシウム投与を標準的な治療方法として検討すべきと結論を下した。マグネシウムには、最も一般的な鎮痛剤であるイブプロフェンと同じくらいのエビデンスがあった。

スワンソンが示したかったのは、通常は交わることがない専門分野間に、発見されるのを待っている学際的な宝がたくさん埋もれていることだ。自分と同じことを他の人もできるようにと、スワンソンは「アロースミス（Arrowsmith）」というコンピューター・システムをつくった。このシステムは、分野的に離れてはいるが、互いに関連する論文の組み合わせを見つけだす検索を実行する。スワンソンの取り組みから、多様な分野、そして疎遠になりがちな異分野の専門家を結びつける情報科学の領域も立ち上がった。

スワンソンは2012年に他界していたので、私はその娘で政治哲学の教授であるジュディー・スワンソンに連絡を取り、専門化が進む懸念に関してお父さんと話したことはないか尋ねようと考えた。ジュディーに連絡すると、偶然にも、「社会科学の行きすぎた専門化に関するカンファレンス」に出席中だとジュディーは言った。一見すると、ジュディーはかなり専門特化しているようだった。ジュディーのウェブページには、合計44本の論文や著書のタイトルが挙げられていたが、そのすべてに「アリストテレス」の名前が入っていた。そこで私が「ご自身の専門化についてどう思うか」と聞くと、ジュディーは驚いた様子だった。ジュディーに言わせると、同僚に比べれば、自分はそれほど専門特化していないと思っていたという。彼女は学部生も教えており、そこではアリストテレス以外の知識も必要だった。ジュディーは「もっと専門的な研究をしなければならないという焦燥感がある」と言った。大学の各学科は、細分化していくだけでなく、その幅が狭いほど理想的と考えられるようになっている。

これは逆効果だ。カリム・ラカーニーがイノセンティブについての研究のあとで言ったように、クリエイティブに問題を解決するポイントは、異なるアプローチを用いる部外者を活用することにある。「それは『ホームグラウンド』の人たちだけで取り組んで、解決策が狭まらないようにするためだ(注16)」。時には、好奇心のある部外者だけしか、解決方法を見つけだせないこともある。

ある日、私に届いた電子メールの題名が目にとまった。「オリンピックのメダリストと筋ジストロフィー患者に共通する遺伝子突然変異」

ちょうど、遺伝子と運動競技についての本を書いたところだったので、私が見逃していた論文を指摘するメールだろうと思った。だが、それは筋ジストロフィーの患者で、アイオワ州に住む39歳のジル・バイルズからのメールだった。ジルは、自分の筋肉を萎縮させている遺伝子の突然変異と、オリンピックの陸上選手のそれとを結びつける緻密に練られた仮説を持っており、もっと情報を提供できると書いていた。

送られてくるのは手紙か、新聞の切り抜きだろうと思っていたが、ジルから届いたのは家族の写真の束と、詳細な病歴、そして、どの位置のＤＮＡに遺伝子突然変異があるかなどが示された、表紙付きの19ページの図入りの冊子だった。ジルはかなり勉強したようだった。

冊子の14ページには、青いビキニを着たジルの写真があった。ブロンドの髪の毛が乱れ、笑顔で、砂浜に座っていた。胴体は普通だったが、両腕は折れそうなくらいに細く、まるで雪だるまに小枝が挿してあるかのようだった。脚も体を支えられそうにない細さで、太腿《ふともも》は膝関節と同じくらいの幅しかなかった。

その横には、カナダの史上最強の短距離走者の一人、プリシラ・ロペス・シュリエプの写真があった。２００８年の北京オリンピックで、プリシラは１００メートルハードルで銅メダルを獲得していた。この2枚の写真の並びは衝撃的だった。プリシラの写真は走っているところで、脚は筋肉の塊で、前腕部は血管が浮き出ていた。まるで、小学2年生が描くスーパーヒーローのようだった。この二人の女性の遺伝子に共通する部分があるとはとても思えなかった。

ネット上にあったプリシラの写真を見て、ジルは自分のやせ細った体形と共通するものを見つけた。それは手脚に脂肪がないという、ジルがよく知っている状態だった。ジルの説によると、自分とプリシラには同じ遺伝子変異があるが、プリシラは筋ジストロフィーではないので、ジルの表現によると、プリシラの体では「それが一回転して」ジルとは反対に巨大な筋肉をつくり上げたという。ジルは、もし自分の説が正しければ、科学者が自分とプリシラを調べて、自分のような筋肉のない人たちが、少しでもプリシラの体形に近づけるように研究を進めてくれるのではないかと考えた。プリシラに遺伝子検査を受けるよう説得するのに力を貸してほしいというのが、ジルから私への希望だった。

グーグルの画像検索を使って調べている非常勤の代理教員が、職業柄、医師による検査を受けているプロの運動選手に関して何か発見をすることはほとんどあり得ず、ばかげた話かもしれない。私はハーバード大学の遺伝学者に相談した。すると彼は心配して言った。「この二人の女性の間を取り持ったら、ひどい目に遭うよ。一般人が有名人に対して自分と共通点があると思い込んだりしたら、何を言っても聞かなくなる」

そこまでは考えていなかったが、ストーカー行為を後押ししたくないと思った。そのため、ジルには特別な経験があり、それによって専門家には見えないものが見えると私が納得するまでに、少し時間がかかった。

ジルが4歳の時、幼稚園の先生は、ジルがよく転ぶのに気づいた。ジルはお母さんに、自分の向こうずねをつかんで転ばせる「魔女の指」が怖いと言った。小児科医は家族全員でメイヨークリニックに行くよう勧めた。

血液検査の結果、ジルとその父親と兄は、クレアチンキナーゼが正常値より高いことがわかった。クレアチンキナーゼは、筋肉が傷つくと血液中に出現する酵素だ。医師は、遺伝的な筋ジストロフィーが家族に存在することを疑ったが、通常、幼い女の子には出現しない。しかも、父と兄は健康だった。

ジルは言う。「先生たちは、『うちの家族は非常に珍しい』と言いました。先生方が正直な点はよかったけれど、とても恐ろしかった」

ジルは毎夏、メイヨークリニックを訪れたが、同じ結果だった。だんだん転ばなくはなっていたが、8歳くらいの頃、手と脚の脂肪が消えてしまった。他の子どもたちは片手でジルの腕をつかめるようになり、ジルの脚の血管が浮き出るようになると「おばあちゃんになってどんな気分？」と言われた。ジルの母親は娘の友人関係をとても心配し、一人の女の子にこっそりおカネを払って一緒にいてもらった。12歳になると、自転車に乗って姿勢をまっすぐ保つのが難しくなり、ローラースケートのリンクでは、手すりにつかまらないと前に進めなくなった。

ジルは子どもなりのやり方で答えを探し始め、ある日、図書館で超常現象に関する本を借りてきた。「それを見た父はどぎまぎして、『えっ、オカルトに興味があるの？』と私に聞いた。そんなわけではなかったのに」。ジルはただ、自分の体に何が起きているのか知りたかった。だから、説明困難な苦しみを抱える人の話を読むと「私は信じるわ」と共感できた。

大学進学のために家を離れる頃、ジルの身長は162センチ、体重は40キロだった。大学では図書館に通い、筋肉の病気に関するあらゆる学術論文を読み漁った。

そうするうちに、マッスル・アンド・ナーブ（筋肉と神経）という学術誌の中に、「エメリ・ドレフュス型」という稀なタイプの筋ジストロフィーについての論文(注17)を見つけた。ジルは、そこに掲載されていた写真を見て愕然とした。「これはお父さんの腕だ」

ジルの父親はやせていたが、前腕の筋肉が異常なほどに発達しており、ジルは幼い頃、「ポパイの腕」と呼んでいた。別のエメリ・ドレフュス型筋ジストロフィーに関する論文では、実際に「ポパイの腕のような変形」と表現していた。マッスル・アンド・ナーブ誌の論文には、エメリ・ドレフュス型の患者には、関節の可動域を狭める「拘縮《こうしゅく》」が見られると書かれていた。

「その論文を読んで、背筋が寒くなるのを感じた」とジルは振り返る。ジルは自分の拘縮をバービー人形のようだと表現する。腕は常に曲がり、首はこわばり、足はハイヒールを履いているかのように曲がっていた。論文には、エメリ・ドレフュス型は男性にしか見られないと書かれていたが、ジルは間違いなく「自分はこの病気だ」と思った。そして怖くなった。そこには「心臓の障害を伴う」と書かれていたからだ。

大学の長期休暇に入ると、ジルは論文を家に持ち帰った。すると、ある日、論文をパラパラと見ていたジルの父親が、「症状がすべて自分に当てはまる」と言った。ジルは、「そうだよね。腕も、首も、でしょ?」と答えた。すると、父親はこう言った。「いや、心臓の症状だ」

ジルの父親は長年、不整脈はウイルスのせいだと言われてきた。「違うわ」とジルは即座に答えた。「私たちはエメリ・ドレフュス型なのよ」。ジルは当時45歳だった父親をアイオワ心臓病センターに連れていき、心臓専門医による診察を求めた。看護師は、「紹介状が必要だ」と言ったが、ジルがあまりにも粘るので最後には折れた。心臓専門医はジルの父親にモニターを装着し、1日の心臓の活動を追跡した。すると、脈は毎分20回台に低下し、ツール・ド・フランスに出場する選手、あるいは突然死する人の状態になった。急いで手術室に運ばれ、ペースメーカーを埋め込む手術を受けた。「ジルがお父さんの命を救った」と、母のマリーは言う。

それでも、アイオワ心臓病センターは家族の病名を確定できなかった。ジルは論文を読み続けるうちに、イタリアの研究グループがエメリ・ドレフュス型の家族を探していることを知った。研究グループは、どの遺伝子が突然変異を起こして病気を引き起こしているのか突き止めようとしていた。

19歳のジルは、一番大人っぽく見える紺色のパンツスーツを着て、論文を持ってアイオワ州の州都、デモインの神経科医を訪ね、イタリアの研究チームとコンタクトを取ってくれないかと頼んだ。「できません」と神経科医がそっけなく言ったのをジルは覚えている。医師は論文を見ようともしなかった。当時ジルはまだ10代で、自分の病気は男性だけに起こるとされていた稀な病気だと自己診断していた。それを踏まえると仕方がないのかもしれない。ジルは1995年に、自分で研究チームに手紙を書き、自分の写真も同封して送った。

のちに届いた返信の手紙は、明らかに科学者向けのものだった。そこには、家族全員のDNAを送ってほしいと書かれており、「DNAを用意できない場合は、血液でも構わない」とあった。ジルは看護師の友人を説得して、採血用の注射器と試験管を家に持ってきてもらった。幸いなことに、イタリアへは普通郵便で血液を送ることができた。

研究結果が出るまで数年かかりそうだったが、ジルは確信していた。毎年受けているメイヨークリニックでの検診では、自分のペンを取り出し、母親の制止を振り切ってカルテに「エメリ・ドレフュス型」と書き込んだ。

1999年に、イタリアから電子メールが届いた。(注18)ジルは心を落ち着かせてからメールを開いた。LMNA遺伝子、一般的にラミンとして知られる遺伝子に突然変異があった。ジルの父親も、兄弟二人も、姉妹一人も同じ結果だった。つまり、ジル以外に家族4人がエメリ・ドレフュス型だった。ジルは正しかった。

ラミン遺伝子は、すべての細胞核でタンパク質をつくり、そのタンパク質が、脂肪と筋肉の形成の仕方を変える他の遺伝子のオン・オフの切り替えに影響を及ぼす。ジルのゲノムを構成する30億の塩基、G（グアニン）、T（チミン）、A（アデニン）、C（シトシン）の配列のどこかで一カ所だけ、悪影響を及ぼす変異が起きていた。

ジルは病気の原因となる遺伝子突然変異の発見に協力できてうれしかった。それでも、「何だかブラックジョークみたい」とジルは私に言った。というのも、「GがCに変わっていたことがわかった」からだ。

ジルの父親は2012年に心不全で亡くなった。63歳だった。

その頃、ジルは電動車椅子を使うようになり、結婚して、男の子を一人もうけていた。自分の病気の探求はもうやめていた。

父親が亡くなって少したった頃、妹がジルにインターネット上の写真を見せた。極度に筋肉質なオリンピックの短距離選手で、明らかに脂肪がついていなかった。「私はその写真をひと目見て、『脂肪がない。どういうこと？』と言いました」。そしてジルは興味を持ち始めた。

実は、ジルは脂肪についても長年不思議に思っていた。筋肉と同じように、ジルの腕や脚には脂肪もついていなかった。10年以上前、ジルが25歳の時に、ジョンズ・ホプキンス大学のある研究室の室長がジルのことを聞きつけ、「ラミン遺伝子突然変異の人に、研究室に来てもらいたい」と言って、ジルに夏のインターンシップのポジションを提供したことがあった。ジルはそこで、ラミン遺伝子の変異によって起こるあらゆる病気について、文献を調べた。

その時に知ったのが、「部分型リポジストロフィー」というごく稀な病気だった。その病気を発症すると手脚の脂肪がなくなり、血管と筋肉が皮膚で包まれたようになる。この時も、ジルは「うちの家族と同じだ」と思った。しかし、きわめて稀な遺伝性疾患を二つ持つことなど起こり得るのか。ジルはある医学会議に写真を持参して、医師たちを質問攻めにした。医師たちは、ジルはリポジストロフィーではなく、もっと一般的な「インターン症候群」だと言った。それは「新しい病気をいろいろ知った医学生が、自分もその病気ではないかと思ってしまうこと」とジルは説明した。

プリシラの画像をグーグルで検索すると、その時の記憶が一気によみがえってきた。ジルはプリシラの競技中の写真だけではなく、自宅での写真や、幼い娘を抱いている写真も見た。浮き出た血管、腕に脂肪がないために下がってしまうシャツの袖、腰とおしりの筋肉がはっきり分かれて見える様子。「私たちは同じだと確信しました。きわめて偶然の一致です」とジルは言った。

ジルの目が資料に釘付けになったのは、これが3度目だった。最初は家族がエメリ・ドレフュス型筋ジストロフィーだと思った時、2度目は家族がリポジストロフィーでもあると思った時、そして今、プリシラの手脚に脂肪がないのを見た時だ。でも、プリシラが自分と同じ脂肪欠如の病気を持っているとして、なぜプリシラには二人分くらいの筋肉があり、自分にはほとんどないのか。「私にとっては（その病気が）クリプトナイト［スーパーマンの力を吸い取る物質］で、プリシラにはロケット燃料になっている」とジルは思った。「私たちはまるで、マンガのスーパーヒーローとその逆の人のよう。プリシラの体はどういうわけか筋肉の減少を免れることができた」。どうすればプリシラに遺伝子検査を受けてもらえるだろうかと、1年の間、ジルは思案した。陸上競技の試合に現れて、電動車椅子で追いかけ回すようなことをせずに、検査を受けてもらいたい。

私が朝のテレビ番組に出演して、スポーツ選手と遺伝子について話していた時に、ジルは偶然テレビの近くにいた。「『ああ、これこそ神のはからいだ』と思いました」とジルは言う。そして私に資料を送り、プリシラに連絡を取ってほしいと頼んだ、というのが事の顚末《てんまつ》だった。

プリシラのエージェントのクリス・ミカシュウと私は、偶然ツイッターでフォローし合っていたので、私はミカシュウにメッセージを送った。二人の女性が生物学的に正反対だという理解されにくい話をし、ジルの努力に感銘を受けたことを説明すると、ミカシュウはその話に耳を傾け、プリシラに伝えると約束してくれた。

プリシラは言う。「ミカシュウからは、『アイオワ州の女性が、あなたと同じ遺伝子を持っていると言っていて、話がしたいそうだよ』という感じの話を聞きました。私は『えっ、どうしようかな』って言ったかな」。ミカシュウはプリシラに、とにかく私から電話があるから受けてほしい、と話した。

その体形のおかげで、プリシラはヨーロッパのメディアから、筋肉増強剤のステロイドを使っていると非難されていた。インターネット上には、オリンピックでゴールしようとする彼女の写真が、顔の部分だけ男性のボディビルダーに変えて流された。「かなりひどい状態でした」とプリシラは言う。2009年にベルリンで開かれた世界陸上選手権大会では銀メダルを獲得したが、その試合の数分前にドーピング検査があった。本来であれば、試合直前には検査しないはずだった。私が電話すると、プリシラは喜んで写真を提供すると言った。写真を見ると、高校生の時にはすでに脂肪が異常なほど少なく、血管が目立っていた。ある写真には、家族で運動をする様子が写っていたが、上腕二頭筋が目立っていた年長の親戚の女性は、太い血管がひじの周りを巡っていた。私と話したあと、プリシラは「ジルと話してみる」と言った。

二人は電話ですぐに意気投合した。二人とも、子どもの頃に血管のことでからかわれるなど、共通の経験があったからだ。プリシラはジルとその母親と、トロントのホテルのロビーで会う約束をした。プリシラが現れた時、ジルは「まるで家族に会ったみたい」と思ったという。二人はホテルの廊下のほうに行って、体を比べ合った。各部位の大きさは全く違うけれど、脂肪がないのがひと目でわかり、構造はそっくりだった。プリシラはこう思ったという。「ここに絶対に何かがある。調べて、解明しなくては」

プリシラのラミン遺伝子を喜んで分析してくれる医師をジルが見つけるまで、1年間かかった。最終的に、ジルは医学会議に行って、リポジストロフィーに最も詳しい医師、テキサス大学サウスウエスタン・メディカル・センターのアビマンユー・ガーグにアプローチした。彼は遺伝子の検査とリポジストロフィーの評価をすると約束した。

今回もジルは正しかった。プリシラとジルはともにリポジストロフィーだった。それだけでなく、二人とも「ダニガン型」と呼ばれる部分型リポジストロフィーの稀なタイプだった。

プリシラとジルの塩基配列の変異は、同じ遺伝子内のすぐ近くで起こっていた。このわずかな位置の違いが、大きな違いを引き起こしたらしい。ジルからは筋肉と脂肪を奪ったが、プリシラからは脂肪だけを奪って、筋肉は増強させた。

ガーグ博士はすぐにプリシラに電話をした。彼女は子どもたちとショッピングモールにいた。「ちょうど、肉汁たっぷりのハンバーガーとポテトフライを食べたいと思っていたところでした」とプリシラは言う。プリシラはガーグに、食事が終わってからかけ直してもいいかと尋ねた。ガーグは「ダメだ」と答えた。「カーグ先生は、『食べていいのはサラダだけだよ。あなたは（膵炎の）発作を起こしかけている』と言ったんです。私にはわけがわからなかった」

プリシラはオリンピック選手としてのトレーニングを受けていたが、リポジストロフィーのモニタリングをしていなかったため、血中脂肪が正常値の3倍になっていた。「かなりの重症だった」とガーグは言った。プリシラは食生活をすぐに見直して、投薬治療を始める必要があった。

ジルは自分の父親の寿命を延ばしただけでなく、グーグル画像を駆使して、プロスポーツ選手の人生を変えるほどの医学的な助言までした。プリシラは、「あなたのおかげで入院せずに済んだわ」と、ジルが電話をかけてきた時に言った。

ガーグも、ジルがやってきたことに驚いていた。二人はガーグがこれまでに診たリポジストロフィーの患者の中で、最も極端な筋肉の発達事例だった。もちろん正反対の事例だ。普通の状況では、二人が同じ医師の診察を受けることはなかったはずだ。ガーグは言う。「自分の病気について詳しく調べるのはわかる。でも、別の人と連絡を取って、その人の病気についても解明したのだから、大変なお手柄だ」

ジルの調査はそれだけで終わらなかった。彼女はフランスの生物学者、エティエンヌ・ルファの研究を発見した。ルファはＳＲＥＢＰ１と呼ばれるタンパク質の専門家だ。ＳＲＥＢＰ１は、食事で取った脂肪分をすぐ消費するか、のちに使うため体内に貯めるかを決めることに関与する。ルファの研究によると、ＳＲＥＢＰ１が動物の体内に蓄積されると、極度の筋肉の減少か、極度の筋肉の成長を引き起こすという。ジルは誰の紹介もなしにルファに直接連絡し、ジルとプリシラを全く異なる状態にした生物学的な仕組みをルファが発見したのではないか、つまり、ＳＲＥＢＰ１がラミンと作用を及ぼし合っているのではないか、という考えを伝えた。

ルファは強いフランス語なまりの英語で、私に言った。「ジルには『すばらしい指摘だ。本当にすばらしい』と言った。相互作用のことを考えるきっかけになった」。ルファはラミン遺伝子の突然変異がＳＲＥＢＰ１の発現を変え、それにより筋肉と脂肪が同時に失われるのかどうかを調べ始めた。「ジルが連絡をくれるまで、遺伝病に関して何か貢献できるとは考えてもいなかった。今では、私たちのチームの目指す先も変わった」

専門家が情報をたくさん生み出すほど、好奇心の強いシロウトが、広く公開されているが分散している情報をつなぎ合わせて貢献できる機会が増える。スワンソンはそれを「未発見の公的知識」と呼んだ。人間の知識が拡大し、それにアクセスしやすくなるほど、好奇心のあるアウトサイダーが最先端の分野で知識を結びつけるケースが増える。イノセンティブのような事業は、最初は抵抗感があったとしても、世の中で専門特化が進むほど、成果が上がっていく。

専門外のアウトサイダーにとってのチャンスをつくり出すのは、新たな知識の拡大だけではない。最先端を目指す競争の中で、役に立つ多くの知識がすぐに忘れ去られ、朽ちていく。だが、そこから新たなチャンスが生まれる。それは、創造や発明をしたいが、最先端のことはできない、あるいはしたくない人にとってのチャンスだ。その人たちは、過去を振り返ることで、前に進むことができる。古い知識を発掘し、新たなところで活用する。

第9章

時代遅れの技術を水平思考で生かす

Lateral Thinking with Withered Technology

日本が鎖国をしていた江戸時代の200年間、花札は禁止されていた。賭博に使われていたことと、西洋文化を連想させることが禁止の理由だ。19世紀後半、日本は再び世界に扉を開き、花札も解禁された。そのすぐあとの1889年秋、京都で一人の若者が小さな店を開き「任天堂」の看板を掲げた。(注1)

社名の正式な意味は、今となってはわからない。「運を天に任せる」との意味にもとれるが、「花札の販売を許された会社」を詩的に表現したという説も有力だ。

1950年に、当時22歳だった創業者の孫が、従業員100名となっていた任天堂の経営を引き継いだ。しかし、やがて問題に直面した。1964年の東京オリンピックが近づく中、ギャンブルではパチンコが人気を集め、娯楽ではボウリングが大流行して、おカネがそこに流れるようになったからだ。

任天堂は花札で4分の3世紀を生き延びてきたが、この苦境を乗り切ろうとさまざまな事業に投資し始めた。たとえば、食べ物が流行遅れになることはないので、インスタントライスなどの食品を開発し、アニメのキャラクターをつけて（ポパイラーメンなど）売り出した。ほかにも、タクシー事業やラブホテル運営にも乗り出したがいずれも失敗して、社長はゴシップ誌に取りあげられた。借金は積み上がるばかりだった。社長は自分の新事業開発を補佐させるため、若い優秀な大卒者を雇おうと決めた。

だが、それは簡単ではなかった。その頃、優秀な大学生は東京の大手企業に就職したがったが、任天堂は京都のちっぽけな会社にすぎない。一方で、花札やトランプの事業は健在で、製

＊横井のコメントや考え方は、横井本人による共著書『横井軍平ゲーム館「世界の任天堂」を築いた発想力』から。著者が執筆する際には、英語に翻訳し利用した。

造の機械化によりコストダウンも進んでいるという明るい面もあった。ようやく1965年に、地元の大学で電子工学を専攻した横井軍平を雇うことができた。横井の大学の成績は芳しくなく、大手電機メーカーを受けたが不採用だった。同級生は横井に「任天堂でどんな仕事をするのか」と尋ねたが、横井は心配していなかった。のちに、「とにかく京都から離れたくなかったというのが第一の理由で、特に仕事に夢を持つわけもなく、安穏に定年まで勤められれば、それでいいかなという気分」（注2）だったと話した（＊）。最初の仕事は、花札の製造ラインの保守・点検。製造ラインはわずかしかなく、その部署も横井一人だけだった。

横井には趣味が多かった。ピアノ、社交ダンス、合唱、素潜り、鉄道模型、自動車いじり。そして、あらゆる種類のものづくりが好きで、カーステレオがなかった時代に、テープレコーダーを自分でカーラジオにつないで、ラジオ番組をあとで聞けるようにしたほどだった。入社して数カ月はやることがほとんどなく、横井は会社の設備を使って遊び、時間を過ごした。ある日、横井は木を切って十字がいくつも連なる形に組み合わせ、曲げ伸ばしできるようにした。マンガでロボットのお腹が開いて、ボクシングのグローブが飛び出してくるような感じだ。それを使えば、少し離れたところにある物でも、席を立たずに取ることができる。

任天堂の社長は、新入社員の横井が自作したおもちゃで遊んでいるのを見て、社長室に呼び出した。「怒られるんだと思った」と横井は振り返るが、新事業を必死に探していた社長が命じたのは、横井がつくったおもちゃを商品化することだった。横井はそのおもちゃでつかむためのカラーのボールを何個かセットにして、「ウルトラハンド」と名づけて発売した。これが、任天堂が売り出した最初の玩具だ。ウルトラハンドは120万個売れ、このヒットで任天堂は負債をかなり削減できた。横井の保守・点検の仕事もこの時点で終了となり、社長は横井に研究開発部を新設するよう指示した。インスタントライスを短期間つくっていた施設が、玩具工場に変わった。

その後も玩具の成功は続いたが、1年目に大失敗をしたことが、横井の大きな転機になった。それは、卓上ドライブゲームの開発だった。このゲームでは、プレーヤーがハンドルを操作してプラスチックの車を動かし、コースを走らせる。車は電気モーターで動き、任天堂としては初めての電気を使うおもちゃだった。内部の構造は当時としては先進的だったが、あまりにも複雑でデリケートな製品だったので、高コストで生産が難しく、量産すると不良品が続出した。しかし、この大失敗が、横井がその先30年磨き続けることになる創造哲学につながっていく。

横井は自分の技術力の限界を十分に認識していた。あるゲーム史に詳しい人物によると、「横井は、日の光で雪が溶けるより早く技術が進歩する時代に、電子工学について学んだ(注3)」という。横井は、魅力的な新技術の開発にしのぎを削る電機メーカーと、競争しようとは思わなかった（あるいは、できなかった）。加えて任天堂は、バンダイ、エポック、タカラなど、伝統のある玩具メーカーとも正面からは競えなかった。こうしたことから、またドライブゲームからの教訓も踏まえ、横井は「枯れた技術の水平思考(注4)」と名づけたアプローチを始めていった。「水平思考」とは1960年代につくられた言葉で、情報を別の文脈に置き換えてイメージし直すことを意味する。たとえば、古いアイデアに新しい活用法を見つけるために、一見バラバラなコンセプトや領域を結びつけたりする。「枯れた技術」という言葉で横井が表していたのは、古くから存在し、よく理解され簡単に手に入り、専門的な知識も必要ない技術を指す。

つまりこの哲学のポイントは、安くてシンプルな技術を、これまで誰も考えなかったような方法で使う点にある。新しい技術を深く探求できないならば、古い技術を幅広く検討しようと、横井は決めた。そして、意図的に最先端から身を引き、ものづくりに邁進し始めた。

横井は、トランジスタを安い検流計につなぐと、同僚の体を流れる電流を測定できることに気づいた。そこから、男女が手をつなぐという、当時の日本ではやりにくかったことを楽しめる玩具がつくれると構想した（*）。そうしてできた「ラブテスター」は、ハンドルが二つと計測器が一つあるだけのシンプルなものだった。二人のプレーヤーが一つずつハンドルを握り、空いたほうの手をつなぐと、電流の回路ができて計測器が二人の体を通る電流を測る。それが二人の愛情度として、計測器上に示されるという仕組みだ。二人が手のひらに汗をかくと、伝導性が高まって、表示される愛情度も高くなる。ラブテスターは10代の若者たちの間でヒットし、大人のパーティーグッズとしても使われた。横井はこの成功に励まされ、すでに安くなっていて、時代遅れともいえる技術を新たな方法で生かすことに、さらに取り組んでいった。

1970年代前半くらいから、ラジコン（RC、無線操縦）自動車が人気を集めるようになった。しかし、新しいRC技術を使ったものは当時の1カ月分の給料くらいの値段だったため、大人の趣味の範囲に留まっていた。横井は、いつものように、RC玩具を民主化できないかと考え、技術を古いほうへとさかのぼっていった。値段が高くなるのは、無線操縦のチャネルを

*1960年代後半の「ツイスター」は、日本では社会規範と合わずに失敗した。この製品には「エッチ箱」というあだ名までついた。

複数にする必要があるからだ。たとえば、自動車がスタートするには二つのチャネルが必要になる。一つはモーターの出力を調整し、もう一つはハンドルをコントロールする。機能が増えれば増えるほど、より多くのチャネルが必要になった。横井は極限まで機能を削ぎ落とし、左にだけ曲がれる、チャネル一つのRCカーをつくった。商品名は「レフティRX」だ。価格は一般的なラジコンカーの10分の1くらいで、反時計回りのコースで競走するには問題のないつくりだった。障害を避けなければならない場合でも、子どもたちは左への動きで避ける方法を覚えていった。

1977年のある日、東京での出張を終えて新幹線で帰る途中、居眠りから目覚めた横井は隣の席の人が暇つぶしに電卓で遊んでいるのを目にした。当時の玩具のトレンドは、できるだけ大きいものをつくることだった。しかし横井はふと考えた。「大人が通勤の途中でこっそり遊べるくらい、小さなゲーム機をつくったらどうだろうか」。このアイデアはしばらく温めておいたが、ある日たまたま、社長の車の運転手を頼まれた。いつもの運転手が風邪をひいて休んでおり、外国の車に興味があった横井だけが、任天堂全社員の中で唯一、左ハンドルの車を運転できたからだ。社長の車はキャデラックだった。横井は運転席から、後部座席の社長に小型ゲームのアイデアを提案した。「社長はフンフンと聞いていましたけど、さほど気にしている様子ではなかった」と横井は振り返る。

だがその1週間後、電子計算機メーカー、シャープの幹部が突然に横井を訪ねてきた。横井が社長を車で送っていった会議で、社長はシャープの社長の隣に座っており、横井のアイデアを話したのだった。シャープは何年もの間、カシオと電卓事業で競争していた。1970年代前半、電卓は1台数百ドルだったが、部品が安くなり、企業が市場シェアを奪い合う中で価格は下がり、市場は飽和状態になっていた。シャープは自社の液晶ディスプレイ（LCD）を電卓以外にも活用しようと、用途を熱心に探していた。

「名刺入れくらいの大きさで、膝に載せて、両手の親指でプレイできるビデオゲーム」という横井のアイデアを聞いたシャープの幹部は、とても興味をそそられると同時に懐疑的でもあった。ひどく安くなってしまった技術を再利用するためだけに、新たな事業提携をする価値はあるのだろうか。それに、横井が提案するゲームが実現できるような、スムーズなディスプレイをつくれるのかもわからなかった。その時に横井が提案していたのは、曲芸師の腕が左右に動いて、落ちてくるボールを受け止めるというものだった。ボールの速度はだんだん上がっていく。それでも、シャープの技術者たちはちょうどよい大きさのLCDスクリーンをつくった。

だが、ここで重大な問題が起こった。小さなゲーム機の中で電子部品が薄いスペースに詰め込まれていたため、LCDの素子がスクリーンの中のプレートに触れ、それがニュートンリングとして知られる明暗の縞をつくり出してしまうという問題だ。これを防ぐには、LCDとプレートとの間にスペースが必要だ。そのために、横井はクレジットカード業界からアイデアを借りてきた。昔の花札の印刷機にわずかに手を入れて、スクリーンに何百もの点を浮き彫りにし、プレートと素子の間をわずかに空けるようにしたのだ。(注5)

そして、この製品の最後の仕上げとして、同僚が数時間のうちにディスプレイに時計を表示させるプログラムをつくった。時間が表示されたら、大人はこの新製品「ゲーム&ウオッチ」を時計として買うという口実ができる。

1980年に、任天堂はゲーム&ウオッチの最初の三つのモデルを発売した。売り上げは10万個と高い目標を掲げた。ふたを開けてみると初年度に60万個が売れ、世界的な需要に追いつけなかった。1982年にドンキーコングというゲームを搭載したゲーム&ウオッチが発売されると、その1本だけで800万個が売れた［ゲーム&ウオッチは、ゲーム機1台につき遊べるゲームは一つだけ］。ゲーム&ウオッチは11年間製造され、合計で4340万個を売り上げた。

そして、このゲーム&ウオッチには、その後水平方向に活用されることになる横井の発明が盛り込まれていた。それは、プレーヤーが親指1本だけでゲームのキャラクターをどの方向にも動かせる「十字ボタン」だ。ゲーム&ウオッチが成功したあと、任天堂は十字ボタンを家庭用ゲーム機の「ファミコン（ファミリーコンピュータ）」にも搭載した。ファミコンによって、世界の何百万もの家庭でアーケードゲームがプレイできるようになり、ファミコンはゲームの新しい時代を切り開いた。

こうしたゲーム&ウオッチとファミコンの成功は、横井の水平思考による最高傑作につながった。それは、カートリッジを差し込めばどんなゲームでもプレイできる携帯ゲーム機「ゲームボーイ」だ。

技術的な観点から言うと、1989年の水準で考えても、ゲームボーイは笑われてしまうようなレベルだった。横井のチームはありとあらゆるものを省いた。たとえば、ゲームボーイのプロセッサは、1970年代に最先端だったものだ。1980年代半ばには、家庭用ゲーム機は画質のよさを巡って激しい競争を繰り広げていたが、その点でゲームボーイは見苦しいくらいのレベルだった。画像はカラーではなく4階調のモノクロで、それを表示するスクリーンは小さく、また牧草のような緑っぽい色がつけられていた。

また、水平方向への速い動きは不鮮明だった。そのゲームボーイが、セガやアタリなどが発売した、技術面で圧倒的に優れたゲーム機と競わなければならなかった。しかし、競争の結果、ゲームボーイが圧勝した。

枯れた技術によって不十分になる部分を、ゲームボーイはユーザーにとっての使いやすさでカバーした。まず、ゲームボーイは安かった。大きなポケットであれば中に収まる。また、とても丈夫だった。ゲーム機を落としても、よほどひどい落とし方をしなければスクリーンにひびは入らず、もしひびが入ったとしても、そのまま使える。バックパックに入れっぱなしにして、そのまま洗濯機に放り込まれても、乾いたら数日後にはまた使えるようになった。さらには、カラーのゲーム機が大量の電力を消費するのに対し、ゲームボーイは単3乾電池で何日も(あるいは何週間も)プレイできた。

ゲーム開発者も対応しやすかった。任天堂内外の開発者はゲームボーイの古いハードウェアについてよく知っており、新しい技術について学ぶ必要もなかったので、クリエイティビティーや開発スピードが妨げられることがなかった。開発者は初年度に「テトリス」「スーパーマリオランド」「魔界塔士サ・ガ」などのゲームや多数のスポーツゲームなどを次々と生み出し、どれもヒットした。シンプルな技術を使うことで、横井のチームはハードウェアの軍拡競争から逃れ、ゲーム開発のコミュニティーをチームに引き入れることができたのだ。

ゲームボーイは、最先端のテクノロジーを避け、携帯性と値ごろ感を実現して、ビデオゲーム界におけるウォークマンのような存在になった。販売台数は1億1870万台[注6]にのぼり、20世紀において、他を大きく引き離して最も売れたゲーム機となった。花札を売ることを許された中小企業としては、悪くない実績だ。

横井は、この頃には伝説的な人物になっていたが、ゲームボーイ開発のために「枯れた技術の水平思考」のコンセプトを認めてもらうまでには、社内でかなりの売り込みが必要だった。「任天堂に理解してもらうのは難しかった[注7①]」とのちに横井は語っている。しかし、ユーザーがゲームにのめり込んだら、ゲーム機の技術的な力はそれほど気にならないはずだと横井は確信していた。「黒板に丸を二つ描いて『これは雪だるまだ』と言えば、それを見た誰もが雪の白さを感じられる[注7②]」と横井は言う。

ゲームボーイが発売された時、同僚が「険しい表情で[注7③]」横井のもとにやって来て、「競合企業が携帯ゲーム機を売り出した」と言った。すると、横井は同僚に、「そのゲーム機にはカラースクリーンはついているか」と尋ねた。同僚が「ついている」と答えると、横井は「それならウチは大丈夫だ」と言った。

誰も見向きもしなくなった技術に、斬新な使い道を見つけるという横井の戦略は、ある有名な心理学のクリエイティビティーの課題にそっくりだ。「一般的でない使用法の課題(Unusual Uses Task)」では、テストを受ける人がある物の独自の使い方を考える。たとえば、「レンガ」なら、壁、ドアストッパー、武器など、まず一般的な使い方が思い浮かぶ。しかし、高い点数を得るには、概念的に離れていて、他の人は考えそうにないが、それでも実現可能な使い方を挙げなければならない。レンガであれば、ペーパーウェイト、くるみ割り、ままごとのお葬式で使う人形の棺桶、あるいはトイレのタンクに入れてタンクに入る水を少なくし、水を節約するといった使い方だ（2015年にアド・エイジ誌による「今年のプロボノ・キャンペーン」賞を受賞したのは、カリフォルニア州の水不足の期間、トイレのタンクに入れるゴム製のれんがを製造した「ドロップ・ア・ブリック」プロジェクトだった）。

クリエイティビティー全般を網羅するような理論はないが、人間が物の使い方を考える際に、最もよく知っている使い方だけを考えがちであることは、十分に証明されている。それは「機能的固着」と呼ばれており、その最も有名な例が「ロウソク問題」(注8)だ。被験者はロウソク1本と画びょう1箱、紙マッチを与えられ、「ロウソクから蠟《ろう》が下のテーブルに垂れないように、ロウソクを壁に取りつけてほしい」と言われる。すると被験者は、蝋を溶かしてロウソクを壁にくっつけようとしたり、どうにかして画びょうでロウソクを留めようとしたりするが、どちらもうまくいかない。ただし、画びょうを箱から出した状態で問題を提示すると、被験者は画びょうの箱をキャンドル立てとして使うことを思いつく可能性が高くなる。そして、その箱を画びょうで壁に留め、その中にロウソクを立てて問題を解決する。横井の場合、画びょうは常に箱から出ていた。

もちろん、横井にも専門家は必要だった。任天堂が最初に雇った本格的な電気技術者は岡田智で、岡田は単刀直入に「電気は横井さんの強みではない」[注9]と言う。岡田はゲーム&ウオッチとゲームボーイで、横井の共同デザイナーだった。「どちらかと言うと、私が機械内部の仕組みを担当し、横井さんがデザインとインターフェイスの部分を担当した」[注10]。横井がスティーブ・ジョブズだったとすると、岡田はジョブズとともにアップルを共同設立したスティーブ・ウォズニアックの役割だった。

横井は自分についてこう言った。「私には専門の技術というものがないんです。全体をぼんやりと知っているという程度です」。横井は若い社員に、技術をもてあそぶな、アイデアをもてあそべとアドバイスした。エンジニアになるな、プロデューサーになれとも言った。「プロデューサーというのは、たとえば半導体なんてものがありますけど、中身なんかわからなくていい。(中略)専門家を集めてきたらいいんです。(中略)みんな細かく深く技術を習得していこうという姿勢になるんですね。また、そうしないと技術者として光るものがないということにもなるんですけど。(中略)しかしそういう私は、技術者から見れば『なんだ、この落ちこぼれ』ということになるんでしょうけど。ヒット商品が二つも出れば、落ちこぼれなんて言葉はどっかに消えてしまうんです」

横井は自分のチームが大きくなる中で自らの哲学を広め、全員に古い技術の新しい利用方法を考えるように言った。横井は、問題の解決方法が決まっているような大手の電気玩具メーカーではなく、花札の会社に入って幸運だったと思っていた。もし、大手に入っていたら、技術スキルがないために、自分のアイデアは否定されていただろうと思った。しかし、任天堂が成長するにつれ、若いエンジニアは自分が愚かに見えるのを恐れて、古い技術の斬新な使い方を提案しなくなっているようだった。だから、そんな空気を変えるために、横井は会議などで意図的に突拍子もないアイデアを口にした。「若い人が『私なんかが発言したって……』とこだわってしまったらもうおしまいですから」

残念なことに、横井は1997年に交通事故でこの世を去った。だが、彼の哲学は生き残っている。2006年に、任天堂の社長は家庭用ゲーム機「Wii」は、横井の教えから直接育ったものだと言った。「誤解を恐れずに言えば、任天堂は次世代のゲーム機をつくっているのではない[注11]」。Wiiは非常にシンプルなゲームと技術を使っている。体の動きをベースとするコントローラーは、文字通りゲームチェンジャーだったが、ハードウェアが複雑なものではないため、Wiiは「イノベーティブではない」と批判されもした。

しかし、ハーバード・ビジネススクール教授のクレイトン・クリステンセンは、Wiiこそ最も重要なタイプのイノベーションである「エンパワリング・イノベーション」だと言う。それは新しい顧客と雇用の両方をつくり出すイノベーションで、実際、Wiiは全く新しい顧客（主に従来より年齢の高い顧客）を連れてきた。クリステンセンと共著者は次のように書く。任天堂は「違うやり方でイノベーションを起こした。ゲームをやらない人がいるのは画質のためではなく、ゲームが複雑だからだということを任天堂は理解していた[注12]」。イギリスのエリザベス女王は、孫のウィリアム王子がＷｉｉでボウリングのゲームをしているのを見て、それに参加してニュースに取り上げられた。

横井の最大の失敗は、自分の方針から離れた時に起こった。彼の晩年のプロジェクトの一つに３Ｄゲーム機「バーチャルボーイ」がある。実験的な技術を用いた、ゴーグル型のゲーム機だ。このゲーム機には強い電波放射を伴うプロセッサが使われており、携帯電話もない時代だったことから、それがユーザーの頭のすぐ近くにあって安全なのか、誰もわからなかった。そこで、金属のプレートでプロセッサを取り囲んだため、ゲーム機自体が重くなり、ゴーグルのようには装着できなくなった。そのため、テーブルに据え付けてプレイするデザインとなり、ユーザーはスクリーンを見るのに不自然な体勢を取らざるを得なくなった。時代の先端を行く製品ではあったが、あまり売れなかった。

横井が大きく成功したのは、水平思考をした時だ。だから横井が心配したのは、プロジェクトに専門家は欠かせないが、会社が成長して技術が高度化していくと、垂直思考の超スペシャリストばかりが大切にされ、水平思考のゼネラリストが重視されなくなることだった。「（アイデアがない時には）コンピューター能力の領域で競うのが近道です。そうなると（中略）スクリーンのメーカーや、優れたグラフィック・デザイナーが有利になり、任天堂の存在意義は消えてしまう」。横井は、たとえ技術的に高度な分野でも、水平思考の人と垂直思考の人が一緒に仕事をするのが最もよいと考えていた。

優れた物理学者で数学者のフリーマン・ダイソンは、横井と同じような考えだが、彼ならではの表現をする。「私たちには、焦点の定まったカエルと、視野の広い鳥が両方とも必要だ」(注13)。ダイソンは2009年に次のように書いた。「鳥は空高く飛び、広い数学の世界を水平線まで調べる。そして、別々の場所の多様な問題を組み合わせ、考えをまとめようとする。カエルは沼地に住み、近くに育つ花だけを見る。カエルはある決まった物の細かな部分に関心を持ち、一度に一つずつ問題を解く」

ダイソンは数学者として自分はカエルだと思っているが、こう主張する。「遠くまで見通せるから鳥のほうが優れているとか、深くまで見ることができるからカエルのほうが優れていると考えるのは、愚かなことだ」。世界は広く深い、とダイソンは書く。「世界を開拓するには、鳥とカエルが一緒に働く必要がある」。ダイソンが心配するのは、科学の世界にカエルがどんどん増え、狭く限られた教育を受けるので、科学自体が変化する中でその人たちが変われなくなっていることだ。「この状況は、若者にとっても、科学の未来にとっても有害だ」

しかし、たとえ現代の最先端の分野であっても、究極的に専門化した分野でも、鳥とカエルの両方が繁栄する世界を切り開くことは可能だ。

アンディ・アウダカークは、その話を思い出して笑った。「決して忘れないと思う。その会社のオーナーの3人の男性が小瓶を掲げて、私に向かってこう言ったんだ。『これは輝きのブレークスルーだ』」

通常の輝きとは違って、それは燃え立つようで、まるで、小瓶の中に色鮮やかなホタルの一群がいるかのようだった。アウダカークは、多層の光学フィルムの用途はいくつも考えていたが、[注14]その輝きは予想外でうれしい出来事だった。「私は物理化学者であり、ブレークスルーは洗練された先進的な技術に限られると考えていた」

アウダカークは化学メーカーの３Mで、社内に28人しかいない「コーポレート・サイエンティスト」の一人だ。３Mにエンジニアと科学者は６５００人いるが、コーポレート・サイエンティストはその中の最上位に当たる。輝きのブレークスルーへの道のりは、２００年前から存在する物理の法則、「ブルースターの法則」にアウダカークが挑もうとしたところから始まった。この法則を解釈すると、光がどんな角度で入射しても、ほぼ完璧に反射させられるような表面はない、ということになる。

アウダカークは、それぞれの光学品質が異なる、薄いプラスチックの膜を何枚も重ねてできるフィルムは、さまざまな波長の光を思いのままに反射させ、屈折させられるものになるのではないかと考えた。そこで、光学の専門家のグループに相談してみたが、彼らは、「それは無理だ」と言った。実は、アウダカークもその答えを聞きたいと思っていた。「もし、彼らの答えが『それはすばらしい考えだ。やってみたらどうか』だったら、それをこの世の中で初めてつくれる可能性はどれだけあるだろうか。間違いなくゼロだ」

しかし、物理的にはそれが可能であると、アウダカークは確信していた。自然界にもその概念を実証する例があった。たとえば、さまざまな青色に変化するモルフォ蝶[注15]には、青の色素は一切含まれていない。その羽が青く輝くのは、薄い鱗粉の層が青い光の特定の波長だけを強く反射し、屈折させるからだ。もっと日常的な例もある。水が入ったペットボトルは、光の角度によってその屈折が変わる。「誰もがそのことを知っている。文字通り、それはいつも目の前にある。でも、誰もそこから光学フィルムをつくろうとは考えない（注16）」

アウダカークはまさにその光学フィルムをつくるために、小さなチームを組織して率いた。何百ものポリマーの層で構成された、人間の髪の毛の幅よりも薄いフィルムが、光の特定の波長を見事なまでに反射し、屈折させ、あるいは通過させる。一般的な光学フィルムとは異なり、この多層光学フィルムは、ほぼ完璧に、またどんな角度で光が入射しても、その光を反射させることができる。それだけでなく、その層の間で光を跳ね返らせることで、見ている人の目に届くまでに光を強めることもできる。だからこそ、あの輝きが生まれた。一般的な輝きとは違って、ブレークスルーの輝きでは、一度に、すべての方向に光が反射していた。

不可能だと思われていたこの発明の応用範囲は、「輝き」だけではなかった。携帯電話やラップトップパソコンの中で、バックライトからスクリーンに届くまでに通常は吸収されてしまう光を、多層光学フィルムは反射し「リサイクル」するので、より多くの光をユーザーに届けることができる。そのため、スクリーンを明るく保つのに必要な電力消費量を劇的に削減できるようになった。多層光学フィルムは、ＬＥＤ電球やソーラーパネル、光ファイバーの効率のほか、プロジェクターのエネルギー効率も大幅に高め、小さな電池で映像の上映が可能になった。２０１０年に、チリの鉱山で、地下７００メートル地点に33人が69日間閉じ込められた時にも、多層光学フィルムを使った小型のプロジェクターが10センチほどのすき間から下ろされ、閉じ込められた人々に家族からのメッセージや、安全指導、チリ対ウクライナのサッカーの試合などを届けた。

キラキラした包装紙のようにも見える多層光学フィルムは、比較的安く、大量生産もできる。数十億ドル規模の発明で、環境にもよい。では、なぜ誰も、アウダカークのような発想を持たなかったのだろうか。アウダカークは、最近出版された光学専門家のためのある技術書に、「この技術は精度に欠けると書かれていた」と言う。「その本はあるテーマの専門家によって書かれており、丸々一冊がその専門のテーマに関する内容だった。著者はその分野については本当に詳しかった。しかし問題は、隣接する分野に関しては何も知らないことだ」

２０１３年、Ｒ＆ＤマガジンがアウダカークをＲ「今年のイノベーター」に選んだ。３Ｍで働いて30年、その間にアウダカークが名を連ねた特許は１７０にものぼる。そうするうちに、アウダカークは発明の仕組みや、発明に携わるチーム、個々の開発者などに興味を持つようになった。それを体系的に調べてみようと考え、アウダカークはシンガポールの南洋理工大学の教授や分析の専門家とチームを組んだ。その結果、３人が発見したのは「隣接する分野」が大きく関係していることだ。

アウダカークら3人は、開発者のどんな要素が発明に大きく貢献しているのかを突き止めるため、３Ｍの開発者について調査し始めた(注17)。そこから、開発者の中には、一つの技術だけに深くフォーカスした、非常に専門特化したスペシャリストと、特に専門を持たず、多くの分野にまたがって幅広く仕事をしているゼネラリストがいることを発見した。

3人は特許を調べ、またアウダカークが入手できる3Mの社内情報を使って、開発者がどの程度、事業に貢献したかも調べた。すると、スペシャリストもゼネラリストも、ともに貢献していて、どちらかが常に優れているというわけではなかった(開発者の中には、幅も深さもそれほど際立っていない人がいたが、そうした人たちによる貢献はなかった)。スペシャリストは難しい技術的な問題に長期間取り組むことが得意で、開発で起こりそうな問題を予想するのもうまかった。ゼネラリストは、一つの分野で長期間仕事をすると飽きてしまう傾向があった。ゼネラリストは異なる分野を統合したり、ある分野の技術を別の分野に応用したりすることで付加価値を生み出していた。しかし、開発者の幅と深さのどちらも、それだけでは「3Mのノーベル賞」と言われるカールトン賞の受賞につながらなかった。

アウダカークら3人は、さらに別のタイプの開発者も見つけ、「ポリマス(博識家)」と名づけた。少なくとも一つの分野で深い知識を持っているが、同時にレンジも広い人材だ。

開発者の幅と深さは、その実績から測定した。アメリカ特許局は、技術を、運動機器、電気コネクター、船用推進など450種類に分類しているが、スペシャリストは限られた種類の技術で特許を取ることが多い。たとえば、ある少数の化学元素で構成された一種類のプラスチックを、何年もかけて研究したりする。一方、ゼネラリストは、たとえば、マスキングテープからスタートし、それが外科用接着剤のプロジェクトにつながり、さらには獣医師向けのアイデアにつながるといった展開をする。ゼネラリストの特許は、多くの種類の技術に及ぶ。

ポリマスは、自身の中核となる分野を掘り下げるので、その分野で多数の特許を取得する。ただし、その深さはスペシャリストほどではない。一方で、ゼネラリストよりもさらに広い幅を持ち、何十もの種類の技術に関わる。ポリマスは、一つの分野で得た専門知識を全く新しい分野に繰り返し応用していた。それはつまり、彼らが常に新しい技術を学んでいることを意味する。ポリマスはそのキャリアを通じて、「隣接する分野」について学ぶ中で幅を大きく広げ、その一方でわずかに深さを失う。3Mの中で成功し、カールトン賞を受賞する可能性が高いのは、このポリマスだった。技術の新境地を開拓し続けることをミッションとする3Mでは、世界トップクラスの専門的技術は「成功のカギ」ではなかった。

アウダカークはポリマスだ。小学校2年生の時に、先生が模型で火山の噴火を見せてくれて以来、化学に関心を持ち続けてきた。しかし、アウダカークのキャリアは変遷をたどった。イリノイ州北部のコミュニティー・カレッジからスタートし、やがて化学の博士号を取得。その後、3Mに入社した時には、化学とは全く関係がないレーザーの研究室で働くことになった。「私は（気体の状態にある）分子間での振動エネルギー移動の確率について、世界的な専門家になるよう仕込まれた。一方で、これまでのキャリアを通じて誰も教えてくれなかったのは、専門の追求だけでなく、専門外のあらゆる分野に関して少しずつ知ることもすばらしい、ということだ[(注18)]」。アウダカークの特許は、光学から金属加工、歯科学まで広がる。また、それぞれの特許が複数の分野にまたがっている場合が多いので、一つの特許がいくつもの種類の技術で同時に登録されることが多い。

アウダカークは開発者の分類にとても興味を持ち、ついには20世紀以降の特許1000万件を分析するコンピューターのアルゴリズムを書き、開発者の種類を判定、分類した。それによると、第二次世界大戦後には、スペシャリストの貢献が急増したが、近年は減少しているという。「スペシャリストによる貢献は1985年にピークを迎えた。その後、急激に減少し、2007年ごろから一定の水準に落ち着いている。しかし、ごく最近のデータを見ると、再び減少が始まっており、今その理由を考えているところだ」。アウダカークは、この原因を特定することはできないと慎重な姿勢を見せた。ただ、仮説として、企業がそれほど多くの専門家を必要としなくなったのではないか、と言った。「情報が幅広く手に入るようになる中で、誰かが一つの分野を前進させることが、以前ほど重要ではなくなった。というのも、事実上、誰もがその情報を手に入れられるからだ」。アウダカークが言うのは、コミュニケーション技術の向上により、スペシャリストがブレークスルーを起こしても、それが即座に幅広く伝わってしまうため、特定の限られた問題に取り組む超スペシャリストが以前ほど求められなくなった、ということだ。情報が伝わる先は、優れた応用方法を考える、世界中の横井のような人たちだ。

コミュニケーション技術の向上は、他の分野でも同様のことを引き起こした。たとえば、20世紀前半には、アイオワ州だけでも1000以上の劇場があった。(注19)人口1500人当たり1軒の割合だ。それは単なる催し物会場などではなく、きちんとした劇場であり、地域の数百の劇団や数千人もの俳優をフルタイムで雇っていた。それがネットフリックスやフールーの時代になると、自宅でメリル・ストリープの映画をオンデマンドで見られるようになって、劇場は消滅した。フルタイムで働いていたアイオワ州の数千人の俳優たちもいなくなった。アウダカークのデータによると、技術分野のスペシャリストにも同じようなことが起きたと考えられる。スペシャリストは現在でも絶対的に重要だが、その仕事の成果が広く手に入るようになったので、必要な数が大きく減少したということだ。

これはドン・スワンソン（第8章参照）が予言したトレンドの延長線上にあり、また、横井のような人たちやポリマス的な開発者にはチャンスが大きく広がることになる。アウダカークは言う。「情報がより広く散らばるようになったので、スペシャリストに頼らなくても、幅を広げて、ものごとを新しい方法で結びつけやすくなった」

専門特化は取り組みやすい。まっすぐ進み続ければいいからだ。幅を広げるのはそれほど簡単ではない。コンサルティング会社、プライスウォーターハウスクーパースの子会社が、過去10年の技術イノベーションについて調査したところ、研究開発費と業績（＊）との間には、統計的に有意な関係が何も見られなかった（注20）（例外は、研究開発費支出が下位10パーセント以下の企業で、それらの企業は同業他社よりも業績が悪かった）。知識を統合するゼネラリストとポリマスを育てるには、必要なのは研究開発費だけではない。チャンスも必要だ。

ジェイシリー・セスが3Mのコーポレート・サイエンティストになれたのは、まさにさまざまな技術分野に移ることができたからだ。一つの技術の道を進み続けるのは、セスのやり方ではなかった。セスは修士課程で研究した分野にあまり意欲を持てず、クラークソン大学での化

＊「業績」には、売上成長率、イノベーションから生じた利益、株主利益率、時価総額などが含まれる。

学工学の博士課程では、他の人たちの警告を無視して別の研究室に移った。セスは言う。「移る前に周りの人たちからこう言われました。『君はその分野で何の基本知識も持っていないのだから、キャッチアップに時間がかかる。修士を取った人たちに後れを取るぞ』」。つまり、このアドバイスを平たく言うと、「それほど長く取り組んでいなくても、もうすでに始めてしまったのだから、好きでないとわかっている分野に留まったほうがいい」となる。サンクコストの誤謬の実例がここに見られる。

セスが3Mで仕事を始めた時、彼女は再びフォーカスを変える決意をした。今回は個人的な理由だった。セスの夫がクラークソン大学の同じ研究室から3Mに入社する予定で、彼が応募するかもしれないポジションを自分が奪いたくなかったからだ。だからセスは方向を変え、成功した。今やセスは50以上の特許を持ち、伸縮し再利用できる粘着テープや、赤ちゃんが動き回っても外れないオムツなどを開発した。セスは材料科学について学んだことはなく、「仕事の基礎になる勉強をしていないという意味で、(自分は)そんなに偉大な科学者ではない」と言う。

セスのアプローチを聞くと、それはまるで調査ジャーナリズムのようだ。ただしセスの場合、「足で稼ぐ取材」に相当するのは「同僚を一人ひとり訪ねて回る」ことになる。彼女は自分を「T型の人間」と呼ぶ。「I型」の深く掘り下げるだけの人と比べて、幅を持っているということだ。ダイソンの言う、鳥とカエルのたとえにも似ている。「私のようなT型は、I型の人のところに進んで質問をしにいって、Tの幹の部分をつくる」とセスは言う。「私の問題解決の仕方は、物語をつくるのに似ている。まず核となる問いを考え、専門知識を持っている人にそれを質問する。そうしたら、元々自分で知識を持っていたのと同じ状態になれるから。問題解決はモザイクをつくるようなもので、私はモザイクのタイルを組み合わせているだけ。もし専門家にアクセスできないネットワークにいたら、うまくいかないと思う」

アウダカークは3Mでの最初の8年間で、100以上のチームと仕事をした。この頃は、誰もアウダカークに、さまざまな技術に影響が広がっていくような重要なプロジェクト、たとえば多層光学フィルムのような案件を任せたわけではなかった。それでも、アウダカークはその幅のおかげで、重要なプロジェクトを見つけることができた。「十分に説明されていて、理解されている問題なら、スペシャリストが本当にうまく解決する。しかし、曖昧さと不確実性が増すと、幅がどんどん重要になる」とアウダカークは言う。

スペインの経営学の教授、エドゥアルド・メレロとネウス・パロメラスの研究も、アウダカークの見方を裏づける。メレロとパロメラスは、880の組織の3万2000チームによる、15年間の技術特許を分析した。(注21) その中で、個々の開発者がチーム間を移動するのを追跡し、それぞれの発明のインパクトも検証した。また、各技術分野の不確実性についても測定した。

すると、不確実性が高い分野には、全く役に立たなかった特許が多数あり、反対に、大当たりした特許もいくつかあった。一方で、将来の方向性が明確な、不確実性が低い分野は次のステップが明らかで、まあまあ役に立つ特許が多く、それを開発しているのはスペシャリストのチームが多かった。

不確実性が高い分野では、何を問うべきか明らかでないことが多く、幅広い技術分野に関わった経験がある人がいるチームが、大当たりの特許を開発していた。分野の不確実性が高ければ高いほど、チーム内にレンジの広い人材を持つことが重要だった。ケビン・ダンバー（第5章参照）が研究した分子生物学の研究室が、アナロジーを使って問題を解決した時のように、状況が不確実になると、レンジの広さが違いを生み出すということだ。

ダートマス大学教授で経営学が専門のアルバ・テイラーと、ノルウェー経営大学院教授のヘンリッヒ・グレーブは、メレロとパロメラスと同様に、個人のレンジの広さがクリエイティビティーにどんな影響を及ぼすかを検証した。ただし、対象としたのはそれほど技術を必要としない分野、具体的に言うと、コミック本だった(注22)。

アメリカのコミック本業界には、クリエイティビティーがはっきりと花開いた時期があった。1950年代中頃から1970年にかけて、コミックの制作者たちは自己規制をせざるを得ない状況にあった。精神科医のフレデリック・ワーサムが、子どもがマンガを読むと社会から逸脱する、と議会を説得したからだ（ワーサムは研究結果の一部を操作、捏造していた(注23)）。

しかし、1971年にマーベル・コミックスがこの流れを変えた。米国保健・教育・福祉省が、マーベルの編集長のスタン・リーに、薬物依存の影響について教えるためのストーリーを描いてほしいと依頼したのがきっかけだ。リーはスパイダーマンのストーリーを使って、主人公のピーター・パーカーの親友が薬物を過剰摂取した話を描いた。業界の自主検閲機関、「コミック倫理規定委員会」はこれを承認しなかったが、マーベルは出版した。このマンガの評判はとてもよく、自主検閲の基準はすぐに緩められた。

そこからコミック業界では、クリエイティビティーがどんどん発揮されるようになった。複雑な感情的問題を抱えたスーパーヒーローが描かれたほか、『マウスーアウシュヴィッツを生きのびた父親の物語』は、コミック本として初めてピューリツア賞を受賞。前衛的な『ラブ・アンド・ロケッツ』では、さまざまな人種の登場人物が、読者と同じスピードで年を取っていった。

テイラーとグレーブはコミック制作者のキャリアを追跡し、この時期以降に234社の出版社から発売された何千冊ものコミック本の商業的価値を分析した。コミック本1冊には、一人または複数のクリエーターが関わり、ストーリーやセリフ、作画、レイアウトなどを担当する。テイラーとグレーブが調べたのは、こうしたクリエーターのどんな要素がコミック本の商業的価値を高めるのか、またどんな要素が大失敗したり、大ヒットしたりする作品につながるのか、だった。

テイラーとグレーブは、工業生産で見られるような、一般的な学習曲線が存在するだろうと予想した。つまり、クリエーターは繰り返すことによって学習し、一定の期間により多くのコミックを制作した人のほうが、よりよいコミックを描けると予想した。しかし、この予想は正しくなかった。また、やはり工業生産で見られるように、出版社に経営資源が多いほうが、クリエーターの作品もよくなるだろうと考えた。しかし、これもまた間違いだった。さらには、全く直感的に、クリエーターの業界内での経験年数が長いほど、よりよいコミックをつくれるのではないかと予想した。やはり、この予想も外れた。

一定期間により多くの作品を制作することはマイナスの影響を及ぼしていた。また、経験年数には何のインパクトもなかった。では、経験でも、繰り返しでも、経営資源でもないとしたら、よいコミックをつくるために、また革新的な作品をつくるために、プラスとなる要素はいったい何なのか。

答えは（仕事をしすぎないことに加えて）、コミックの22のジャンルのうち、クリエーターがいくつのジャンルに関わったことがあるか、だった。コミックのジャンルには、コメディーや犯罪、ファンタジー、アダルト、実話、ＳＦなどがあるが、経験年数がクリエーターの差別化にはつながらなかった一方で、ジャンルの幅は差別化につながった。幅広いジャンルを経験しているクリエーターのほうが、平均的に商業的価値の高いコミックや、革新的なコミックを生み出していた。

テイラーとグレーブはクリエーター個人とチームの比較もしている。最初の時点では、クリエーター個人の革新性は、チームの革新性よりも低く、大ヒット作を生み出す可能性も低い。しかし、クリエーター個人の経験の幅が広がると、チームの革新性を上回るようになる。四つ以上のジャンルに取り組んだ経験があるクリエーターと、チームメンバーの経験ジャンル数の合計がそのクリエーターと同じチームを比較した場合、革新性はそのクリエーターのほうが高い。テイラーとグレーブは、「個人はチームに比べて、さまざまな経験をよりクリエイティブに統合できる」と言う。

二人はその研究を「スーパーマンか、ファンタスティック・フォーか」と名づけた〔ファンタスティック・フォーはアメリカのコミックに登場する4人組のヒーロー〕。テイラーとグレーブは、「ナレッジベースの業界でイノベーションを起こそうとする場合、『スーパーな人』を見つけるのが最もよい。もし、多様な知識を持った個人が見つからなかったら、『すばらしいチーム』を編成するとよい」と書く。チームが多様な経験を持っていればインパクトがあるが、多様性のある個人のほうがイノベーションには効果的ということだ。

この研究から思い出したのが、私が大好きなコミックのクリエーターたちだ。コミックとアニメーションのクリエーター、宮崎駿の作品では、恐らく『千と千尋の神隠し』が最も有名で、日本では興行収入が『タイタニック』を上回って歴代1位となっている。しかし、この映画以前、宮崎は関わっていないジャンルがないと言えるぐらい、幅広い作品に携わっている。純粋な空想物語からおとぎ話、昔話、SF、どたばた喜劇、史実に基づいた物語、アクション・冒険ものなど、枚挙に暇がない。

作家で脚本家、コミックの原作などを手掛けるニール・ゲイマンも、同様に幅広い作品に携わってきた。新聞雑誌記事からアートについてのエッセイ、また、フィクションでは子どもにも読めるものから大人向けの心理的に複雑なものまで、さまざまな作品がある。ジョーダン・ピールはコミックのクリエーターではなく脚本家だが、初監督作品となったホラー映画『ゲット・アウト』が予想外のヒット作となった。ピールは、コメディーの脚本が書けることが、ホラーの制作にも役立っているとコメントしている。テイラーとグレーブは次のようにまとめる。
「作品の開発においては、専門に特化すると損失が大きくなるだろう」
「親切な環境」では、なるべく以前と変わらずに、これまでの成果を再現することが目標となり、そのような環境ではスペシャリストのチームがすばらしい働きを見せる。外科手術のチームは、これまで何度も繰り返している手術であればすばやくこなし、ミスも少ない。また、その手術が専門の外科医は、その手術でよりよい成果を上げる。(注24)もし、あなたが手術を受けなければならない場合、その手術が専門で、何度も経験がある医師に、できればいつもと同じチームで担当してもらいたいと思うだろう。それはたとえば、あなたの人生の運命が3メートルのパットにかかっている時、タイガー・ウッズに来てもらいたいと思うのと同じだ。彼らは何度も同じ局面を経験し、あなたの手術のプロセスも十分に理解していて、過去にも実施して成功している。

航空機の乗組員にも同じことが言える。一緒に仕事をしてきたチームは、スムーズなフライトを実現するための任務を十分に理解して、その任務を効率的に実行する。米国家安全運輸委員会が主な航空機事故のデータを分析したところ、(注25)その73パーセントが、新しく組まれたチームの勤務初日に起きていた。手術やパットと同じように航空機のフライトも、関係する全員が十分に任務を理解し、最適化された手順に従って進め、変化が何もないと、最もよいフライトができる。

しかし、この先の道のりが不透明で、たとえば「火星人テニス」をするような場合には、そうした手順では不十分だ。アウダカークは言う。「一定の状況下では見事に働くツールがあり、それによって小さくても重要な技術的進歩を果たせる。そのツールはとても慣れ親しんだものだが、逆にそのツールのために、画期的なイノベーションから遠ざかる時もある。画期的なイノベーションを段階的なイノベーションに変えてしまう」

ユタ大学教授のアビー・グリフィンは、現代のトーマス・エジソンとも呼べる人たちを研究した。グリフィンと二人の共同研究者は、そのような人たちを「シリアル・イノベーター」[注26]〔何度も連続してイノベーションを起こす人〕と名づけた。その人たちの特徴を以下に示すが、本書をここまで読んできた読者にはどれも聞き覚えのあるものだろう。「不確実性への耐性」「システム思考」「隣接する分野についての技術的な知識」「今入手できるものの使い道を変えて使う」「類似の領域をうまく活用して、イノベーション・プロセスの材料となるものを見つける」「バラバラの情報を新たなやり方で結びつける」「さまざまな情報源からの情報をまとめる」「複数のアイデアを次から次へ飛び回る」「興味の幅が広い」「他の技術についてより多く（また、より幅広く）読み、専門外のことに幅広く関心を持つ」「複数の領域にまたがって、学ぶ必要を感じる」「自分の領域以外の専門知識を持つ多様な人々と、コミュニケーションをとる必要を感じる」。どんな人たちか、だいたい理解できただろうか。

クリエイティビティーについて研究しているディーン・キース・サイモントンは、チャールズ・ダーウィンは「究極のシロウトかもしれない」[注27]と言う。ダーウィンは大学教授ではなく、研究機関に属する科学者でもなかった。しかし、科学のコミュニティーにはネットワークを持っていた。一時期ダーウィンはフジツボの研究に熱中したが、やがて飽きてしまい、フジツボの研究論文の序文でこう宣言した。「私はこのテーマについて、これ以上時間を費やしたくはない」(注28)。３Ｍのゼネラリストやポリマスのように、ダーウィンは一つの分野に集中するのに飽きてしまった。

仕事に枠をつくらなかったので、ダーウィンの幅広いネットワークは非常に重要だった。ダーウィンの日記を研究した心理学者のハワード・グルーバーによると、ダーウィンが自ら実験したのは、「ダーウィンのようなゼネラリストの科学者が経験に基づいて批判してきた時」だけだったという。それ以外の時は、ジェイスリー・セスのスタイルで、ネットワークの中にいる専門家たちに頼った。

ダーウィンは常に複数のプロジェクトを掛け持ちしていて、グルーバーはそれをダーウィンの「事業のネットワーク」と呼んだ。また、科学関連のペンフレンドを少なくとも２３１人持っていた(注29①)。彼らの専門は、虫から人間の雌雄選別まで、おおよそ13のテーマに分けられた。ダーウィンはペンフレンドたちに質問をし、返事の手紙から情報を切り出して自分のノートに貼っていった。ノートは「一見混沌としていて、アイデアが互いに重なり合うようだった」という。混沌としたノートがいよいよ手に負えなくなると、ページを破いてテーマごとにファイルした。種の実験(注29②)をするためだけに、ダーウィンはフランスや南アフリカ、アメリカ、ポルトガル領アゾレス諸島、ジャマイカ、ノルウェーの地質学者、植物学者、鳥類学者、貝類学者と手紙のやり取りをした。もちろん、たまたま知り合ったアマチュアの自然愛好家や庭師などとも手紙で交流をした。

グルーバーが書くように、クリエーターの活動は「外側から見ると、さまざまなものを寄せ集めたように見えるかもしれない」[注30]。だが、クリエーターは多様なものを進行中の事業の一つに「配置する」ことができる。そしてグルーバーはこうまとめる。「チャールズ・ダーウィンの偉大な業績の数々は、ある意味で、最初は他人が集めた事実を解釈して編集したものだ」。ダーウィンは、水平思考のインテグレーター（統合者）だったということだ。

著書『シリアル・イノベーター』の最後のほうで、アビー・グリフィンと共著者たちは、人事マネジャーに向けアドバイスを提供している。グリフィンたちが心配したのは、成熟した企業の人事方針では、従業員の職務が細かく定義され専門的になっているので、シリアル・イノベーターは「四角い穴にはめられた丸い杭」のように見え、ふるい落とされてしまうことだった。シリアル・イノベーターの幅広い興味は、企業の慣習にはうまく当てはまらない。彼らは複数の専門領域に飛び込み、飛び出していく「π型人材」だ。グリフィンたちは、［シリアル・イノベーターの候補者を探す時を念頭に］次のようにアドバイスする。「幅広い興味を持っているかを探ろう。仕事とは直接関連しない技能や趣味を複数持っているか。（中略）自分の仕事について話す時、他の領域との境界や接点にフォーカスする傾向があるかどうかを見よう」。あるシリアル・イノベーターは自分の事業のネットワークを「いくつもの浮きが水に浮いているような感じで、それぞれについて少しずつ考える」と表現した。ミュージカル『ハミルトン』のクリエーター、リン＝マニュエル・ミランダも、同じようなイメージをこう言い表す。「私の頭の中には、たくさんのアプリが開いている（注31）」

グリフィンの調査チームによると、シリアル・イノベーターは、自社の今の採用プロセスでは、自分ははじかれるだろうと語ることが多かったという。「機械的な採用方法をとれば採用効率は非常によくなるが、（イノベーションの面で）高いポテンシャルを持った候補者の数は減っていく」とグリフィンたちは書く。私がアウダカークと初めて会った頃、彼はミネソタ大学の授業を開発しており、グリフィンたちの中でイノベーターになる可能性がある人をどうやって見つけるかを取り上げようとしていた。「そのような人たちは非常に興味の幅が広いので、大学には不満を持っていると思う」とアウダカークは言う。

不確実な環境と意地悪な問題を前にした時、幅広い経験はとても貴重だ。親切な問題には、「狭く深く」の専門性が大きな効果を発揮する。問題は、超スペシャリストがその専門分野で高い力を持っているために、彼らが意地悪な問題にも魔法のような力を発揮するのではないかと期待してしまうことだ。だが、そうした期待は悲惨な結果を招く。

第 10 章

スペシャリストがはまる罠

Fooled by Expertise

賭けが始まった。(注1) 人間の運命がかかっていた。

賭けの一方にいたのは、スタンフォード大学の生物学者、ポール・エーリックだ。エーリックは、議会証言や『トゥナイト・ショウ』への出演（20回）、また1968年の著書でベストセラーの『人口爆弾』などで、人口の爆発的増加によって世界は破滅に向かい、もはや防げないと主張した。その本の表紙の左下隅には火のついた爆弾の絵が描かれており、破滅の日が近いことを暗示しているかのようだった。エーリックは、資源の不足によって10年以内に何億人もが餓死すると警告した。ニューリパブリック誌も、世界の人口はすでに、世界の食料供給で賄える数を超えており「飢餓は始まっている」と書いた。それは厳然たる計算に基づく議論だった。人間は指数関数的に増えているが、食料供給はそうではない。

エーリックは蝶の専門家で、しかもベテランだ。だから、自然は動物の数を穏やかに管理することはないと知っていた。人口は爆発し、入手できる資源の量をはるかに超え、そして壊滅する。「人口増加の成長曲線は、生物学者にはなじみ深いものだ(注2)」とエーリックは書いた。

その著書で、エーリックは「必ず引き起こされる惨事」のシナリオをいくつか示している。あるシナリオでは、1970年代に、中国とアメリカが大量の餓死の責任を非難し合って、最終的には核戦争が起こる。しかし、これは平均的なシナリオだ。悪いほうのシナリオでは、飢餓が地球全体を襲って、都市では暴動と戒厳令が交互に繰り返され、アメリカ大統領の環境アドバイザーは、一人っ子政策と知能指数が低い人たちの不妊手術を推奨する。ロシア、中国、アメリカは核戦争に突入し、北半球の3分の2が住めない環境になる。南半球にはところどころに人間社会が残るが、環境の悪化によって、やがて人類は滅びる。

「明るいシナリオ」では、人口のコントロールが始まる。ローマ教皇が、カトリックは出産数を減らすべきだと公言し、中絶も認める。飢餓が広がり、国家は弱体化する。1980年代中頃までには、餓死の大きな波は去り、農地の再生が始まる。この明るいシナリオで予想されている餓死者の数は、5億人ほどだ。エーリックは「楽観的なシナリオがつくれるものなら、もう一つつくってほしい」と読者に呼びかけた。ただし、親切な宇宙人が救援物資を持って現れる、というシナリオではダメだという。

経済学者のジュリアン・サイモンが、楽観的なシナリオをつくれるかというエーリックの挑戦を受けて立った。1960年代の終盤は「緑の革命」(注3)の最盛期だった。農業には水の管理技術や種の交配、マネジメント手法など他の分野の技術が流入し、世界の作物の生産高は上がっていた。サイモンはイノベーションによって状況は変わっていると見た。人口増は解決策にもつながる。なぜなら、よいアイデアやブレークスルーが増えるからだ。そこでサイモンは賭けを提案した。エーリックには、この先10年で資源が枯渇し混乱が起こる中で、値上がりが見込まれる金属を五つ選んでもらう。その五つの金属の価値を1000ドルとし、10年後に価格が下がっていればエーリックはその差額を支払う。価格が上がっていればサイモンがその差額を支払う。エーリックの支払額は最大でも1000ドルだが、サイモンの支払額には上限がないことになる。この賭けは1980年に公表された。

1990年10月、サイモンは郵便受けに576ドル7セントの小切手が届いているのを見つけた。エーリックは惨敗だった。五つの金属の価格がすべて下落していたからだ。技術の変化は人口増にもつながったが、人口1人当たりの食糧供給量もすべての大陸で年々増加した(注4)。栄養不良の人々の割合はまだゼロには遠いが、現在ほど低い時代はこれまでなかった。1960年代には、1年間に人口10万人当たり50人が飢えで命を落としていたが、現在は0・5人になっている。ローマ教皇の力を借りなくとも、世界の人口増加率は急激に低下している。子どもの死亡率が低下し、教育（特に女性の）と開発が拡大すると、出生率は減少する。世界全体の人口は増え続けているので、人間にはもっとイノベーションが必要だが、人口の「増加率」は急速に低くなっている。国連の予測(注5)によると、今世紀の終わり頃には世界の人口はピークに近づく。つまり、増加率がゼロに近づくか、もしかすると減少し始めているかもしれない。

エーリックの飢餓の予測は、ひどいものだった。彼がその予測をしたのは、技術の発展により人類の苦境が劇的に改善されつつある時で、人口増加率が下がり始める直前だった。それでも、サイモンとの賭けで負けを認めたその年に、エーリックはまた本を出版した。確かに、時間は少しずれたかもしれない。だが、「今や人口はすでに爆発している(注6)」という主張だ。

間違った予測を次々に発表したにもかかわらず、エーリックには多くのファンがいて、権威ある賞をいくつも受賞し続けている。エーリックが経済原理を無視していると感じた学者や、恐ろしい予測を次々と流すことに怒りを感じている人たちを代表して、サイモンは反対の先頭に立つ。サイモン側は、エーリックが提案した過度の規制について、それは人間を大惨事から救ったイノベーションを抑圧することになると反論する。エーリックもサイモンも、それぞれの領域の先導者となった。しかし、二人とも間違っていた。

経済学者がのちに検証し(注7)、1900年から2008年までのすべての10年間の金属価格の変化を調べたところ、エーリックが勝つ確率は63パーセントだった。この間に人口は4倍になった。ここでのポイントは、金属などのコモディティ価格は、人口増の影響を見るのには適さない指標だということだ。単一の10年間だけを見るのなら、なおさらだ。二人が、自分の世界観の正しさを証明できると思った変数は、実はほぼ無関係だった。コモディティ価格はマクロ経済のサイクルによって、上昇もするし下降もする。二人が賭けをした期間にリセッションがあったので、コモディティ価格は低下した。つまり、二人でコインを投げて勝敗を決めても同じだったわけだ。

その後、エーリックもサイモンも守りを固めた。二人とも科学への信念と事実の重要性について語った。そして二人とも、相手方の見解の価値を認めなかった。エーリックは人口について(そして人類の滅亡について)予測を間違ったが、環境の悪化については正しかった。サイモンは、食糧とエネルギー供給での人類の創造力については正しかったが、大気と水質の改善が彼の予測を後押しすると考えた点では間違っていた。皮肉なことに、大気と水質の改善は技術の向上や市場によってではなく、エーリックらが主張していた規制によってもたらされた。

イェール大学の歴史学者、ポール・セービンは、知的な議論をするなら「互いの意見に磨きをかけ合って、それぞれがより鋭く、またよりよい考えになるようにする(のが理想的だ)が、ポール・エーリックとジュリアン・サイモンの場合は、その正反対のことが起こった」と書く。

二人が自分の見解に合った情報ばかりを集めるので、二人の意見は独善的になり、見解の不適切さがより鮮明になった。

識者の中には、世界の動きについて、たとえ反証があっても一つの見方にとらわれる人たちがいる。自分の見方に合った情報ばかりを収集するので、予測は改善どころかどんどん悪化する。そうした人たちが毎日のようにテレビやニュースに登場し、ひどくなる一方の予測を発表して、自分が正しかったと主張する。そんな識者たちを綿密に観察し続けた人物がいた。

始まりは1984年、米国学術研究会議の米ソ関係に関する委員会だった。心理学者で政治学者のフィリップ・テトロックは当時30歳で、委員会では飛び抜けて若いメンバーだった。他のメンバーがソ連の意図やアメリカの政策について議論するのを集中して聞いていた。有名な専門家たちが自信を持ってきっぱりと予測していたが、テトロックにとって衝撃的だったのは、それぞれの意見が全く異なっていて、反論があっても誰も自分の意見を変えないことだった。

テトロックは専門家たちの意見をテストしてみることにした。(注8) 東西冷戦が続く中、284人の専門家による短期と長期の予測を集めた。彼らは高い教育を受け（大半が博士号を持つ）、専門分野に関して平均で12年以上の経験があった。予測は国際政治と経済に関するもので、確実な予測であることを示すために、専門家たちにそれが実現する確率も算出してもらった。

運や不運による当たり外れと真のスキルとを区別するために、テトロックは多数の予測を、長期間にわたって集める必要があった。プロジェクトは20年間続き、8万2361件の予測が集まった。その結果見えてきたのは、とても意地悪な世界だった。

専門家の予測の能力はひどいものだった。専門分野であることや、経験年数、学位、そして（一部の人は）極秘情報にアクセスできることすら、予測の能力には何の関係もなかった。短期予測も長期予測も間違っており、どんな領域でも間違っていた。専門家たちが、その出来事が起こることは決してあり得ない、あるいはほぼあり得ないと断言したことが、15パーセントの確率で起きていた。専門家たちが、間違いなく起こると言ったことは、4回に1回以上は起こらなかった。デンマークのことわざに、「予測をするのは難しい。特に未来の予測は」というものがあるか、それは正しい。物好きなシロウトに予測させたら、少なくとも彼らは未来の出来事が「絶対に起こらない」とか「必ず起こる」とはまず言わず、間違いを笑い飛ばせる余地を残す。

多くの専門家は、たとえ間違った結果を前にしても、自分の判断に本質的な欠陥があるとは決して認めない。一方で、予測が当たったら、それは完全に自分の実力であり、専門的な能力によって世界を解明できたと言う。ひどく間違えた時には、もちろん状況は理解していたので、ある一つの事柄が違っていたら、自分が正しかったはずだと言い張る。あるいは、エーリックのように、考えは正しかったが、時間が少しずれただけだと言う。勝利は完全な勝利で、負けはちょっと運が悪かっただけ。専門家はしょっちゅう間違えるのに、負け知らずだ。テトロックは言う。「予測をする人が考える自分の予測能力と、実際の予測の成果の関係は、たいてい反比例になっていて興味深い（注9）」

知名度と正確さの間にも「強い反比例の関係」があった。論説ページに予測が載ったり、テレビで取り上げられたりする確率が高い専門家ほど、予測が間違いである確率も高かった。常に間違っていたわけではない。テトロックと共著者が『超予測力』の中で使った言葉を借りると、「おおよそ、チンパンジーのダーツ投げと同じぐらいの正確さ」だった。

テトロックの初期の調査に、ソ連の未来に関するものがあった。専門家には、ミカエル・ゴルバチョフは真面目な改革主義者で、ソ連を改革し、連邦共和国の体制をしばらくは維持できると考える人たち（たいていはリベラル派）がいた。一方で、ソ連が改革されることはなく、そもそも非常に荒廃していて、連邦共和国としての体制が崩れつつあると考える人たち（たいていは保守派）もいた。両陣営とも部分的に正しく、部分的に間違っていた。ゴルバチョフは実際に改革を実行し、世界に扉を開き、市民に力を与えた。しかし、その改革によって、ロシアの外側の共和国で積もりに積もっていた力が吐き出された。エストニアが主権を宣言したのに始まり、他の国々の力も強まってソ連は崩壊した。どちらの陣営の専門家にとっても、ソ連の突然の崩壊は完全に予想外の出来事で、その点に関する彼らの予測は悲惨なものだった。しかし、専門家の中のある小さなグループが、何が起こるかをより正確に予測していた。

エーリックやサイモンと異なり、彼らは一つのアプローチだけに限定せず、両陣営の議論を吟味し、一見矛盾する世界観を統合していった。そして、ゴルバチョフが真の改革主義者であり、ソ連はロシア以外では正当性を失いつつあるという見解を持った。そうした統合的な見方をする人たちの中には、実際にソ連の終わりが間近だと予見し、真の改革がその触媒になると予測した人たちもいた。

統合的な人たちの予測は、ほぼすべてで他の人たちの予測より優れていたが、特に優れていたのが長期の予測だった。テトロックは予測者のタイプごとにニックネームをつけた（哲学者のアザイア・バーリンの著作からアイデアを借りた）。「でかいことを一つだけ知っている」視野の狭いハリネズミと、「たくさんのことを少しずつ知っている」統合的なキツネだ。そのニックネームは、心理学と機密情報収集の世界で有名になった。

ハリネズミ型の専門家の視野は深いが狭い。中には、一つの問題だけにキャリアのすべてを費やしてきた人もいた。ハリネズミは、エーリックやサイモンのように、世界の動きについての理論を、自分の専門分野という一つのレンズだけを通してつくり上げ、どんな出来事もその理論に合うように曲げてしまう。テトロックによると、ハリネズミは自らが専門とする一つの流派の中で「一心に働き、曖昧な問題に対して、型にはまった解決策を導き出す」。結果はどうでも構わない。成功しても失敗しても常に自分は正しく、自分の考えをさらに深く掘り進める。そうすることでハリネズミたちは、過去については見事な見解を述べるが、未来の予測ではチンパンジーのダーツ投げ並みだ。

一方のキツネは、テトロックによると、「さまざまな流派から意見を取り入れ、曖昧さや矛盾を受け入れる」。ハリネズミが狭さを代表する一方で、キツネは一つの領域・理論の外側に生息し、広がりを実現する。

ハリネズミたちは自分の専門分野の長期的な予測に関して、特にひどい結果を出した。しかも、その分野で経験や実績を積むと、予測の結果はさらに悪化した。多くの情報を扱うようになればなるほど、どんなストーリーも自分の世界観に当てはめられるようになったからだ。ここからハリネズミの明らかな強みが生まれた。すべての世界の出来事を自分好みの鍵穴から見て、何事に関しても説得力のあるストーリーをつくり、しかも威厳を持ってそのストーリーを語れるという強みだ。これはテレビで映える強みである。

テトロックは明らかにキツネだ。ペンシルベニア大学の教授で、私がフィラデルフィアの自宅を訪ねた時には、同僚たちと政治について気軽な会話をしていた。メンバーの中には、妻で共同研究者のバーバラ・メラーズもいた。メラーズも心理学者で、意思決定分野における著名な研究者だ。テトロックはある方向から話を始め、自分自身に質問を投げかけて、180度の方向転換をした。経済学や政治学、歴史をもとに、現在の心理学における論争について短い指摘をして、すぐに話を止めたかと思うとこう言った。「だが、人間の本質についての仮定と、社会がどの程度うまく構築されるべきかについての仮定が変わったら、このことは全く違って見えるはずだよ」。新たなアイデアが会話に入ってくると、「議論のために言うと、たとえば……」と言って、別の分野や政治や感情の視点からの見解を繰り広げる。テトロックはまるでインスタグラムのフィルターを変えるようにアイデアを試し、しまいには彼が本当のところどう考えているのかわからなくなる。

2005年に、テトロックは専門家による判断についての長年の研究成果を発表した。それに注目したのが、ＩＡＲＰＡ（情報先端研究局）だ。ＩＡＲＰＡは政府組織で、アメリカの機密情報関連の最も難しい課題についての研究をサポートしている。

２０１１年に、ＩＡＲＰＡは４年間に及ぶ予測トーナメントを立ち上げ、研究者が率いる五つのチームが予測を競い合った。参加チームは、誰を採用しても、訓練しても、何を試しても構わない。４年の間、期限の日まで毎日、予測を朝９時までに提出することが求められた。問題は簡単ではなかった。「ＥＵ加盟国のうちの一カ国が、この日までにＥＵを脱退する可能性はどのくらいか」「日経平均の終値は９５００円を上回るか」「東シナ海での銃撃戦で、10人以上の命が失われる確率は」。予測は何度でも変更できたが、全体を通じての正確さで点数が決まる仕組みだったので、締め切り直前に優れた予測をしても、得られる点数は低かった。

テトロックとメラーズが率いたチームは「優れた判断力プロジェクト（ＧＪＰ）」と名づけられた。二人は博士号を持った専門家を採用したりせず、１年目にボランティアを公募した。簡単なスクリーニングのあと、３２００人のボランティアをチームに招いて予測を始めた。メンバーの中からキツネ的な人たち、つまり幅広い興味と読書習慣があり、予測に関連するバックグラウンドが特にない人たちを選びだし、その人たちの予測を重みづけしてチームの予測を決めると、ＧＪＰチームはトーナメントで圧勝した。

２年目には、ＧＪＰはトップの「超予測者」たち12人から成るオンライン・チームをいくつか組み、互いに情報やアイデアを共有できるようにした。すると、ＧＪＰは他の大学主催のチームをはるかに上回る成績を上げるようになり、ＩＡＲＰＡは成績の低いチームをトーナメントから外した。

一般から集めたボランティアが、機密データにアクセスできる経験豊かな機密情報アナリストに勝った。テトロックによると、「その差は極秘だ」（しかし、テトロックは、ワシントンポスト紙が「ＧＪＰは機密情報アナリストのチームの成績を30パーセント上回った」と報じたと教えてくれた）。

最も優秀な予測者たちは、キツネ的であるだけでなく、コラボレーション能力も高く、情報を共有し、予測について議論した。チームのメンバーは個人で予測を出さなければならなかったが、チームは全体のパフォーマンスで評価された。平均すると、超予測者のチームでは、個人の予測の精度が50パーセント高かった。超予測者のチームは、はるかに多くの人たちの予測の平均を上回り、さらには「予測市場」も破った。予測市場とは、市場参加者が未来の出来事の予想を株式のように「取引」する市場で、人々の予測の変化によって市場価格が変動する。

地政学的な出来事や経済的な事象の予測は複雑なので、スペシャリストのグループが必要だと普通は思う。各自が一つの領域について、深い知識を持ち寄れるからだ。しかし、実際はその逆だった。コミックの制作者や新技術の特許を取る開発者のように、不確実性を前にした場合には、個人の幅（レンジ）の広さが不可欠だった。最もキツネ的な予測者たちは、一人ひとりでも見事だったが、チームを組むとさらにパワーアップして、理想的なチームになった。彼らは一人ひとりの力の単純な合計を、はるかに上回る力を見せたのだ。

ＧＪＰの優秀な予測者がどんな特長を持っているのかは、彼らと話してみたらよくわかった。彼らは聡明だ。ハリネズミたちもそれは同じだったが、ＧＪＰの予測者は数字をたやすく操り、国の貧困率や州の農地の割合などを推計する。そして彼らにはレンジがある。

スコット・イーストマンは「一つの世界にとどまったことがない」と言った。イーストマンはオレゴン州で育ち、数学や科学のコンテストに出場したが、大学では英文学と美術を学んだ。これまで自転車修理、住宅の塗装、塗装会社の創業者、写真家、写真教師、ルーマニアの大学の講師などの仕事を経験し、最も変わったところでは、ルーマニア中央部の小さな町、アブリグで、市長のチーフアドバイザーを務めた。その仕事では、地元コミュニティーへの新技術の導入から、メディア対応、中国企業のリーダーとの交渉まで、あらゆることを手掛けた。

イーストマンが語るその人生は、どの経験からも教訓を得ていて、寓話が集められた本のようだ。「塗装の仕事はかなり役に立ったと思う」とイーストマンは言った。その仕事では、亡命を求めている難民や、シリコンバレーの億万長者など多彩な同僚や顧客に出会い、長期間仕事をした時には、その億万長者とも会話を交わした。イーストマンは塗装の仕事を、「さまざまな視点を集められる肥沃な土地」と表現した。しかし、ＧＪＰの予測に役立ったのは、塗装の仕事だけではなかったはずだ。イーストマンも他のチームメンバーも、いつでもどこでも多様なものの見方を吸収し、常に自分の知性の幅を拡大していた。だから、彼らにとってはどこも肥沃な土地なのだ。

イーストマンはシリア情勢に関しては、神がかりといえるほど正確な予測をした。そして、ロシアには弱いことに気づいて本人が驚いていた。イーストマンはロシア語を勉強し、元ロシア大使だった友人もいる。「ロシアに関してはすごく有利なはずだったのに、ほかのいろいろな問題を見た時に、実はロシアが自分の弱点だと気づいた」。イーストマンは、一つのトピックにだけ特化しても、予測の成果にはつながらないと気づいた。「(チームの)誰かがあるテーマの専門家だとわかったら、その人に質問できるし、その人が何を発見したかがわかるので、とてもうれしい。でも、『チームの生物学者が、ある薬が発売されそうだと言っているから、そうに違いない』とは思わない。インサイダーになりすぎると、よい視点を持つのは難しいからね」。イーストマンは優れた予測者の核となる特長は、「ありとあらゆることに関しての純粋な好奇心」だと言う。

エレン・カズンズは、法廷弁護士に協力して詐欺行為を研究している。そのため、カズンズの調査は自然に、医学からビジネスまで広範囲に及ぶ。仕事以外でも興味は幅広く、古い工芸品の収集や刺繍、レーザー彫刻、錠前破りなどが趣味だ。さらに、ボランティア活動として、勲章を名誉勲章にアップグレードするべき退役軍人について無報酬で調べている。カズンズはイーストマンと同じように、範囲の狭い専門家は情報源としては重要だが、「目隠しをつけているかもしれないと考えておくことが大切。だから、専門家からは事実をもらっても、意見はもらわない」と言う。ポリマスの開発者(第9章参照)もそうだったが、イーストマンやカズンズはスペシャリストからどん欲に情報を集め、それを統合する。

超予測者のオンラインでのやり取り(注10)は、非常に礼儀正しい抗争といった感じで、不快な態度を示さずに異議を唱え合う。稀に誰かが「でたらめを言うな。俺は納得がいかない。説明してくれ」と言ったとしても、「メンバーは気にしない」とカズンズは言う。彼らは合意しようとしているのではなく、多くの見解を統合しようとしている。テトロックは最も優れた予測者を、「トンボの目を持ったキツネ」と表現する。トンボの目は何万ものレンズで構成されていて、レンズはそれぞれに見え方が異なり、脳でそれを統合する。

私が見せてもらった予測者のオンライン・ディスカッションは、乱高下していた2014年の米ドルとウクライナ通貨「フリヴニャ」の為替レートについて、1日の終値の最高値が1ドル10フリヴニャ未満か、10から13フリヴニャの間か、13フリヴニャを超えるかを予測するというものだった。

議論は、あるメンバーがこの三つのレートが起こる確率を予測し、エコノミスト誌の記事を共有したところから始まった。続いて、別のメンバーがブルームバーグのリンクと過去のデータを共有して、一人目とは異なる確率を示した。「10から13」が最も確率が高いという見方だった。三人目は、二人目の意見を支持し、四人目はウクライナ財政の悲惨な状況についての情報を提供した。五人目は、世界の出来事との関連で、為替レートがどのように変動するか、しないかという、より大きな問題を提起した。

最初に議論の口火を切ったメンバーが再投稿し、これまでの議論に納得したと言って予測を変えた。それでも、チームは「13を超える」を高く評価しすぎているという意見だった。チームは情報を共有し続け、互いに挑戦し合い、自分の予測を変えていった。2日後、ファイナンスの専門知識を持つメンバーが、以前フリヴニャが絶対に下がると思った出来事によって、逆にフリヴニャは値上がりしたと話した。彼はメンバーに、それは自分の予想と正反対であり、自分の考えのどこかが間違っているサインだと言った。政治家とは異なり、優秀な予測者たちは本当に頻繁に意見を変える。チームは最終的に「10から13」の可能性が最も高いという意見に落ち着いた。実際に彼らは正しかった。

別の研究で、ドイツの心理学者のゲルト・ギーゲレンツァーが、2000年から2010年までの米ドルとユーロの為替レート予測についてまとめた。対象としたのは、バークレイズ、シティグループ、JPモルガン・チェース、バンクオブアメリカ・メリルリンチなど、名だたる大銀行による予測だった。世界で最も有名な専門家たちによる予測についてのギーゲレンツァーのシンプルな結論は、「ドル・ユーロの為替レート予測は役に立たない(注11)」だった。10年のうち6年は、20の銀行による予測の範囲外にレートが下落していた。オンライン・ディスカッションに参加していた超予測者の一人が、自分が見誤った為替レートの方向の変化について話し、調整したのに対して、大手銀行の予測者たちは、10年間の方向の変化をすべて見逃したとギーゲレンツァーは分析した。

優れたチームのやり取りの特徴は、心理学者のジョナサン・バロンが「積極的なオープンマインド(active open-mindedness)(注12①)」と呼ぶものだ。優秀な予測者は自分のアイデアを「テストする必要がある仮説」として見る。彼らはチームメイトを納得させようとするのではなく、チームメイトが自分の考えの誤りを指摘してくれるように促す。人間にとって、これは普通のことではない。難しい質問をされた時、たとえば「公立校にもっと資金を提供したら、指導と学習の質は大幅に改善されるだろうか」と問われたら、人は自然に「自分の側」[注12②]に合う理屈をたくさん思いつく。自分の考えが間違っている理由をネットで探そうとはしない。それは、自分と反対の考えを思いつけないからではなく、本能的にそうしないのだ。

カナダとアメリカの研究者が2017年に始めた研究では、高い教育を受けた人たちに、議論の多い問題について、各自の政治的な信念に合った文章を読んでもらった。続いて、それとは反対の立場から書かれた文章を読んだらおカネを払うと提案したところ、3分の2の人たちがその文章を読むどころか「見ること」さえも断る、という状態だった。[注13]

自分と反対の考え方を避けるのは、単に愚かさや無知の表れではない。イェール大学教授で、法律と心理学が専門のダン・カハンは、政治的に意見が分かれる科学の問題では、科学的な教養のある成人のほうが独断的になることを示した。カハンはその理由として、彼らが自分の考えの裏づけになる証拠を見つけるのがうまいからだと考える。そのトピックに関して時間を使えば使うほど、彼らはよりハリネズミ的になっていく。

イギリスのEU離脱についての国民投票が準備されている最中に実施された研究[注14]では、発疹を治すスキンクリームの有効性に関する架空の統計を、離脱派と残留派の両方に示した。すると、両者ともに半分強の人たちが、それを正しく解釈することができた。しかし、全く同じデータを、今度は移民が犯罪を増加させるか、減少させるかを表すデータとして示すと、多くの人たちが突然、数学の能力を失い、自分の政治的信念と合わない統計を誤って解釈した。カハンはアメリカでも、同じ現象がスキンクリームと銃規制の質問で起こることを示した。(注15)

カハンは、独断的になることを防ぐ性格特性についても調べた。鍵となるのは「科学への興味」だった。科学の知識ではなく興味だ。(注16) カハンと共同研究者たちは、巧みに科学への興味を測定した。消費者向けマーケティング調査のような質問に混ぜる形で、科学への興味に関連した質問をし、その後、科学的な内容を一部に含むビデオを見せてから、人々がそのビデオに関するフォローアップ情報をどれくらい得ようとするかを追跡した。

科学にとても興味のある人たちは、その内容が自分の現在の信念に合っていてもいなくても、常に新たなエビデンスを見ることを選んだ。一方、あまり科学に興味のない人たちはハリネズミ的で、知識を得ると、自分の考えに反するエビデンスにはさらに抵抗するようになり、政治的により偏向していった。科学に興味がある人はこの傾向に逆らった。彼らがキツネのように情報を得る様子は、本当にキツネが獲物を求めて狩りをするようだった。つまり、自由にさまよい、耳をそばだて、むさぼり食う。テトロックが最高レベルの予測者について語ったのと同じように、重要なのは彼らが何を考えるかではなく、どう考えるかだ。優れた予測者は積極的なオープンマインドを持ち、非常に好奇心が強く、自分と反対の見方を検討するだけでなく、積極的に反対の見方を求めて領域を超えていく。積極的なオープンマインドを研究したバロンは、「幅がなければ、深さは不適切になるかもしれない」(注17)と書いた。

チャールズ・ダーウィンは、人類史上、最も好奇心が強く、積極的なオープンマインドを持った人物の一人だろう。ダーウィンの最初の四つの進化のモデル(注18)は、神がすべてをつくったという創造説、あるいはインテリジェント・デザイン〔知性のある存在が宇宙や生物をデザインしたという説〕の形態を取っていた(五つ目のモデルでは、創造説を切り離した)。ダーウィンは自分が取り組んでいる説と正反対の事実や現象に出会うと、それをノートに書き写していた。そして、自分の説を容赦なく攻撃し、自分の考えたモデルを次々に捨て去り、すべての科学的証拠にフィットする理論にたどり着くまでそれを続けた。

しかし、このライフワークを始める前には、積極的なオープンマインドを持ったチームメイトやメンターの力が必要だった。ジョナサン・スティーブンス・ヘンズローは神父で地質学者、植物学の教授でもあり、ダーウィンのビーグル号への乗船を手配した人物だ。船が出航する前に、ヘンズローはダーウィンに、議論を呼んでいる一冊の新しい書物を読むように勧めた。それは、チャールズ・ライエルによる『地質学原理』だった。ライエルは、地球は長い時間をかけて非常にゆっくりと変化してきて、その変化のプロセスは現在も続いていると論じていた。ヘンズローとしては、神学から完全に切り離されているその説を信じるわけにはいかなかったので、ダーウィンに「決して、そこで唱えられている説を受け入れてはならない(注19)」と諭した。しかし、自分の嫌悪感はさておいて、弟子にその本を読むことを勧めた。

それは啓示のようだった。科学史学者のジャネット・ブラウンによると、「ライエルの本はダーウィンに、自然について考える方法を教えた。この本とダーウィンの関わり合いは、科学史において最も注目すべきことの一つだ(注20)」。

ここまでで述べてきたことは、いずれもハリネズミ的な専門家が不要だと言っているのではない。彼らはとても重要な知識を生み出している。たとえば、アインシュタインはハリネズミだった。[注21] アインシュタインは複雑さの背後にシンプルなものを見いだし、美しい理論を打ち立てて証明した。だが、人生最後の30年は、一つの理論をひたすら追求することに費やした。それは、量子力学に内在する曖昧さをすべて説明する単一の理論だ。量子力学はある部分、アインシュタイン自身の業績によって誕生した分野だった。天体物理学者のグレン・マッキーは次のように記す。「晩年には、アインシュタインは完全に視界を遮って仕事をした。関連する発見を参考にすることなく、研究の方法を変えられなかった」[注22]

「神はサイコロを振らない」とアインシュタインは比喩的に言った［この言葉で、確率論的な量子力学を批判した］。アインシュタインと同じ時代に活躍し、原子の構造に光を当てた（この時、土星の環と太陽系のアナロジーを使った）ニールス・ボーアは、アインシュタインに対して、もっと心を開くべきで、神を引き合いに出すべきではないと応じた。[注23]

ハリネズミは複雑さの背後に、自分の専門分野の枠組みに基づいた、シンプルかつ決定論的な因果関係のルールを見いだす。それは、チェスボード上で繰り返されるパターンのようなものだ。キツネは他の人々が因果関係だと誤解するものの中に、複雑さを見る。そして、因果関係のほとんどは、決定論的ではなく確率的だと理解している。未知のものがあり、運も作用する。明らかに過去と同じことが起きているように見えても、正確には同じではない。キツネは、意地悪な学習環境の中にいることを認識する。意地悪な環境の中では、成功からも、失敗からも学ぶのは難しい。

自動的なフィードバックがない意地悪な環境では、経験だけではパフォーマンスを上げられない。より重要になるのは思考習慣であり、それは学んで身につけることができる。予測トーナメントの4年間で、キツネ的な思考習慣の基本トレーニングを1時間することで、予測の正確さを上げられることを、テトロックとメラーズの調査グループは示した。(注24)そうした思考習慣の一つはアナロジー思考によく似ている。アナロジー思考は、第5章でベンチャーキャピタリストや映画ファンによる、投資リターン予測や興行収入予測を改善させたやり方だ。簡単に言うと、予測者は、問われている出来事の中身にだけフォーカスするのではなく、根底にある構造が似ている出来事のリストをつくり、それによって予測の精度を高める。100パーセント新しい出来事はめったにない。テトロックに言わせると、一つの出来事の独自性は程度の問題だ。だから、リストをつくることで、予測者は知らず知らずのうちに統計学者のように考えられるようになる。

たとえば、予測者たちは2015年に、ギリシャがユーロ圏から離脱するかと問われた。それまで、ユーロ圏から離れた国はなかったので、この質問は前例のない問いのように思われた。しかし、国際的な交渉の失敗例や、国際的な枠組みからの離脱、別の通貨への移行などの例は多数あり、予測者たちは現在を特殊な状況ととらえて狭くフォーカスするのではなく、通常起こることとして考えて予測した。内部の視点をもとに、細部からスタートするのは危険だ。ハリネズミ的専門家は、自分が専門とする問題の詳細について十分すぎる知識を持っており、そのため、イェール大学のカハンが言うように、自分の全体的な理論に当てはまる事項を抜き出してしまう。その深い知識は自身にマイナスに働く。腕の立つ予測者は目の前にある問題から離れ、構造的に共通性がある全く無関係な出来事について考える。経験から得られる直感に頼ったり、専門とする一分野に頼ったりはしない。

予測者のもう一つのトレーニングに、予測の結果を猛烈に分析して、教訓を得ようとするやり方がある。特に、予測の結果が思わしくなかった時に実施すると効果的だ。あらゆる機会を活かして厳しいフィードバックを得ることで、自動的なフィードバックがない意地悪な学習環境を、少しでも親切にすることができる。

テトロックの20年間の研究では、キツネもハリネズミも、予測に成功すると自分の信念をアップデートして、さらに強化する。しかし、予想が外れた場合、キツネは自分の考えを修正する可能性が高いが、ハリネズミはまず見方を変えない。ハリネズミの中には、自信満々の予測がひどく外れると、自分の信念を間違った方向に強化する人もいる。その人たちは、自分のそもそもの信念にさらに自信を持ち、やがて道に迷う。テトロックによると、「自分の信念をうまくアップデートできる人は、よい判断ができる」。その人たちは、賭けをして負けたら、勝った時に信念を強化するのと同じように、負けたロジックを受け入れ修正する。

このことは、一つの言葉で表すことができる。「学習」だ。学習では、経験をすべて脇に置かなければならない場合もある。

第11章

慣れ親しんだ「ツール」を捨てる

Learning to Drop Your Familiar Tools

明るいブロンドの髪で、スポーツマン風のジェイクが最初に話し出した。ジェイクは車をレースに参加させたかった。「みんなの意見はどうかな?」とジェイクは尋ねた。「僕は、こいつをレースに出場させたいな」

秋の午後早い時間だった。(注1) ハーバード・ビジネススクール2年生のジェイクと同級生6人は、ランチが食べられて話ができる日陰の場所を見つけた(*)。教授が彼らに課題として与えていたのは、ビジネススクールのケーススタディーとしては最も有名なケースの一つで、「カーター・レーシング」として知られるものだった。このケースで考えるべきポイントは、架空のカーター・レーシングチームを、そのシーズン最大のレースに出場させるべきか、ということだ。レースの開始は1時間後だ。

レース出場に賛成する人たちの意見はこうだ。

特別仕様のターボチャージャーのおかげで、カーター・レーシングは過去24戦のうち12戦でトップ5に入った。この成績により石油会社のスポンサーがつき、有名タイヤメーカーのグッドストーン・タイヤ(これも架空の企業)も試験的にスポンサーになっている。カーター・レーシングは前回のレースで優勝し、それが今シーズン4度目の優勝となった。

今日のレースはテレビで全国放送され、カーター・レーシングが5位以内に入れば、グッドストーンから200万ドルのスポンサーシップを得られる可能性が高い。しかし、もし参加を見合わせれば、出場費用の一部を失い、スポンサーからもらった資金を一部返さなければならない。チームはこの輝かしいシーズンを、8万ドルの借金を抱えたまま終わり、これほどのチ

*学生の名前は、許可が得られた場合を除き仮名を使っている。

ャンスは二度と訪れないかもしれない。レースへの出場は考えるまでもないことだ――。

レース出場に反対する意見はこうだ。

24回のレースのうち、7回でエンジンが故障し、その度に車が損傷した。直近の2回のレースではエンジン整備の手順を新しくし、トラブルは起きなかったが、整備士たちは過去のトラブルの原因をまだ突き止めていない。全国放送のレースでエンジントラブルに見舞われれば、石油会社はスポンサーから下り、グッドストーンも去ってすべては振り出しに戻る。恐らく、倒産するだろう――さて、出場すべきか、否か。

グループは多数決から始めた。出場に賛成が3人、反対が4人。議論が始まった。

ジェイクは言う。エンジンの不具合があるとしても、5位以内に入る可能性が50パーセントある。グッドストーンがスポンサーになって得られる資金のほうが、エンジンが故障して今のスポンサーがいなくなり、失われる資金よりもずっと大きい。もしレースに出場しなかったら、この上出来のシーズンは終わって借金が残り、「それは、みんな知っているように、持続可能なビジネスモデルじゃない」。

ジャスティンは言う。「僕はただ、レースを欠場する余裕はないと思うんだ」

アレクサンダーも同意し、反対するメンバーに問いかける。「どの条件が変わったら、出場していいと思う?」

ハーバードのパーカーを着て、輪の反対側に座っていたメイは、計算を披露した。「レースに出場しない時のリスクは、エンジンの故障によるリスクの3分の1くらいだと思う」。メイは、自分はリスクの低減にフォーカスしているから、レースには出たくないと言った。

ケーススタディーによると、レース直前になって、チームオーナーのＢＪ・カーターが整備士たちを呼んだ。

エンジン整備士のパットは高校中退で、高度な訓練を受けたことはないが、レースでの整備経験は10年になる。気温が問題になるかもしれないと、パットは言った。寒い日にターボチャージャーが温まると、エンジン部品がそれぞれ異なる割合で膨張し、それがエンジン内の金属製シール材（密封材）であるヘッドガスケットの故障の原因となる可能性がある。パットによると、エンジンの故障の様子は毎回違うが、ヘッドガスケットには7回とも亀裂が入っていた（そのうち2回は複数の亀裂が見られた）。パットは、何が原因なのかはわからなかったが、この短い時間では、それ以外に思いつかなかった。今でもレースになると気持ちが高まるパットは、新しいグッドストーンのユニフォームに大喜びしていた。その日の気温は摂氏４・５度（華氏40度）と、今シーズンで最も低かった。主任整備士のロビンは、気温のデータを見るべきだというパットの考えを支持していた。ロビンはグラフを描いてみたが、何の相関関係も見られなかった。

黒い髪を片側になでつけているドミトリーは、レース出場には断固反対だった。ガスケットの亀裂と温度との間には、明確な関係は何もないということには彼も同意していた。三つの亀裂が入ったのは最も寒い日（摂氏11度・華氏53度）で、二つの亀裂が入ったのは暑い日（摂氏24度・華氏75度）だ。でも、もしエンジンに最適な気温の範囲、暑くもなく寒くもない気温の範囲があったとしたら、どうなのだろうか。

ドミトリーは言う。「エンジンの故障が気温と全く関係ないなら、レースを走り切って5位以内に入る確率は50パーセントだ。でも、もし関係あれば、5位以内に入る確率は下がる。レースの日の気温はチームが経験したことがないほど低い。気温との相関関係があるかどうかはわからないが、もしあったら、エンジンが壊れるのは確実だ」

ジュリアは、整備士パットの気温のアイデアは「ばかげている」と思った。だが、ドミトリーのように、ジュリアもエンジンの問題をブラックボックスと見て、そこからは情報が得られず、今日のレースに関する確率も計算できないと考えた。ジュリアは自分にはリスクを回避する傾向があると言い、個人的には絶対に自動車レースには関わらないと話した。

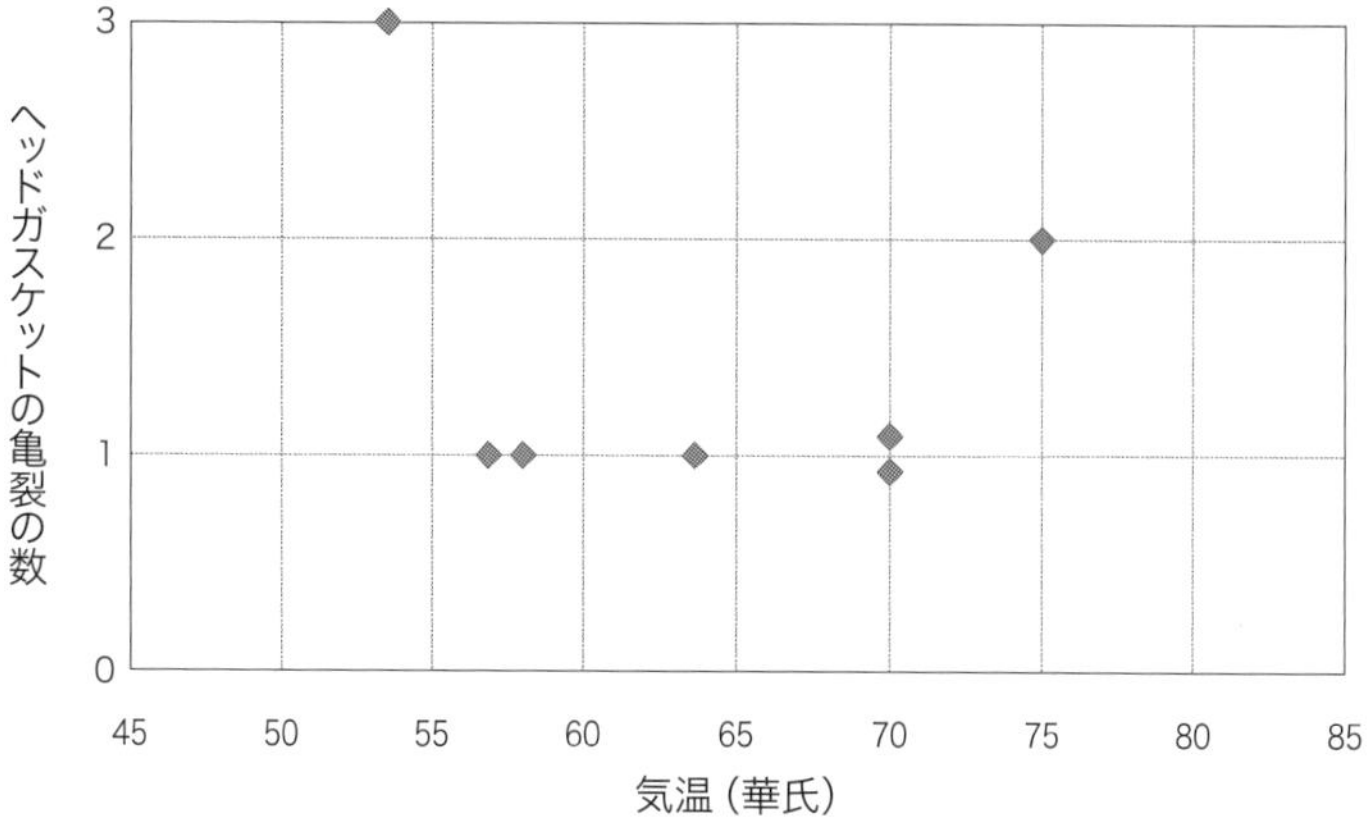

© Jack Brittain and Sim Sitkin

アレクサンダーの言葉を借りると、気温とエンジンの故障の「相関関係はゼロ」だということに、ドミトリーを除いたグループ全員が合意した。「僕だけなの？」とドミトリーは聞き、何人かが笑った。

ジェイクは特に、エンジン整備士のパットの理屈を軽蔑しているようだった。「パットは腕のいいメカニックだと思うけど、根本原因を分析できるエンジニアではないな。この二つは全く違うんだよ」。ジェイクは、パットが有名な認知バイアスの罠に陥っていると思っていた。それは、一つの印象的な記憶を重視しすぎるというバイアスで、この場合は寒かった日にガスケットに三つの亀裂が入ったことだった。「このグラフをきちんと理解するための情報すらない。レースは24回あったんだよね。11度くらいで、エンジンが壊れなかった日はどのくらいあったんだろうか。君の見方を攻撃してるわけじゃないよ」。ジェイクはドミトリーに向かって微笑みながら言い、親しげにドミトリーの手をポンとたたいた。

全員が、エンジンが故障しなかった日の気温データがあればいいと思っていた。だが、手元にそのデータはなく、グループは行き詰まった。ジャスティンが、レース賛成派を代表してこう言った。「とにかくレースをするべきだと思うな。だって、そのためにこの事業をやっているんじゃないか」

グループはスタート地点に戻って、多数決で話し合いを終えそうだった。しかし、ここでメイが別の視点を提供した。「私、意見を変えたわ。レースに出場する。イエスに一票」

メイは財務的に良い面と悪い面を比較して、5位以内に入る確率が26パーセントあれば賭ける価値があると計算した。現在の確率が50パーセントだから、その2倍だ。たとえ、気温の低さが勝率を減少させるとしても、「26パーセントまでは下がらない。だから、大丈夫」。メイは、ドミトリーのデータの読み方にはバイアスがかかっていると考えた。カーター・レーシングはこれまで11度（華氏53度）から28度（同82度）までの間でレースを戦ってきた。そのうち、エンジンの故障が起きたのは、18度（同65度）を下回った時に4回、上回った時に3回だった。メイは、ドミトリーが11度（同53度）のデータを証拠として重視しすぎると言った。ガスケットに三つの亀裂が生じてはいるが、それでもエンジンの故障としては1回だ。

ジェイクが口を挟み、グループのメンバーは気温のグラフで、それぞれが見たいものを見ているのではないかと言った。だから、「気温の議論は棚上げにしたらどうだろう」。ジェイクはメイの期待値の議論が気に入った。「僕たちの武器になる確実な見方だと思う。数字を根拠にするのは常によいことだからね。（中略）たとえば、コイントスをして、負けたら100ドル払い、勝ったら200ドルもらえるとしたら、僕は必ずこの賭けに参加する」。ジェイクはメンバーに、カーター・レーシングは直近2回のレースではエンジン整備のプロセスを変えて、問題は起きなかったことを思い出させた。「小さな点だけど、僕の議論の方向性には合っている」

メイはドミトリーのほうを向いて尋ねた。「何度だったら、安心してレースに出られるの？エンジンの故障は21度（華氏70度）で2回、17度（同63度）で1回、11度（同53度）で1回。安心な気温なんてないと思う」

ドミトリーは、これまでに経験した気温をリミットに設定したいと思った。何かが予想した通りに機能していない。だから、これまでの経験を外れる温度は、すべて未知の世界だ。しかし、ドミトリーはこの意見がとても恣意的に聞こえるとわかっていた。

グループは最後の多数決に移った。メイが意見を変えたので、4対3になった。レースに出場だ。グループはケーススタディーの資料をバッグにしまう間も話を続けた。

マルティナはケーススタディーの一部を声に出して読んだ。オーナーのBJ・カーターが主任整備士のロビンの意見を聞いているところだ。「ドライバーは命を危険にさらしています。私は毎回のレースにキャリアがかかっていて、あなたは事業にすべての資金をかけている」とロビンは言った。ピットに座ったままでは、レースには勝てないんですよ、とロビンはボスに念を押した。

マルティナは最後にもう一つ質問をした。「ケースはおカネのことだけ考えればいいんだよね？　誰も死んだりしないよね？」

グループの何人かが顔を見合わせ、そして笑い、それぞれの方向に分かれていった。

次の日の授業が始まると、学生たちは、このケースを学んだ世界の学生のほとんどが出場を選んだと知った。教授は順番に、出場や欠場を決めた理由を聞いていった。

出場を選んだチームは、確率の計算やディシジョンツリーを使った結果などについて話した。レース中のエンジンの故障でドライバーが危険にさらされるかについては、意見が分かれた。

過半数の学生が、気温のデータは「ひっかけ」だと思っていた。ある女性が「もしレースの事業で成功したいのなら、この種のリスクは取る必要があると思います」と言うと、学生たちはうなずいた。彼女のチームは7対0で全員がレース出場に賛成だった。

ドミトリーは反対し、教授は容赦なく彼を質問攻めにした。ドミトリーは、もし「気温に関係なくエンジンの故障が起きている」という前提がなくなったら、すべてのグループが提案したディシジョンツリーは意味がなくなると主張した。さらに、データにはエンジンが故障しなかった日の気温が含まれていないので、ことのほか曖昧だ、とも言った。

「そうかい、ドミトリー。データの問題があると。じゃあ聞くが、昨日私は、『追加の情報が必要だったら私に言いなさい』と何回言ったかな」と教授は尋ねた。息をのむ音が教室中に広がった。「4回だよ。私は4回も『追加の情報が必要だったら私に言いなさい』と言った」。学生の誰一人として、欠けているデータを求めに来なかった。教授は新しいグラフを掲示した。そこにはすべてのレースの気温が示されていた。

18度（華氏65度）を下回ったすべてのレースで、エンジンの故障が起きていた。続いて教授は、全部のレースを故障したかしなかったかで分類していった。そして、この二分類でシンプルな統計分析をした。「ロジスティック回帰分析」として知られるもので、学生たちにはおなじみの分析だ。教授は学生たちに、気温4・5度（華氏40度）では99・4パーセントの確率でエンジンの故障が起きると告げた。「まだレースに出場したいと言う人はいるかな?」。そして、もう一つサプライズを用意していた。

気温とエンジンの故障のデータは、スペースシャトル「チャレンジャー号」の打ち上げを決めたＮＡＳＡの悲劇的な意思決定で用いられたのとほぼ同じものだった。ケースでは宇宙開発ではなく、自動車レースに設定が置き換えられていた。ジェイクは呆然としていた。チャレンジャー号の事故で破損したのは、ガスケットではなくＯ《オー》リングだ。Ｏリングは接続部分を密閉するゴム製のリングで、シャトルの推力を生み出す固体燃料補助ロケットに付いていた。低温によりＯリングのゴムが固くなり、密閉する力が弱まった。

　ケーススタディーの登場人物も、チャレンジャー号打ち上げ前の緊急電話会議に参加した人たちがそれとなくモデルになっていた。会議に参加していたのは、ＮＡＳＡのマネジャーやエンジニア、固体燃料補助

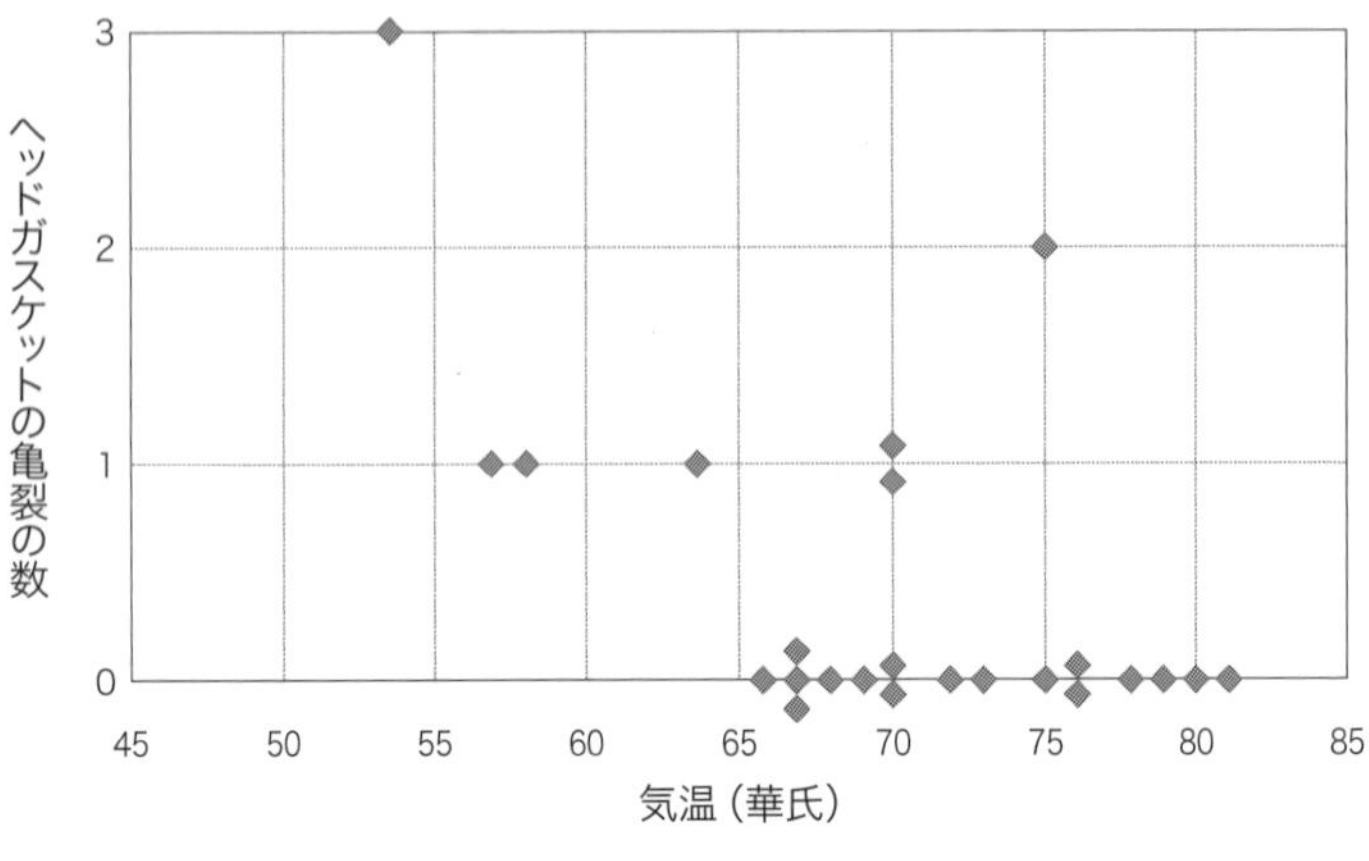

ロケットの製造に関わった契約企業のモートン・サイオコールのエンジニアたちだ。
1986年1月27日のフロリダの天気予報では、打ち上げ予定日の28日に異常な寒さが予想されていた。電話会議で、NASAとサイオコールは打ち上げ実行の決定を下す。1月28日、Oリングは固体燃料補助ロケットの接続部分を適切に密閉できず、燃焼ガスが接続部分から外部に噴き出して、チャレンジャー号は爆発した。ミッション開始からわずか73秒後の出来事だった。乗組員7人全員が死亡した。

カーター・レーシングのケーススタディーはこの上ない効果を発揮した。学生たちが、緊急電話会議で打ち上げにゴーサインを出したエンジニアと全く同じ間違いを犯すのは、不気味とも言えるほどだった。教授はこの授業を見事に展開した。

「君たち全員と同じように、（NASAやサイオコールの）誰も、問題が起きなかった時のデータを求めなかった。データはもちろん存在していて、彼らは私たちと同じような議論をした。私も君たちの立場だったら『でも学校なら、普通は先生が必要なデータを渡してくれるはずだ』と言うだろう。しかし、よく会議で起こるのは、パワーポイントのスライドをつくった人がデータを示して、みんなが目の前のデータだけを使って議論することだ。『私たちが意思を決定するのに、使うべきなのはこのデータですか』とは、なかなか言わないだろうね」

チャレンジャー号の事故を調査した大統領調査委員会は、破損が起きなかった飛行のデータを含めて検討していれば、Oリングの損傷と気温との相関関係が明らかになったはずだとまとめた。シカゴ大学で組織心理学を教えるある教授は、そのデータが欠けていたのは非常に初歩的なミスで、「(電話会議の）参加者全員の問題だ(注2)」と書いた。「低温の中での打ち上げは数値で議論できたはずなのに、そうはならなかった」。教授は、エンジニアの教育が不十分だと断言した。

社会学者のダイアン・ボーガンの著書『チャレンジャー号打ち上げの意思決定（The Challenger Launch Decision)』は、この悲劇の一般向けの説明としては最も信頼できる本だとNASAが認めた。この本には、「驚かされるのは、実は彼らが適切なデータを持っていたことだ」と書かれている。「(打ち上げを延期したいと思っていたサイオコールのエンジニアたちは）グラフの作成を考えもしなかった。もし作成されていたら、打ち上げ延期の主張を裏づけるのに必要だった、相関関係のデータを示すことができた」

世界中の経営学の教授たちが、30年にもわたってカーター・レーシングのケースを教え続けているのは、このケースが、不十分なデータをもとに結論を下すことの危険性や、目の前にあるものだけに頼ることの愚かさを教えてくれるからだ。

そして、さらにもう一つサプライズがある。実は、チャレンジャー号の失敗は、数値分析の失敗ではなかった。ＮＡＳＡの本当の失敗は、数値に頼りすぎたことだ。

Ｏリングはエンジン点火前に、ロケットの縦の部分同士の接続箇所に押しつぶされた状態で収まっている。点火と同時に燃焼ガスがロケット内に噴射されると、接続部分を形成していた金属の部品が一瞬のうちに引き離され、その時点でＯリングは直ちに膨張し始めて空間を埋め、接続部分を密閉した状態に保つ。Oリングは温度が低いとゴムが固くなって、十分な速度で膨張しない。Oリングが冷たければ冷たいほど、接続部分が密閉されないわずかな時間が長引いて、燃焼ガスがロケットの壁から吹き出る。

しかし、そうだとしても、通常の状況なら気温は問題にならない。Oリングは絶縁用のパテで守られていて、燃焼ガスはそもそもOリングに到達しない仕様になっているからだ。カーター・レーシングでエンジンに問題が生じなかったレースは17回あったが、チャレンジャー号でもOリングに問題が生じなかった飛行は17回あり、その時はパテが完全に機能していた。その17回では、燃焼ガスはOリングに到達せず、問題が生じがなかったので、Oリングについての情報は何も提供されなかった。しかし、接続部分を組み立てる時に、パテに小さな穴ができていることがあった。Oリングに問題が生じた7回の飛行では、燃焼ガスが遮断用のパテの穴から押し出されてOリングに到達した。この7回のデータだけが、Oリングの損傷に関係があった。

カーター・レーシングの場合、ガスケットに生じた問題は毎回同じだったが、Oリングに生じた問題には二つのパターンがあった。一つは腐食だ。損傷が見られた7回の飛行のうち5回では、点火とともにロケット内を下りてきた燃焼ガスがOリングに当たり、ゴムの表面を腐食した。これは生死に関係する問題ではない。Oリングには十分すぎるほどのゴムが使われていて、多少欠けても十分な機能を果たせる。また、腐食と気温は何の関係もなかった。

二つ目のパターンは「ブローバイ（吹き抜け）」だ。点火とともにゴムのリングが直ちに膨張して、接続部分を十分に塞がないと燃焼ガスが「吹き抜けて」、ロケットの外に噴き出す可能性がある。ブローバイは生死に関わる問題で、エンジニアたちがのちに学ぶように、低温でOリングのゴムが固くなると、劇的に状況が悪化する。事故以前の2回の飛行でブローバイが起きていたが、その時は2回とも無事に帰還していた。

緊急電話会議で打ち上げに反対していたサイオコールのエンジニアたちは、Oリングの損傷に関しては24回分のデータを持っていなかった。カーター・レーシングのケーススタディーと同じだ。それどころか、ハーバード生が持っていた7回分のデータすら持っていなかった。持っていたのはブローバイが起きた2回分だけだった。

では、次のページのグラフから何が言えるだろうか。

当時、モートン・サイオコールで、固体燃料補助ロケット・プロジェクトのディレクターを務めていたアラン・マクドナルドは、私とのインタビューでこう語った。「皮肉なことに、ブローバイに関係するデータだけを見ると、証拠は決定的でないというNASAの（打ち上げ前の）立場を支持するものとなっていた」。ここでは、ハーバード生が見逃した99・4パーセントの確実性は存在しなかった。エンジニアは、教育を受けていなかったわけではなかった。

しかし、サイオコールのエンジニアが提示した情報には、もう一つ重要なものがあり、それを生かせばNASAが惨事を回避できた可能性があった。しかし、それは数値的な情報ではなかったので、NASAのマネジャーたちはそれを受け入れなかった。カーター・レーシングのケーススタディーでは、正しい数字を見さえすれば答えは手に入ったと教える。NASAの場合は、正しい数字を見ても答えは得られなかった。チャレンジャー号についての意思決定は実に曖昧なものだった。不確実性だらけで、これまでの経験は役に立たない、意地悪な問題だった。そこでは、データをさらに求めること自体が問題だった。

悪名高き緊急電話会議には、3カ所にいた34人のエンジニアが参加していた。プロジェクトのマネジャーたちも、全員がエンジニアだった。サイオコールのエンジニアだったロジャー・ボジョレーは、ブローバイが生じた2回の飛行のあと、自ら接続部分を調べており、(注3)それぞれの写真を見せた。気温24度（華氏75度）の時の飛行では、接続部分のOリングに、非常に細い、明るい灰色のすすの線がついていた。Oリングが完全に密閉する前に、ごくわずかな量のガ

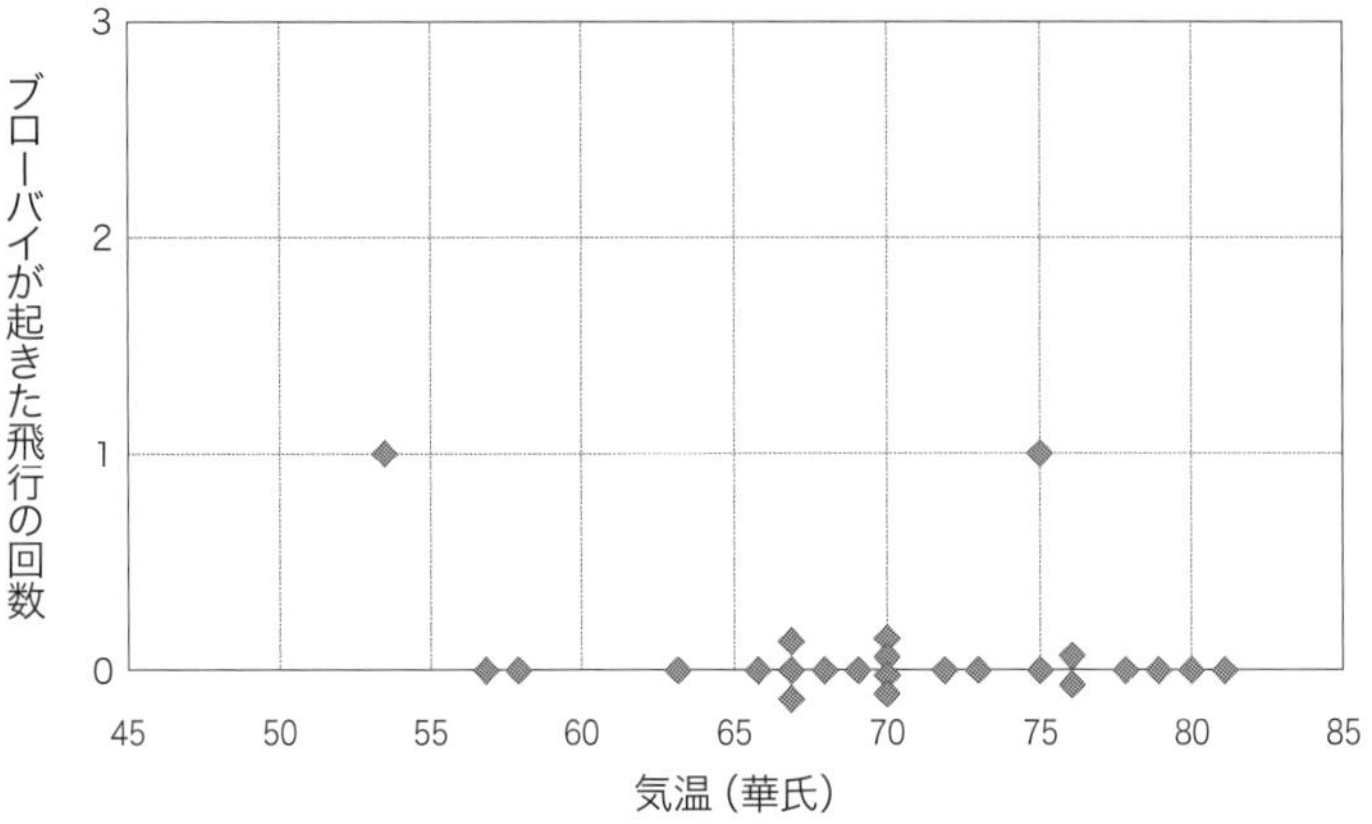

スが吹き抜けたということだ。大惨事からはほど遠い状況だった。

12度（華氏53度）の時の飛行では、真っ黒なすすが、接続部分に太い幅で広がっていた。この時は、大量の燃焼ガスが吹き抜けた。ボジョレーの意見では、12度の時の打ち上げのほうがかなりひどい状況だったのは、寒さでOリングが固くなって、点火の時点での膨張と密閉のスピードが遅くなったからだ。ボジョレーは正しかった。しかし、それを証明するデータを持っていなかった。のちに、彼は調査委員会でこう証言している。「私は、懸念があるなら数字で表してくれないかと言われて、それはできないと言いました。数字で表せるデータは持っていなかった。しかし、間違いなく、『それがよい状態からはほど遠いものであることは確かだ』と言いました」

NASAでは技術の文化が並外れて強かったため、厳格に数値を求める「飛行準備審査」を設けていた。NASAはまるで超予測者のチームのように、常に相手を問い詰めた。マネジャーはエンジニアを厳しく問い詰め、主張の根拠となるデータを出すよう迫った。このプロセスは見事に機能した。スペースシャトルは史上最も複雑な機械だったが[注4]、過去24回の飛行ではすべて無事に帰還していた。しかし、緊急電話会議では、数値を絶対視するこの文化によって、NASAは道を誤ることになった。

マクドナルドとサイオコールの二人のバイスプレジデントは、エンジニアのアドバイスに従って、最初は打ち上げ中止を支持していた[注5]。しかし、チャレンジャーにはすでに飛行許可が与えられていたので、中止をすれば土壇場での変更ということになる。NASAの担当者がサイオコールのエンジニアに、具体的に何度までだったら安全なのかと聞いたところ、エンジニアたちは12度（華氏53度）をリミットとすることを提案した。これまでに経験したことがある最低気温だ。

ＮＡＳＡのマネジャーのラリー・マロイは面食らった。マロイは、マイナス０・５度（華氏31度）から37度（同99度）までの間であれば、シャトルには飛行許可が与えられると思っていた。土壇場になっての12度のリミットは、打ち上げに関する全く新しい技術基準の導入ということになる。そんなことは議論されたこともないし、根拠となる数値データもない。しかも、スペースシャトルの打ち上げは、冬にはできないということになる。マロイは苛立ちを覚え、あとでこれを「バカな考え」と呼んだ。

サイオコールのエンジニアはどうやってその気温にたどり着いたのか。「サイオコールのメンバーは、以前12度で飛んだことがあるからだと答えた」(注6)と、ＮＡＳＡのあるマネジャーは振り返る。「それは私にしてみれば『理由』とは言えない。それは技術ではなく、伝統だ」。ボジョレーは再び、その意見の根拠となるデータを出してほしいと言われた。「今お見せしたもの以外、何もない、と私は答えた」

電話会議は行き詰まり、サイオコールのバイスプレジデントが、５分間だけ社内で話をさせてほしいと頼んだ。その話し合いでサイオコールは、もう提供できるデータはないという結論に至った。30分後に電話会議に戻ってきた彼らは、意見を変えていた。打ち上げ決行だ。サイオコールの正式な文書にはこう書かれている。「主要なブローバイを予測するに当たって、気温のデータは決定的でない」
NASAとサイオコールの電話会議の参加者が、のちに調査やインタビューで繰り返し提起したのは、ある一人の言葉を借りると「技術面での論拠が弱かった」ということだ。会議参加者は口をそろえて、「数値化できなかった」「裏づけのデータが主観的だった」「技術面で十分な結果が出されていなかった」「決定的なデータがなかった」などとコメントしていた。NASAのミッション評価室には、「我々は神を信ずる。ほかの人たちはデータを持ってきなさい[注7]」という言葉が飾られている。NASAはつまるところ、そういう組織なのだ。

マクドナルドは言う。「エンジニアの心配は、そのほとんどが何枚かの写真から生じていた。写真は接続部分を撮ったもので、そこにはすすが残っていた。一つは気温が低い日のもので、もう一つはやや暖かい日の写真だった。ロジャー・ボジョレーは、その2枚の差が絶対に何かを物語っていると考えていたが、それは定性的な評価だった」。NASAのマロイはのちに、もしサイオコールの意見をそのまま上層部に持っていったら、「私はとても無防備に感じただろう」と話している。しっかりとした数値がなければ、「抗弁できなかった」。

NASAを一貫して成功に導いたそのツール、ダイアン・ボーガンが「(NASAのDNAの中にある)独特な技術文化」と呼んだものは、データという慣れ親しんだものが存在しない状況では、正反対の効果を及ぼした。数字を伴わない理屈は、受け入れられなかった。見たことのない課題を前にした時、NASAのマネジャーは、この慣れ親しんだツール(道具)を手放すことができなかった。

心理学者で組織行動学の専門家であるカール・ワイクは、消防のパラシュート降下隊員や森林火災対応の隊員の死について、おかしなことに気づいた。(注8) 彼らは道具を握ったままだった。道具を捨てて走れば、迫ってくる火から逃れられた状況でも、道具を手放していなかった。これは何かもっと大きな意味があると、ワイクは考えた。

ノーマン・マクリーンの小説『マクリーンの渓谷』で有名になった、1949年のモンタナ州マン渓谷での火災では、消防降下隊員がパラシュートで現地に入り、「10時の火災」を相手にする予定だった。10時の火災とは、明朝10時までに消し止めるという意味だ。しかし火の手が木の茂った斜面から、渓谷を越えて、消防士たちがいる反対側の急な斜面に燃え移って状況は変わった。火は乾いた草を燃やし、1秒間に3・4メートルの速度(注9)で丘を這《は》い上がって、消防士たちを追いかけた。消防隊長のワグナー・ドッジは隊員に向かって、「道具を捨てろ」と叫んだ。二人がすぐその言葉に従い、走って尾根を越えて身の安全を確保したが、他の隊員たちは道具を持ったまま走って炎につかまった。一人は疲れ切って走るのを止め、座り込んでしまった。重いバックパックを背負ったままだった。13人の消防士が死亡した。

マン渓谷の悲劇は、安全確保の訓練の改革につながった。しかし、森林火災に向かう消防士は、炎との競争に負け続けた。(注10) 道具を捨てられなかったからだ。

1994年、コロラド州のストーム・キング山で、消防士やパラシュート降下隊員がマン渓谷のような状況に直面した。火事が渓谷を超えて、消防隊員たちの下方のガンベルオークの木々を燃やし始めたのだ。渓谷に響いていた音は「ジェット機が離陸する時のような音だった」[注11]と、生存者の一人が語っている。男女14人が炎との競争に敗れた。遺体収容作業の報告書によると、「(犠牲者の一人は) バックパックを背負っていた」[注12①]。「チェーンソーのハンドルを握っていた」その消防士は安全な場所からわずか75メートルのところで倒れていた。この時の消防士の一人、クエンティン・ローズは、丘を３００メートル近く駆け上がったところで、「自分のチェーンソーがまだ肩にかかっているのに気づいた。なぜだか、それが燃えないところはないかと、置く場所を探した。(中略) 自分のチェーンソーを捨てていくなんて信じられない、と思ったのを覚えている」[注12②]。米農務省森林局も土地管理局も、消防隊員が道具を捨てて、最初から走っていれば無事だっただろうと分析している。

　１９９０年代に起きた四つの別々の火災で、森林火災対応の精鋭の消防士23人が、道具を捨てよという命令に従わず、道具の近くで非業の死を遂げた。ストーム・キング山でローズがようやくチェーンソーを手放した時も、彼は何か不自然なことをしていると感じたという。

　ワイクはほかにも同じような現象を発見した。たとえば、海軍の船乗りが船を捨てる時、つま先が金属で覆われた靴を脱げという命令を無視し、溺れるか、救命ボートに穴をあけた。また、操縦不能になった戦闘機のパイロットが、飛行機から脱出することを拒否した。世界的に有名な綱渡り芸人のカール・ワレンダは、バランスを失って37メートル落下して死亡した時も、最初に足元のワイヤーではなくバランスをとるためのポールをつかんだ。落下する間に、一瞬ポールを失いそうになると、空中でもう一度つかんだ[注13①]。

「自分の道具を手放すということは、習慣を捨てることであり、適応であり、柔軟性である」[注13②]とワイクは記す。「人が自分の道具を捨てたくないと思う、まさにその気持ちが、ドラマを悲劇に変える」。いつもは信頼の置ける組織が、頼りにしている手法にしがみつき、それが原因で誤った意思決定をしてしまう。ワイクにとって消防士はそうした状況を象徴的に示す例だ。

航空機の事故でも、想定外の火事でも、経験豊かなグループは見知らぬ状況に適応しようとせず、プレッシャーのもとで頑なになり、「自分が最もよく知っているものに回帰する」[注13③]。彼らはまるでハリネズミの集団のようになって、見知らぬ状況を曲げて、よく知っている安全地帯の方向に持っていこうとする。まるで、これまで経験した何かに変われと念じているかのようだ。消防士にとって、消防に使う道具は彼らが最もよく知っているものだ。ワイクは次のように述べる。「消防道具は、その人が消防士グループのメンバーであることを示すもので、そもそもその道具を使えるからこそ、消防士は現場に駆り出される。消防士の定義において、消防道具が中心的な役割を果たしているので、自分の道具を捨てることは、実存的な危機につながる」[注13④]。これをマクリーンは簡潔に表現する。「消防士が自分の消防道具を捨てろと言われたら、それは消防士であることを忘れろと言われているのと同じだ」

ワイクの説明によると、森林火災の消防士たちには「なせばなる」という文化があり、道具を捨てることはその文化にそぐわない。なぜなら、道具を捨てれば「なす」ことができなくなるからだ。クエンティン・ローズのチェーンソーは、あまりにも消防士として彼の一部になっていたので、腕があることを普段意識しないように、それをまだ持っていたことに気づかなかった。チェーンソーを持ち運ぶのが完全に愚かだと言える状況になっても、ローズはそれを手放すことが「信じられなかった」。ローズは無防備に感じた。それはNASAのラリー・マロイが、数値データなしで、打ち上げ中止を提案することを考えた時に感じたのと同じ感覚だった。NASAでは定性的な議論を受け入れることは、自分がエンジニアであることを忘れろと言われるようなものだった。

社会学者のダイアン・ボーガンが、固定燃料補助ロケットに関わったNASAとサイオコールのエンジニアをインタビューした時、NASAにも存在した有名な「なせばなる」文化が「すべてうまくいく」という信念として表れているのに気づいた。すべてうまくいくのは、「すべての手順に従っている」からであり、「(飛行準備審査の)プロセスが攻撃的なくらい厳しく」「自分たちはルールに則って進めている」からだ。NASAの道具は、その慣れ親しんだ手順だった。その手順はいつでもうまく機能した。しかし、チャレンジャー号の場合は、彼らはいつもの場所の外側にいた。そこでは「なせばなる」は、ワイクが呼ぶところの「できるようにする」文化に交換すべきだった。つまり、確立された枠組みに合わない情報を切り捨てるのではなく、NASAはその場で考える必要があった。

気温の低さは「よい状態からはほど遠い」という、サイオコールのボジョレーが言った定量化されていない意見は、NASAの文化では感情的な議論と考えられた。その意見は写真の解釈に基づくもので、通常の数値的な基準を満たしていなかった。だから、ボジョレーの意見は証拠として受け入れる価値はないと見なされ、無視された。

ボーガンの見たところでは、固定燃料補助ロケット担当グループの「なせばなる」という姿勢は、「服従に基づいていた」。事故が起こったあと、電話会議のメンバーの中には、ボジョレーの意見に賛成だった人たちがいたことがわかった。しかし、数値的な議論ができないことがわかっていたので、彼らは沈黙を保ち、その沈黙は同意と受け取られた。電話会議に参加していたあるエンジニアは、のちにこう話した。「自分の意見を裏づけるデータがない時には、上司の意見が常に自分の意見より優れているように感じた」

経験豊かなプロフェッショナルが、ワイクの言う「身につきすぎた行動」に依存している場合は、特に慣れ親しんだ道具を捨てるのが難しい。身につきすぎた行動とは、同じ課題に対して、同じ道具で何度も繰り返してきた対応のことを指す。次第にその対応が自動的なものになり、特定の状況に対応したものだということを忘れてしまう。たとえば、航空機事故の調査によると、「よく見られるパターンは（状況が劇的に変わっているのに）最初の計画を続けようと、乗組員たちが決めることだ」(注14)。

ワイクが、世界的な森林火災消防士のポール・グリーソンに話を聞いた時、グリーソンは隊のリーダーとしての役割を、意思決定者ではなく、説得者と捉えるようにしていると言った。グリーソンはこう説明する。「もし決定を下したら、その決定は私のものとなり、それにプライドを持ってしまう。その決定を守るため、決定に疑問を感じる人がいても意見を聞かなくなる。だが、納得してもらおうとしたら、それはもっと動的なものとなって、さまざまな意見に耳を傾け、変更することができる」(注15)。グリーソンは隊員に明確な指示を与えるがそこには透明性と根拠があり、チーム全体が納得できたら計画を見直す。

チャレンジャー号の電話会議の夜、不確実な状況を前にして、通常通りの手続きを守る空気が最高潮に達していた。NASAのマロイはサイオコールに対して、打ち上げを推奨することとその理由を書面にして、署名してほしいと頼んだ。最終段階での承認は、これまでは常に口頭だった。マロイと同じ部屋にいたサイオコールとマクドナルドはこれを断り、ユタ州にいたマクドナルドの上司の一人が代わりに署名して、ファックスで送ってきた。

マロイはあくまでデータを要求していたが、打ち上げの決定には彼自身も不安を感じていたに違いない。しかし同時に、NASAの究極の道具である、神聖化されたプロセスに守られているとも感じていたのだろう。しかし、このプロセスは、「手に入るすべてのデータを使って正しい決定をする」ことよりも、「決定の正しさを主張する」ことに重点が置かれていた。消防士たちと同じように、NASAのマネジャーも自分たちの道具と一体化していた。気温と部品の不具合の間には何の関係もないというNASAのスタンスは、マクドナルドが言ったように、数値データだけを見ていれば裏づけられた。NASAの数値基準は大切に守られてきた道具だったが、チャレンジャー号には不適切なものだった。その晩は、道具を捨てるべきだったのだ。

このようにあとづけで言うのは簡単だが、その時は難しい面もあっただろう。マネジャーたちは、技術的な情報によって方向が決定されるのに慣れていたが、その情報がなかった。黙っているべきだと感じたエンジニアにも情報がなかった。チャレンジャー号事故の前後でスペースシャトルに乗った宇宙飛行士で、その後NASAの「安全と確実なミッション」担当チーフとなった人物は、その数十年後に、「我々は神を信ずる。ほかの人たちはデータを持ってきなさい」の額が彼にとって何を意味していたかを語った。「あの言葉の行間に込められているのは、こういうことだ。『我々は君たちの意見に興味はない。もしデータを持っているなら話を聞く。ここでは意見は求められていない』(注16)」

物理学者で、ノーベル物理学賞受賞者のリチャード・ファインマンは、チャレンジャー号事故の調査委員会のメンバーだった。ある公聴会でファインマンは、「ボジョレーのデータでは彼の意見は証明できなかった」と繰り返すNASAのマネジャーたちをこうたしなめた。「何もデータがない時には、論理的に考えなければならない(注17)」

これはまさに意地悪な状況だ。森林火災の消防士も、スペースシャトルのエンジニアも、最も困難な場面に備えて試行錯誤をしながらトレーニングする余裕はない。

ワイクによると、信頼できて同時に柔軟性が高いチームや組織は、ジャズグループのようだという。つまり、音階やコードなどの基本があって、全メンバーがそれに熟達しなければならないが、それらは移り変わる環境の中での共通言語にすぎない。見たことのない課題に立ち向かうために、捨てられない道具はなく、つくり直せない道具も転用できない道具もない。最も神聖なツールでも捨てられる。あまりにも当たり前で、体の一部になっているような道具でさえ捨てられる。

もちろん、「言うは易く行うは難し」だ。特に、その道具がその組織の中核となっているような場合には、なかなか捨てるのは難しい。

アフガニスタン北東部のバグラム空軍基地に所属していたトニー・レスメス大尉のチームは、彼によると「誰かがとても不幸な状況に陥った時だけ任務についた」。レスメスが指揮していたのは空軍の落下傘救助兵、通称「ＰＪ」と呼ばれる兵士たちのチームで、特殊作戦部隊の一部門だった。ＰＪは、身の毛もよだつような救助の任務を担当する。たとえば、夜間に敵の陣地にパラシュートで降下して、撃墜されたパイロットを救う。ＰＪ一人が、兵士や救急医療隊員、救助専門ドライバー、消防士、落下傘兵の役割を担う。ＰＪのシンボルマークは、天使が地球を抱いている絵で、そこにはこう書かれている。「他者が生きるために」

バグラム空軍基地のＰＪに典型的な1日はない。ある日はロープを使って岸壁を降り、くぼみに落ちてしまった兵士を助け、また別の日には銃撃戦で負傷した海兵隊員の手当をするため現地に急行する。ＰＪはミッションを遂行する部隊に同行することもあるが、たいていは24時間警戒態勢をとり、「9行」を待つ。9行とは、発生した緊急事態について基本的な情報が書かれた9行の文書だ。２００９年のある秋の日に届いた9行は、外傷を意味するアルファのカテゴリーだった。数分のうちに、チームは空に飛び立たなければならない。

情報はわずかしかなかった。陸軍の装甲車両の列の真ん中で、道路際の爆弾が爆発したという。現場は、ヘリコプターで基地から約30分の場所だ。重症のケガ人がいるようだったが、人数や重症度はわからなかった。また、その爆弾が罠で、敵が救助隊の到着を待ち伏せている可能性も拭えなかった。

ＰＪたちは少ない情報だけで仕事をするのに慣れていたが、この時の状況は彼らにとってさえ曖昧だった。レスメスは、大型の救出作業用具や刃先がダイヤモンドでできたのこぎりなど重い機材を持っていく必要があると考えていた。なぜなら、「装甲車のドアは、乗用車のドアのように簡単には切れない」からだ。山中の標高の高い場所では、空気の密度が低く揚力も下がるため、重量は障害となる。機材が重すぎると、ヘリコプターが空中に浮いていられない。燃料にも限りがある。また、機内のスペースも大きな問題だった。ＰＪはそれぞれ装備を身につけており、2台のヘリコプターはいずれも大型のバンくらいの広さだった。ヘリコプターでの輸送が必要なほど重症なのは何人で、そのためにどのくらいのスペースが必要なのかわからなかった。

レスメスが確信していたのは、ただ一点だけだった。それは、ケガをした兵士のために十分なスペースを確保し、爆発現場に一度行けば済むようにすることだ。重症の兵士を手当てし、ヘリコプターに乗せるには時間がかかる。現場にいる時間が長くなれば、敵に見つかる可能性も高まる。最悪の場合、救助隊の出動を要請する必要が出てくるかもしれない。

レスメスは当時27歳で、前年はアメリカ本土のハリケーン救助チームを率いていた。アフガニスタンは初めての海外任務で、チームには海外経験が豊富な自分より年上のメンバーがいた。いつも通り、レスメスは二人のメンバーをオペレーションセンターに呼び、情報収集や、状況の理解に力を貸してもらおうとした。レスメスは言う。「メンバーは、私が思いつかない、本当によい指摘をしてくれるので、できるだけ情報を共有したい。時間も限られているので」。しかし、追加情報はほとんど得られなかった。「ハリウッド映画だったら、ドローンを現場まで飛ばして情報をすべて手に入れられるけれど、それは映画の世界の話だ」

レスメスはヘリコプターまで歩いていった。そこではPJたちが戦闘用のフル装備を身につけていた。通常の意思決定のやり方では解決策が見いだせない状況だった。レスメスは課題を挙げて、PJたちに「どうやって解決しようか」と聞いた。

場所を詰めて機材を詰め込んだらどうかと、一人のメンバーが言った。別の一人は、患者のために場所が必要な場合、PJを現地に何人か残してくるのはどうかと言った。さらにもう一人は、重症度の高い患者だけを運んで、もう一度救助に行く必要がある場合は、隊に爆発現場から移動してもらい、もっと目立たない場所で落ち合うことを提案した。しかし、爆発は装甲車が走行している最中に起きた。隊がどのくらい動けるのかの情報はなかった。

「私たちに分があるような、本当の解決方法は思いつかなかった。私はスピードでも勝りたかったし、重さも活用したかった。それにケガをした兵士のための場所も必要だった。距離と時間、さまざまな制約、敵の存在。すべてがのしかかってきて、最悪のシナリオになったら救出に成功できそうにないと感じ始めた。こんなパターンは経験がなく、通常のパターンとはまるで違った」。レスメスは鍵となる情報を持っていなかった。それでも、持っていた情報に基づいて、ケガをした兵士の数は3人以上、15人未満と推測した。すると、一つのアイデアが浮かんできた。ケガをした兵士のためのスペースを増やせるアイデアだ。これまで捨てたことがない道具を捨てる――それは自分自身だった。

レスメスはそれまで、多数のケガ人がいるアルファ・カテゴリーの任務に必ず同行した。レスメスは現場の指揮官だった。ＰＪたちが患者を救うために「脇目も振らず」一心に取り組んでいる時、広く現場を見渡しているのがその役目だった。現場の安全を確保し、メンバーや基地、上空を旋回して患者を引き上げるのを待っているヘリコプターのパイロットと連絡を取った。銃撃戦が始まった場合には、爆撃機に無線連絡して応援を頼んだ。地域にいる他の部門の将校たちとも連携を取った。

爆破現場では、常に感情的な混乱が起きている。兵士たちは、仲間が大きなショックを受けて、ペロペロキャンディ状の鎮痛薬にしゃぶりつき、出血死の危険にさらされているのを見ている。どうにかして助けたいのに、ケガをした仲間を移動させなければならない。

現場にはマネジメントが不可欠だ。だが今回は、想定以上のケガ人が出ていない限り、上級の下士官が救護活動を進めながらリーダーシップをとれるのではないかと思った。レスメスは戻ってくる患者のために野戦病院の準備をし、無線を通じて現地のメンバーと話しながら、オペレーションセンターでヘリコプターへの患者の収容を取り仕切る。これは代償を伴う選択だった。だが、どの選択肢もそうだった。

レスメスはその「仮説」を携えてチームのもとに赴いた。「間違っていると証明してほしかった」とレスメスは言う。彼はメンバーに、機材と患者のスペースを空けるため、自分は基地に残るつもりだと言った。ヘリコプターのプロペラが回転を速め、重症の兵士を救うために重要な負傷後の1時間、いわゆるゴールデンアワーの残り時間が減っていく。レスメスはメンバーに、意見は全部検討するから早く話してほしいと言った。2、3人が黙っていた。何人かが反対した。チームにとって一体感は最も基本的なツールで、それを捨てることを考えたことがなかった。一人がきっぱりと、同行することが指揮官の仕事であり、指揮官はそれをしなければならないと言った。一人は腹を立てていた。別の一人は反射的に、レスメスは怖がっているとほのめかした。彼は、死ぬ時は死ぬのだから、いつも通りにやるべきだと言った。レスメスは怖かったが、危険にさらされるのが怖いのではなかった。「何かが起きて、そこに指揮官がいなかったら、そのことを10人の家族にどう説明するのか」とレスメスは私に言った。

レスメスが私にこの話をしてくれた時、私たちはワシントンDCの第二次世界大戦記念碑の近くに座っていた。最初、彼は毅然としていたが、やがて泣き始めた。「すべては訓練と熟練と団結の上に成り立っていた。何人かが動揺していた理由はよく理解できる。この時は、標準の任務遂行手順から逸脱していた。つまり、私の判断は疑問視されて当然だった。でも私が同行したら、二度現場に行かなければならなかったかもしれない」。彼の提案への異議は感情的、思想的なもので、戦術的なものではなかった。レスメスは以前、チームと話して意見を変えたことがあったが、今回は違った。レスメスは残り、チームは出発した。オペレーションセンターに戻る時、救助ヘリコプターがゆっくり空を昇っていった。「この上なく苦しかった。もし何か間違いが起きたら、救助ヘリが墜落するのを見ることになるかもしれなかった」とレスメスは言った。

救助のミッションは、幸いなことに、全面的に成功した。ＰＪたちは爆発現場でケガ人を手当てした。７人の兵士をヘリコプターで運ぶ必要があり、彼らは缶詰のイワシのようにすき間なく詰め込まれた。何人かは野戦病院で切断手術をする必要があったが、全員が生き延びた。

任務がすべて終わった時、上級の下士官が「正しい選択だった」と言った。別のＰＪはこの件について何カ月も口にしなかったが、その後、レスメスがチームを全面的に信頼していたことに驚かされた、と言った。腹を立てた兵士は、しばらく腹を立てていた。私がインタビューした別のバグラムのＰＪは、「もし自分があの立場だったら、間違いなく『みんなで行こう』と言っていたと思う。本当に辛い決断だったのではないか」と話した。(注18)

「わからない。今でも時々、あの時の決断に悩まされることがある。何か悪いことが起きていたかもしれず、もしそうなっていたら、あれは悪い決断だった。運がよかっただけなのかもしれない。あの時は、どの選択肢も最善とは思えなかった」

レスメスへのインタビューを終える頃、私はワイクの研究に出てきた道具を手放さなかった森林火災の消防士について触れた。ワイクの説明によると、プレッシャーのもとでは、経験を積んだプロでも一番よく知っているものに回帰していくという。私はレスメスに、ＰＪたちは感情的に反応し、慣れ親しんだものに飛びついただけではないかと言った。一体感というとても神聖な道具さえ、捨てなければならない時があるはずだ。違うだろうか。レスメスは同意のしるしにうなずいた。もちろん、私がそう言うのは簡単だ。レスメスは少し間を置いて言った。

「確かに。でも、その一体感の上にすべてが築かれているんだ」

チャレンジャー号のマネジャーたちは、プロセス順守の過ちを犯した。彼らはいつもとは違う課題を前に、いつもと同じ道具にしがみついた。レスメスは神聖な道具を手放し、成功した。何人かのメンバーは、冷静になったあとに、それは正しい選択だったと評価した。しかし、そうは考えなかった人たちもいた。この件について振り返る時、レスメスは涙を流す。決して、おとぎ話のようなハッピーエンドではなかった。

もしNASAがチャレンジャー号の打ち上げを取りやめていたら、中止を後押ししたエンジニアたちは「チキン・リトル〔大騒ぎする臆病者〕」と呼ばれていたかもしれない。宇宙ビジネスでは、チキン・リトルはうまくやっていけない。NASAのエンジニアのマリー・シェイファーは、かつて「完璧な安全を求めるのは、現実世界で生きる根性がない人だ」[注19]と言い切った。だから、道具を使うのに長けていて、それを捨てることもできるエキスパートを組織が育てるのは、当然のことながら難しい。しかし、役に立つ組織戦略もある。それは、奇妙に聞こえるかもしれないが、矛盾したメッセージを送ることだ。

「整合性」は、組織の構成要素である価値観、目標、ビジョン、自己概念、リーダーシップなどが「互いに合っていること」を表す社会科学用語だ。1980年代以来、この言葉は組織理論の柱となってきた。企業文化は、一貫していて強力な時に効果をもたらす。すべての要素がはっきりと同じ方角を向いている時、一貫性は自然に強化されていく。そして、人間は一貫性が好きだ。

多くの企業を調べると、そのプロフィールには整合性が見られた。しかし、一つの業界の組織を幅広く対象とした最初の体系的な研究(注20)で、334の高等教育機関（大学など）を調べた研究者たちは、組織の成功を示すどんな指標にも、整合性が全く影響を及ぼさないことを示した。整合性の高い教育機関の事務長や部門長、理事などの人々は、確かに組織の文化をよく理解していたが、それは業績と何の関係もなかった。学生の学業やキャリア開発、教授陣の満足度、大学の財政の健全度など、どれをとっても整合性は影響していなかった。

この研究を率いた研究者は、さらに何千もの企業を研究した。そして、最も有能なリーダーと組織にはレンジがあることを発見した。(注21)つまり、それらの組織は、実質的に矛盾していた。たとえば、要求は厳しいが愛情深い、秩序立っているが起業家的、ヒエラルキーが強いのに個人主義的な組織もあり、ある程度の曖昧さは害を及ぼさないようだった。意思決定においては、レンジがあることで組織がさまざまなツールを活用できる。

フィリップ・テトロックとバーバラ・メラーズ（第10章参照）は、曖昧さに耐えられる人が最もよい予測をすることを明らかにした。テトロックの大学院での教え子で、テキサス大学教授のシェファリ・パティルは、テトロックとメラーズとともにプロジェクトを実施し、曖昧な組織文化を築けることを示した。そして、曖昧な組織文化があると、組織の意思決定者は一つ以上の道具を用いることになって、より柔軟で俊敏な組織を築けるという。

パティルらによるある実験(注22)では、被験者は企業の人事部のマネジャーになったつもりで、採用候補者の採用後のパフォーマンスを予測した。被験者たちには、標準的な評価方法が提供された。そこには、候補者のスキルを通常どのように重みづけするかが示されていた。また、人事部のマネジャーはどんな採用をするかで評価されると告げられた。予測をしたあと、被験者たちは現実世界を早回ししたシミュレーションによって、候補者がどのような実績を上げたかを見る。それによると、一部の候補者は、標準的な評価方法で予測した通りの実績を上げたが、それ以外の候補者は、その予測にかすりもしなかった。

それでも、人事部マネジャー役の被験者たちは、どんな結果が示されても、何度も繰り返し標準の評価方法に従った。その方法が明らかに機能していなくても、もっとよい方法が簡単に発見できそうな時も、標準の評価方法を用いた。彼らは経験から学べなかった。

しかし、ここで新しいアイデアが示される。にせのハーバード・ビジネス・レビュー誌の研究だ。そこでは、異議を唱えることと自主性を大切にする人が成功すると書かれていた。すると、被験者たちの心は魔法のように開かれ、学習を始めた。標準の評価方法を修正すべき、あるいは使うべきでないと認識し始め、経験から学んでいった。その結果、予測の精度が増していった。人事部マネジャー役の被験者は、「不整合」から成果を得た。ルールに従った公式の評価方法は、自主的な決断や、典型的なやり方への異議という非公式な文化によって、バランスが取れるようになった。

不整合は反対の方向でも機能した。次の実験では、人事部マネジャー役の被験者に、標準の評価方法を教えはするが、予測の精度だけが彼らの評価の対象となると伝えた。すると、彼らは標準の評価方法を置き去りにして、独自のルールをつくり始めた。標準のやり方がいつ効果を発揮するのか、学ぶことはなかった。この実験で救いの手を差し伸べたのも、やはりハーバード・ビジネス・レビューのにせの研究結果だったが、そこには、団結と忠誠、共通点を見つけることを重視する人たちが成功すると書かれていた。今回も、人事部マネジャー役の被験者たちは学び始めた。伝統的な手法が役立つ時にはそれに従い、一方で、それが役立たない時にはそこからすぐに離れていった。NASAもこうすべきだった。

ビジネススクールの学生たちは、整合性モデルを信じるよう教えられることが多い。つまり、優れたマネジャーは業務のすべての要素を常に組織文化に整合させることができ、その文化ではあらゆる要素が互いに強化し合い、それが団結であっても自主性であっても、一つの方向に進んでいくと学ぶ。しかし、組織文化は一貫性を持ちすぎる時がある。そこに不整合を持ち込むことによって、「別の角度からの検証ができるようになる」とテトロックは言う。

人事部マネジャーの実験では、標準の手法（それが何であれ）と、それとは反対のやり方を促進する力のバランスをとる組織文化が、問題解決に強いことが示された。もし、マネジャーが標準のプロセスに従うことに慣れているのなら、自主性を持つよう促すことで「両手利きの思考」が生まれ、それぞれの状況で何が効果的なのかを学習できるようになる。反対に、マネジャーたちが即興的な動きに慣れているのなら、忠誠と団結を促せば、同様の結果が得られる。ここでカギとなるのは、まず中心的な組織文化を認識し、続いて反対方向で文化を多様化して、組織のレンジを広げることだ。

チャレンジャー号の打ち上げの決定では、NASAの「なせばなる」文化が、極端なプロセス順守という形で、集団主義的な規範と組み合わさって現れた。すべてのものごとが標準的な手順に合うように進められた。プロセスが非常に硬直化していたため、いつもの決まりに合わない証拠は拒絶され、プロセスが非常に神聖なものだったため、ラリー・マロイはいつものプロセスに従っていることを証明する署名付きの紙切れで、自分が守られているように感じた。異なる意見は飛行準備審査では評価された。しかし、最も重要な瞬間に、最も重要なエンジニアのグループが社内での打ち合わせを求め、そこで意見を同調させる方法を内輪で見つけた。あるエンジニアが言ったように、データがなければ「上司の意見が常に自分の意見より優れている」ということだ。

レスメス大尉と話せば話すほど、彼はたとえ標準的な手順から外れたとしても、結果を出す責任があると強く感じていたのだと思うようになった。しかも、それを並外れて強力な集団的文化の中で実行した。その文化では本来なら、標準から外れる決定を簡単に下せないはずだった。レスメスは、パティルとテトロック、メラーズが書いたように、「柔軟な両手利きの思考をするために、クロス・プレッシャー〔異なる意見にさらされること〕」を活用した。なお、３人の論文の副題は、「考えなしの同調と無謀な逸脱のリスクのバランスをとる」だ。

超予測者のチーム（第10章参照）も、クロス・プレッシャーを活用していた。チームは純粋にメンバーの予測の精度によって評価されたが、「ＧＪＰ（優れた判断力プロジェクト）」の内部では、集団主義的な文化が奨励された。意見を述べることが期待され、有用なコメントへの投票が実施され、節目には累計のコメント数などが発表された。

実は、チャレンジャー号以前には、NASAの文化が不整合を活用していた時期が長く存在した。アポロ11号が月に着陸した時のフライトディレクター［管制センターで技術者を取りまとめる役割］だったジーン・クランツ[注23]は、「我々は神を信ずる。ほかの人たちはデータを持ってきなさい」という同じモットーに従っていた。しかし、クランツは、組織のあらゆる階層の技術助手やエンジニアたちの意見を聞くことを習慣としていた。そして、同じ直感を2回耳にしたら、データがなくても通常のプロセスを中断して調査をした。

マーシャル宇宙飛行センターで、月面着陸ミッションのロケット開発を率いたヴェルナー・フォン・ブラウンも、形式張らない個人主義的な文化で、異なる意見や別組織とのコミュニケーションを促し、NASAの厳格なプロセスとのバランスをとった。フォン・ブラウンは「月曜日のレポート[注24①]」を開始した。これは、エンジニアが毎週、紙1枚に重要な問題を書いて提出するものだ。フォン・ブラウンは、そのすき間にコメントを書き入れて、すべてのレポートを回覧した。これによって、他の部門が何をしているかを全員が見て、簡単に問題を提起できた。月曜日のレポートは厳格だったが、形式張らないものだった。

1969年の月面着陸の2日後、タイプされたレポートの短い項目に、フォン・ブラウンは着目した。そこではあるエンジニアが、液体酸素タンクが突然、圧力を失った理由を推測していた。その問題は、月面着陸ミッションではもう無関係だったが、今後の飛行でまた浮上してくる可能性があった。「できる限り正確に突き止めよう」と、フォン・ブラウンは書いた。「この問題の背後に、チェックや修復が必要な問題があるのか、解明する必要がある」。クランツと同じように、フォン・ブラウンも問題や直感やよくない情報を探し歩いた。問題を公表した人に報酬を与えたほどだった。

クランツとフォン・ブラウンの時代が過ぎると、「ほかの人たちはデータを持ってきなさい」のプロセス文化は残ったが、形式張らない文化や個人の直感の力はしぼんでいった。

1974年に、ウィリアム・ルーカスがマーシャル宇宙飛行センターのディレクターに就任した。NASAの主任歴史研究者によると、ルーカスは才気あふれるエンジニアだったが、「問題を知ると腹を立てることが多かった(注24②)」という。マクドナルドによると、ルーカスは「悪い知らせに耳を貸さないタイプ」だった。ルーカスは月曜日のレポートを、純粋に上に向けた報告の制度に変えた。ルーカスがコメントを書き入れることはなく、レポートも回覧されなくなった。ある時点で月曜日のレポートは、決まった書式に記入する形に変わった。レポートはプロセス文化における硬直的な形式の一つになった。別の公式のNASA歴史研究者は、「すると直ちに、レポートの質が下がった(注25)」と記した。

ルーカスはチャレンジャー号の事故の直後に引退した。しかし、プロセス文化は根強く残った。スペースシャトルのもう一つの死亡事故である、2003年のコロンビア号の事故は、チャレンジャー号の事故を文化的にコピーしたようなものだ。NASAは通常とは異なる状況で、通常のプロセスにしがみついた。チャレンジャー号の事故によって、プロセス順守と集団主義との間の整合性がさらに求められるようになった。

［コロンビア号の事故の前に］エンジニアたちはある技術的な問題を十分に理解できずに懸念を強

めたが、それを数値で証明できなかった。そこで、彼らは国防総省に連絡をとり、損傷が疑われたスペースシャトルの部分を写した高解像度の写真の提供を依頼した。すると、NASAのマネジャーたちは国防総省からの支援を阻んだだけでなく、「正式の経路」(注26①)以外から接触したことを国防総省に謝罪した。NASAの長官は、こうした手順の違反は二度と起こさないと約束した。コロンビア号の事故調査委員会は、「(NASAの文化は)命令系統、手続き、ルールに従うこと、決められた通りに進めることに重きを置いていた。ルールや手続きは組織内の連携のためには不可欠だが、予想外のマイナスの結果をもたらした」とまとめた。またしても、「ヒエラルキーと手順への忠誠」が大惨事に結びつき、階層の低いエンジニアが数値化できない懸念を持っていながら沈黙を通した。なぜなら、「データの要求が厳しく、威圧的だった」(注26②)からだ。

チャレンジャー号とコロンビア号の事故では、マネジメントと組織文化の側面が不気味なほど似ており、調査委員会はNASAが「学習する組織」になっていないと判断した。クロス・プレッシャーが欠けている中、NASAは学習することができなかった。それはちょうど、パティルの実験で、整合性重視の文化に置かれた被験者たちと同じだった。

しかし、NASAの中にも組織文化に関して重要な教訓を得た人たちがいて、必要な時にその教訓を活用した。

2003年の春、コロンビア号を失ってからわずか2カ月後のこと、NASAは、

7億5000万ドルを費やし、40年間続けてきた有名なプロジェクトを中止するかどうかの決断を迫られていた。重力探査機「グラビティ・プローブB」(注27)のプロジェクトは、アインシュタインの一般相対性理論を証明するために始められた、技術的に非常に高度なプロジェクトだ。この衛星の打ち上げの目的は、地球の質量と回転が、時空の構造をどうゆがめるかを測定することだった。

このプロジェクトが構想されたのは、NASAの設立から1年後だった。打ち上げは技術的な問題によって数えきれないほど延期され、プロジェクトは3回ほど打ち切りになりかけた。NASAの中にもこのミッションの実現は不可能だと考える人がいて、資金の確保も、議会へのロビー活動に長けたスタンフォード大学の物理学者が、繰り返し手を貸してきた。

技術的な課題は山積みだった。たとえば、探査機には、人工物として最も丸いものが必要だった。それはピンポン玉くらいの大きさのジャイロスコープ用のローター〔回転体〕で、完璧なほどの球体なので、そのローターを仮に地球の大きさまで膨らましたとしても、最も高い山で2・4メートルくらいにしかならない。ジャイロスコープは液体ヘリウムによって摂氏マイナス268度まで冷やす必要があり、探査機は正確に操縦するために、精密で繊細なエンジンが必要だった。テスト飛行の準備が整うまでの技術開発に、20年の歳月を要した。(注28)

議会の目はNASAに注がれていた。コロンビア号事故の直後に探査機を打ち上げて、大きな失敗をすることはできない。だが、グラビティ・プローブBの打ち上げが再び遅れた場合、もう延期できない可能性があった。プロジェクトのマネジャーだったレックス・ジェビデンは私とのインタビューで、「早く打ち上げなければ、というプレッシャーはものすごく大きかった」と話した。しかし、打ち上げ前の飛行準備審査に備えていたエンジニアが、問題を一つ発見した。

ある電子装置への電力供給が、重要な科学機器を妨害していた。幸いなことにこの電子装置は、ミッションの最初にジャイロスコープを回転させ始める時だけ動けばよかった。したがって、その後はスイッチを切れるので致命的な問題にはならない。それでも、これまで予期していなかった問題だった。もし、ほかにも欠陥があって、そのためにジャイロスコープが回転せず実験が始められなかったら、ミッションは全くのムダになってしまう。

ジャイロスコープを収納した巨大な水筒のような入れ物には、すでに液体ヘリウムが入れられて冷やされ、密封されて打ち上げを待っていた。電子装置の検査が必要となれば、3カ月かけて組み込んだ部品を探査機から外さなければならない。そのために打ち上げが遅れれば、追加で1000万ドルから2000万ドルのコストがかかる。エンジニアの中には、部品をそのままにしておくよりも、外して損傷させるほうがリスクは大きい、と考える者もいた。メインの受託事業者だったスタンフォード大学のチームリーダーもこう話した。「私たちは成功に自信を持っていたので、打ち上げに向けて準備を進めるよう強く主張した」(注29)。NASAのグラビティ・プローブB担当のチーフエンジニアとヘッドサイエンティストも、打ち上げに賛成だった。加えて、探査機は打ち上げに向けて、カリフォルニア州のバンデンバーグ空軍基地に移動されていた。したがって、探査機がそこにある間に、地震にあう可能性もある。さて、レースに出場すべきか。欠場すべきか。

決断はジェビデンの手に委ねられた。「その時のストレスといったら。言葉で表現できないほどだった」とジェビデンは語った。今回の騒ぎの前にも、ジェビデンはかすかな予感がしていた。電子装置の管理の仕方が気になっていたのだ。しかし、電子装置が探査機に組み込まれている限りは、それ以上の情報は入ってこない。

ジェビデンは1990年にNASAに加わり、組織文化を熱心に観察してきた。「NASAに入った時に、ここには（規則や手順に）順応する文化があると感じた」とジェビデンは言う。初期の頃に、NASAが提供するチーム・ビルディングのクラスを受講した。その第1日目にインストラクターが、意思決定で最も重要な原則は何かと聞いたので、ジェビデンは「コンセンサスを得ること」と答えた。さらに、付け加えて「チャレンジャー号を打ち上げた人たちは、この点には賛成しないと思う」と言ったという。「コンセンサスはあるといいが、それによってメンバーの幸せを高めようとすべきではなく、最適化すべきなのは意思決定だ。NASAの組織文化はどこかが間違っていると感じていた。健全な緊張感が存在していなかった」(注30)。NASAには依然として神聖化されたプロセスがあり、論争を見えないところに追いやる集団主義的文化があった。「どの会議でも、必ず誰かが『これは非公式な場所で話そう』と言う」。サイオコールが内輪の社内会議を開いたのと同じだ。

かつてクランツやフォン・ブラウンがそうしたように、ジェビデンは彼ならではの方法で、型にはまらない自主性を公式なプロセス文化に加えてバランスをとろうとした。「コミュニケーションの系統は指揮命令系統とは全く違う。型にはまらないものとすべきだ」とジェビデンは言う。彼が望んでいた文化は、誰かが「何かが違う」と感じたら、反対する責任があるような文化だ。ジェビデンは電子装置の疑いについて調べることとした。

ジェビデンは、スタンフォードの電子装置のマネジャーを深く尊敬していた。そのマネジャーは以前にも同じような電力供給に取り組んだことがあり、その技術を脆弱なものと見ていた。公式なミーティングでは、NASAのヘッドエンジニアとヘッドサイエンティストが、電子装置をそのままにしておくことを推奨した。そのあとでジェビデンは非公式に個人的なミーティングをいくつか開いた。そのうちの一つで、NASAのチームのメンバーから、その電子装置をつくったロッキードマーティンのマネジャーが懸念を持っていることを知った。その電子装置について、明らかになっている問題は克服できるが、チャレンジャー号のOリングのように、問題は予想外のものだった。まだ誰も気づいていない問題があるかもしれない。

チーフエンジニアとスタンフォードのチームリーダーの意見に反して、ジェビデンは打ち上げを延期して電子装置を取り外すことを決めた。外してみるとすぐに、エンジニアたちはほかにも三つの設計上の問題があるのを見つけた。問題は回路図の上には表れていなかった。その中の一つは、間違った部品を使っているというものだった。この発見に驚いたロッキードは、その装置の中の回路をすべて見直してみることにした。すると、20の問題が見つかった。

まるで、宇宙の神がグラビティ・プローブBに試練を与えようとしているかのように、電子装置を取り外して1カ月後に、打ち上げ場所の近くで地震が起きた。しかし、打ち上げ機は少し損傷したものの、探査機自体は無事だった。４カ月後の２００４年４月、グラビティ・プローブＢはようやく打ち上げられた。同探査機は、アインシュタインの一般相対性理論を初めて直接検証するものだ。(注31)ここで使われた技術はそのあとも活用された。グラビティ・プローブＢのために設計されたコンポーネントは、デジタルカメラや衛星の性能向上につながった。センチメートル単位で正確な測定ができるＧＰＳ（全地球測位システム）は、飛行機の自動着陸システムや、精密農業に生かされた。

その翌年、新しいＮＡＳＡの長官が大統領によって任命された。新長官が求めたのは、自主性と、自分の意見を述べる議論で、それがＮＡＳＡの強固なプロセス順守義務へのクロス・プレッシャーとなることだった。新長官はジェビデンを副長官に任命した。事実上、ＮＡＳＡのＣＯＯに当たるポジションで、政治家が任命しないポジションとしては最上位のものだ。

２０１７年、ジェビデンはＮＡＳＡでの学びを、ＢＷＸテクノロジーズのＣＥＯの役割で生かすことにした。同社の事業範囲は広く、中には火星への有人ミッション用の原子力推進システムの開発などがある。ＢＷＸテクノロジーズの幹部には軍を引退したリーダーが何人かいて、彼らは強固なヒエラルキーを大切なツールとしていた。だから、ＣＥＯに就任した時、ジェビデンはチームワークについて期待することを短い文書で書いた。「組織で意思決定しようとしている時に、私の意見に反対を表明することこそ、組織が健全である証だと彼らに伝えた。決定後は順守と支援を求めるが、冷静に話し合えるなら、少しばかり論争しても構わない」

ジェビデンは、コミュニケーションの系統と指揮命令系統の間には違いがあると強調し、この違いが健全なクロス・プレッシャーを表すと言う。「私は組織のあらゆる階層の人たちと話し、工場の現場の人たちともコミュニケーションをとるけれども、それで不安や疑問を感じたりしないようにと幹部に言った。また、それぞれの指揮系統内での決定について妨害はしないが、組織内でのどこでも、いつでも情報を集め、情報を提供するとも伝えた。上層部の声だけを聞いていたのでは、組織を十分に理解することはできない」

ジェビデンの言葉で、私はガールスカウトのCEO、フランシス・ヘッセルバイン（第7章参照）の「円形のマネジメント」を思い出した。組織構造ははしごのようではなく、リーダーを中心とした同心円のようであるべきだと、ヘッセルバインは考えた。情報は多くの方向から流れ込み、円に属する誰もが、次の円とコミュニケーションをとるための、いくつもの入り口を持っている。たった一人の上司だけが入り口となるのではない。ヘッセルバインがこのことを私に説明した時、それはジェビデンが生み出そうとし、レスメス大尉が実現した不整合とよく似ていると思った。指揮命令系統とコミュニケーションの系統の違いが不整合を生み出し、健全な緊張感をもたらす。「型にはまった文化」と「型にはまらない文化」のミックスは、時に混乱するが効果的だ。

心理学と経営学の教授の3人組が、1世紀に及ぶヒマラヤ登山者グループ、5104組について分析したところ、（注32）ヒエラルキーを大切にする国の登山者は、登頂に成功する人も多いが、途中で死亡する人も多いことがわかった。この傾向は、単独の登山者では見られず、グループだけだった。研究者たちは、ヒエラルキーの強いチームでは指揮命令系統の明確さによる効果が得られるが、コミュニケーションの系統が一方通行なため、問題が見えにくくなったのではないかと指摘した。優れたチームとなり、また生き延びるには、ヒエラルキーと自主性の両方の要素が必要になる。

そのバランスをとるのは簡単ではない。スペースシャトルのエンジニアにしろ、情報が得られないＰＪにしろ、定性的な直感にルールはない。しかし、不整合があることで、実験で研究者が示したように、人は役に立つ手掛かりを発見し、時には使い慣れた道具を捨てることができる。

ワイクの道具についての洞察で私が思い出したのは、大学院時代に、太平洋で調査船のモーリス・ユーイングに乗っていた時の経験だ。船は海底に向けて音波を発して、水中の火山の姿を描き出していた。私はそこで火山の専門家数人と知り合ったが、彼らはまさに火山色のメガネで世界を見ていた。恐竜の絶滅の主な原因、少なくとも重要な原因の一つが小惑星の衝突であることには多数の証拠が示されているが、彼らは火山の噴火こそが真犯人だと言い張った。一人は私に、小惑星が衝突したとしても、それは幸運なノックアウト・パンチで、火山がボディブローとして効いていたと主張し、あらゆる種類の絶滅を火山のせいにしているようだった。そのうちいくつかには納得のいく証拠があったが、全くないものもあった。もし周りに火山学者しかいなかったら、すべての絶滅の原因は火山にあるように思えるのだと、私は学んだ。世界にとって、それは必ずしも悪いことではないかもしれない。火山学者は一般に受け入れられている考え方に挑み、視野の狭い専門家たちに、火山の知識を与えるからだ。だが、すべての専門分野が特定の道具にしがみつくように育っていったら、その果てには、悲惨な近視眼的な結果が待っているかもしれない。

たとえば、血管を広げる金属のチューブ「ステント」で、胸の痛みを治療することに特化した心臓専門医の例がある。ステントはものすごく理にかなっている。患者が胸の痛みを訴えて来院する。画像では動脈の一部が狭くなっているのが見える。そこを広げるためにステントを設置し、心臓発作を予防する。この理屈は非常に説得力があるので、ある有名な心臓外科医は「オキュロステノティック・リフレックス（oculostenotic reflex）」という言葉までつくった。(注33)「oculo」はラテン語で目を意味し、「stenotic」はギリシャ語で狭いという意味だ［reflexは反射の意］。全体としては「狭い部分を見つけたら、反射的に治す」という意味になる。しかし、ステント治療と従来の薬物治療の成績を比較した研究でわかったのは、持続的な胸の痛みがある患者にステント治療を施しても、心臓発作を防ぐ効果も、患者の寿命を延ばす効果もなかった。

ステント治療に特化した心臓病専門医は、複雑なシステムのごくわずかな部分を見て、そこだけを治療している。心臓血管のシステムは台所の流しとは違い、詰まったパイプを直しても通常は効果がなく、容態が安定している心臓病患者にステント治療をしても、重篤な合併症を引き起こすか死亡する確率は下がらないという。(注34)鳥の目で見た証拠があるにもかかわらず、このステントという道具に特化している心臓専門医は、ステントが効果を発揮しないとは信じることができない。(注35)ステントを使うのをやめろと言われることは、ステント専門の心臓専門医であることを忘れろと言われるようなものだ。

「ステント治療は理にかなっているが、効果的ではないようだ」とわかっているのに使おうという直感が働く。そのことは、2015年の研究結果の説明となるかもしれない。[「はじめに」でも触れたが]全国的な心臓病学会が開催されて、何千人ものトップの心臓専門医が病院を留守にする期間は、入院した心不全の患者の死亡率が下がるという。(注36)心臓専門医のリタ・F・レッドバーグはこう記す。「大きな心臓病学会で、私は同業者たちと『心臓発作を起こすなら、この会場が世界で一番安全な場所だ』とよく冗談を言っていた。しかし、(心臓病学会についての研究によって)その分析は覆された(注37)」

同様にゾッとするような発見が、医療の世界のあちこちで表れている。特定の道具を使う専門の医師たちがいる場所では、どこでも見られる。

世界中で最も一般的な整形外科手術の一つに、損傷した半月板を削って、もとの三日月のような形に戻すというものがある。半月板とはひざ関節にある小さな軟骨だ。患者が膝の痛みを訴えて来院し、MRIによって半月板の損傷が見つかると、整形外科医はそれを手術で治そうとする。フィンランドにある五つの整形外科クリニックが、この手術と「疑似手術(注38)」とを比較した。疑似手術では、半月板を損傷して痛みを訴える患者を手術室へ連れていき、切開して手術をしたふりをし、元通りに縫合して、そのあと理学療法を受けさせた。その結果、疑似手術も同じように効果的だった。実は、半月板を損傷した人の大半には何も症状が現れず、損傷していることに気づかない。半月板を損傷し、その上に痛みがある人でも、その痛みが損傷とは全く関係がない可能性がある。

　大きなジグソーパズルの中の小さなピースを個別に見るだけでは、それがどんなに高解像度でも、人類の大きな課題には十分に立ち向かえない。人間は熱力学の法則を以前から理解しているが、森林火災の延焼をなかなか予測できない。細胞の働きについても知っているが、その細胞で構成される人間が書く詩を予測することはできない。個別の部分を見るカエルの視点では、十分ではない。健全なエコシステムには、生物の多様性が必要だ。

　かつてないほどの専門特化が進んでいる現代でも、幅（レンジ）の広さの指針となる人たちがいる。歴史学者のアーノルド・トインビーは、「万能のツールなどない。すべてのドアのカギを開ける、マスターキーもない」と言ったが、その言葉のように生きる人たちがいる。一つの道具だけを振り回すのではなく、彼らは道具を集めてそれが詰まった道具小屋を守る。超専門特化が進む中で、彼らはレンジの力を示している。

第12章

意識してアマチュアになる

Deliberate Amateurs

1954年1月23日は土曜日だった。オリバー・スミシーズはいつものようにカナダのトロントにある研究室にいた。「土曜の朝の実験」のためだ。周りには誰もおらず、いつもの仕事の制約からも離れて自由だった。土曜日は、慎重に計量しなくていい。これを一つまみ、あれを少々使って、平日にやると時間と器具の無駄遣いだと思われるような実験をする。あるいは、興味をひかれているが、メインの業務とはほとんど関係がないことを試す。日々の仕事とは違うことを脳に考えさせる必要があると、スミシーズはよく言っていた。それに「土曜日は、完璧に理性的である必要はない」と思っていた。

スミシーズはインスリンを研究する研究室で働いており、インスリン前駆体［インスリンができる前の段階にある物質］を見つけることが仕事だった。しかし、仕事は文字通り行き詰まっていた。研究のために分子を分離する手法として、特殊な湿った紙に電流を流すやり方があった。分子は紙の上を進むうちに分離されていくが、インスリンの分子は紙にくっついてしまう。スミシーズは、地元の小児病院が紙の代わりに湿ったでんぷん粒を試してみたと聞いた。でんぷんを使えばくっつかなくはなるが、このやり方では粒を50枚にスライスし、それぞれを分析して、どこにいったか探さなければならない。それでは時間がかかりすぎるので、試してみることはできなかった。その時、12歳の頃のことを思い出した。

スミシーズはイギリスのハリファックスという町で育ち、そこで母が父の仕事用のシャツに洗濯糊（でんぷん）を使って、襟を糊付けするのを見ていた。母は熱いべたべたした糊にシャツを浸し、それからアイロンをかけた。片付けの際、母を手伝って、スミシーズは糊を捨てた。

その時、糊が冷めると凝固して、ゲル状になることに気づいた。

ビルの合鍵を持っていたスミシーズは、備品棚を漁ってでんぷん粒を探し出した。そして、粒を加熱して、冷ましてゲル状にし、紙の代わりに使ってみた。電流を流すと、インスリンの分子はゲルの中で分離した。その日の彼のノートには「とても有望！」(注1)と書かれている。その後、この「ゲル電気泳動」は改良され、生物学と化学を大きく変えた。この手法によって、DNAの破片や人間の血清の要素を分離して、研究できるようになった。

2016年にインタビューした時、スミシーズは90歳で、研究室にいて、腎臓が大きい分子と小さい分子をどう区別するかを考えていた。「今のところ、これが土曜の朝の理論的な実験だね」とスミシーズは言った。

インタビューで印象的だったのは、スミシーズが実験を楽しんでいることだった。研究室だけでなく、人生も楽しんでいた。私がこの本で探求した主張の多くを、スミシーズは実践していた。外側から見ると、彼は完璧な超スペシャリストだ。なにしろ「分子生化学者」なのだから。しかし、学生時代には分子生化学は存在していなかった。

最初に学んだのは医学で、その時に、生物学と化学を合体させようとしている教授の講演を聴いた。「教授は、ある意味でまだ発明されていない、新しい科目の話をしていた。すごいことだと感じ、『これをやってみたい。化学を学ぶべきだ』と思った」。スミシーズは大きく方向転換して、化学を学ぶことにした。後れを取ると考えたことはなく、反対にこう思った。「とても価値があった。なぜなら、自分には生物学のバックグラウンドがあったので、生物学に加えて、化学も恐れることがなくなるからだ。これらの学びが、初期の分子生物学で大きな力になった」。今日、究極的な専門特化に思えることが、当時は大胆なハイブリッドだったのだ。

インタビュー時、スミシーズはノースカロライナ大学の教授だったが、その9カ月後に91歳で亡くなった。晩年に、彼は学生たちに水平思考をするよう促し、経験の幅を広げ、マッチ・クオリティーを追求して、自分の道を切り開くよう言っていた。「私は学生たちに、『論文指導教官のクローンになるな』と教えている。自分のスキルを同じようなことが行われていない場所に持っていく。自分のスキルを新しい問題に使ってみる。あるいは、今抱えている問題に、全く新しいスキルを使ってみる。そういうことをしなさいと言っている」

スミシーズはその言葉通りに生きてきた。50代で長期研究休暇《サバティカル》をとり、同じ建物の2階上で、DNAの扱い方を学んだ。スミシーズは結局インスリンの前駆体を発見することはなく、2007年にノーベル生理学・医学賞を受賞した時には、遺伝学者としての受賞だった。特定の病気に関わるマウスの遺伝子を改変する方法を解明し、マウスでその病気を研究できるようにしたのが受賞理由だ。その点において、スミシーズは遅くに専門特化した人だ。

ある大規模な理科系大学の学長は、データアナリティクスを使って、研究者の業績を評価し、採用や昇進を決めていた。その学長が私に語ったところによると、化学者は博士号取得から20年後に、確実に業績が急落するという。私がそのことをスミシーズに言うと、彼は笑って「私が一番重要な論文を発表したのは60歳の時だったな」と言った。2016年に実施された1万人の研究者のキャリア分析(注2)によると、経験と業績の間には何の関係もないという。生涯で最もインパクトのある論文を、最初に書ける場合もあれば、最後になる場合もあり得る（ただし、論文を発表する頻度は若い頃のほうが高い）。

　スミシーズのシャツの糊付けの記憶は、横井軍平の「枯れた技術の水平思考」の例だと私が言うと、スミシーズは、１９９０年にガードナー国際賞を共同受賞したエドウィン・サザンの話をした。サザンも、表面上は全く関係のない、子どもの頃の記憶を活用したという。「彼の場合はガリ版（謄写版）の記憶だった」とスミシーズは言う。それを念頭に、サザンは「サザンブロッティング」と呼ばれる、特定のＤＮＡを検出する方法を編み出した。横井が聞いたら大喜びすることだろう。しかし、これらも「枯れた技術」という点では、屠呦呦《ト・ユウユウ》が使った技術には大きく見劣りがする。屠は中国人初の（そして、今のところ唯一の）ノーベル生理学・医学賞受賞者で、中国の女性としてはどの分野でも初めての受賞だ「マラリアの新規治療法の発見により受賞」。

　屠は「三つの『ない』の教授」として知られる。中国科学院のメンバーではなく、中国以外での研究経験がなく、大学院の学位もない。屠以前には、他の科学者らがマラリアの治療法として24万の化合物を試したと言われている。(注3)その中で、屠は現代医学と歴史の両方に興味を持ち、ヨモギ科の植物、クソニンジンからつくられる薬からひらめきを得た。その製法は4世紀の錬金術師が書いたものだった。(注4)これ以上に「枯れた」技術はないだろう。ここから屠は、クソニンジンの抽出物で、アルテミシニンとして知られる成分の実験を始めた。アルテミシニンは、医薬品分野で最も影響力の大きい発見に数えられている。アフリカのマラリア患者の減少に関する研究(注5)によると、2000年から2015年までの間に、1億4600万人の回復にアルテミシニンが貢献したという。屠には不利な点も多かったが、一方でアウトサイダーならではの強みがあり、他の人たちが見ようとしない場所を覗いてみることができた。これはスミシーズが土曜日の朝に求めていた強みだ。

スミシーズはそのキャリアを通じて、150冊のノートを書き、保存していた。「これも土曜日だ」と、重要なページを私に説明しながらスミシーズは繰り返した。土曜日が多いことを私が指摘すると、彼はこう答えた。「『なぜ土曜じゃないのに、働いているのか』とよく言われるんだ」

ブレークスルーは、もちろん稀にしか起きない。ある土曜の朝の実験では、重要な器具を誤って溶かしてしまった。別の土曜日の朝には、悪臭を放つ化学物質で自分の靴を汚染させた。十分に空気を入れ換えたつもりだったが、ある年長の女性が別の女性に、死体のようなにおいがしないかと言っているのが聞こえた。スミシーズは実験のために「何でも拾いたい」という気持ちに抗えず、同僚もそのクセに気づいていた。同僚たちは器具が壊れると、NBGBOKFOというラベルを貼り、スミシーズのために取っておいた(注6)。「全くダメだがオリバー(スミシーズ)にならOK(no bloody good, but OK for Oliver)」という意味だ。

熱心で、子どもっぽくもあり、茶目っ気のある性格は、クリエイティブな思考をする人たちの調査で度々出てくる。マンチェスター大学の物理学者、アンドレ・ガイムは「金曜の夜の実験（ＦＮＥｓ）」をしていた（スミシーズの実験とは何ら関係がない）。２０００年のイグノーベル賞の受賞につながった研究も、金曜の夜から始まった。イグノーベル賞は、一見ばかばかしい、どうでもいいように見える研究に与えられる。この賞のマスコットはロダンの彫刻「考える人（シンカー）」だが、像は台座から落ちている。名前は「スティンカー（くだらないもの）」だ。受賞者は前もって、この賞を受け取るかどうかを打診され、評判に傷がつかないかを考えることができる。ガイムは強力な磁気でカエルを浮揚させた（カエルとそのカエルが入っている水は反磁性、つまり磁場によって跳ね返される）。

言うまでもなく、ＦＮＥｓには研究資金が提供されておらず、たいていは何の成果も生まれない。しかし、カエルのあと、別のＦＮＥｓの実験から「ヤモリテープ」ができた。ヤモリの足からヒントを得た接着剤だ。

また、鉛筆の芯に使われる鉛「グラファイト」の薄い層をセロハンテープではがす[注7]ことから始まったＦＮＥｓもある。このローテクな実験の積み重ねが、２０１０年のノーベル物理学賞に結び付いた。ガイムと共同研究者のコンスタンチン・ノボセロフは、この実験から、人間の髪の毛の10万分の1の薄さで、スチールの２００倍の強度を持つ[注8]物質「グラフェン」を発見した。グラフェンは柔軟で、ガラスよりも透明度が高く、伝導体として優れている。グラフェンを食べたクモが出す糸は、防弾チョッキに使われるケプラー繊維の何倍も強い[注9]。グラフェンは原子1個分の薄さの炭素の膜で、以前は純粋に理論的なものと考えられていた。ガイムとノボセロフがこの研究の初期の成果を、世界で最も権威のある学術誌に提出したところ、審査員の一人が「不可能だ」と言い、もう一人は「科学的に十分な前進[注10]」があったとは見なされないと判断した。

クリエイティブな業績を研究している芸術史学者のサラ・ルイスは、ガイムのマインドセットは「意識的なアマチュア[注11①]」を代表するものだと述べた。「アマチュア」という言葉には元々は侮辱するような意味はなく、語源はラテン語の「ある特定の行為を愛好する人」という言葉だ。ルイスによると、「ブレークスルーが起きるのは、その道を歩き始めたが、別の道にさまよい出て、まるで今始めたばかりのようなふりをする時であることが多く、それはイノベーションと熟練のパラドックスだ[注11②]」という。

ガイムはある科学ニュースレターの質問に答えて、自身の研究スタイルを次のように説明している（ノーベル賞受賞の2年前だ）。「少し変わっていると言わざるを得ない。深掘りはせずに、浅くすくい取っていく感じだ。大学院を出て以来、おおよそ5年ごとに研究テーマを変えてきた。（中略）ゆりかごから墓場まで、同じことを研究し続けたいとは思わない。時々、こんなジョークを言うんだ。『僕はリ・サーチ（繰り返し探求すること）には興味がない。ただサーチ（探求）したいだけ[注12]』」。人生の「まっすぐな線路」とガイムが呼んでいるものから離れることは、「心理的に、安心なものではない」。しかし、それには利点もある。モチベーションを高められることと、「その分野で仕事をする人があえて問わないことに、疑問を投げかけられる[注13]」ことだ。

ガイムの金曜の夜の実験は、スミシーズの土曜の朝の実験に似ている。ともに、幅広くさまよって、平日の標準的なやり方とのバランスをとっている。また、ともにマックス・デルブリュックの言葉を実践している。デルブリュックはノーベル生理学・医学賞受賞者で、物理学と生物学が交差する部分を研究した人物だ。デルブリュックは、「ある程度のだらしなさの原則」[注14]について語り、注意深くなりすぎてはいけないと言う。なぜなら、無意識のうちに、探求に制限をかけてしまうからだ。

ノボセロフは、博士課程の時にガイムの指導を受けることになった。当初、ノボセロフは別の研究室にいたが、「そこで人生をムダにしているようだ」[注15①]と、ガイムの同僚がガイムに伝えたからだ。ノボセロフはガイムの研究室に来て、備え付けてある機器は前の研究室と似ているが、「その柔軟性と、自分が興味を持ったいろいろなことを試せるチャンス」[注15②]があることに気づいた。サイエンス誌に載ったノボセロフのプロフィールには、「幅広さを追求」「薄く手を広げる」などの見出しがついていた。もし、その記事が、ノボセロフが36歳でノーベル物理学賞を受賞し、ここ40年間で最年少の記録となったことを伝えるものでなかったら、後れを取っている人のように思われて、あまりよい印象を持たれなかっただろう。

ファン・ゴッホ（第6章参照）やフランシス・ヘッセルバイン（第7章参照）のように、ノボセロフも恐らく、外側から見たら出遅れているように見えただろう。しかし、ノーベル賞の受賞で状況は一変し、全くそうではないことが示された。ノボセロフは幸運だった。思考があちこちに蛇行することが「強み」と捉えられる職場にたどり着いたからだ。それを「効率」の名のもとに、排除すべき害虫のように扱う職場ではなかった。

ノボセロフのように、ヘッドスタート信仰から守られることはとても少なくなっている。どこかの時点で私たちはみな、程度の差はあれ、何かに専門特化する。そうであるならば、そこに早く行き着くのがよいと考えられているからだ。

しかし幸いなことに、ヘッドスタート信仰とのバランスをとろうと取り組んでいる先駆者たちがいる。彼らはいろいろなことを実現したいと考える。曲がりくねった思考と、深い経験による知恵、フリンの「科学のメガネ」(第2章参照)で、スペシャリストの教育プログラムでも幅広い概念スキルを育てること、領域横断的な異種交配によるクリエイティブな力の育成。この先駆者たちはタイガー・ウッズを目指す傾向を反転させようとしている。それは自分たちのためだけでなく、すべての人のためであり、究極的な専門特化と同義語のような領域においても、それを実現させようとしている。彼らは、未来の新たな発見はここにかかっていると論じる。

数分話せば、アルトゥーロ・カサデバールが「ビーカーには半分水が入っている」と言うタイプの前向きな人だということがわかる。カサデバールが人生で特にすばらしかったという1日は、重力波が検出された日で、それは彼の専門分野ではない。「宇宙で10億年前に二つのブラックホールがぶつかって、その重力波が時空を10億年旅してきた」と、カサデバールは目を見開いて語った。「最初の重力波信号が発せられた時、地球の生物はまだ単細胞だった。この10億年の間に人類は、二つの干渉計をつくり出して、重力波を測定できるようになったんだ。

*科学者は過去に比べて多くの論文を発表するようになっているので、この比較は完全にフェアなものとは言えないが、それでもカサデバールが稀有な存在であることには変わりない。

何という進歩だろう」

カサデバールは医学博士で、自身の専門領域である微生物学と免疫学の分野ではスター的存在だ。エイズと炭疽菌について研究し、真菌性疾患の仕組みについて、いくつか重要な点を明らかにした。科学者の論文数と被引用数の指標「h指数」では、最近アインシュタインを上回った(*)。だから、彼がジョンズ・ホプキンス大学のブルームバーグ公衆衛生大学院に、分子生物学と免疫学の教授として着任した時に、「科学研究は危機に陥っている」と警告すると、同僚たちは真剣に受け止めた。

カサデバールは新しい仲間たちへの講義で、科学の進歩のペースが鈍り、その一方で科学論文の撤回が加速していて、新たな研究発表のペースを上回っていると述べた。「もし、この傾向が今後も続けば、すべての文献が数年のうちに撤回されるでしょう」(注16)と言った。これはブラックジョークだが、データには基づいていた。問題の一因は、若い科学者が考える方法を学ぶ前に、専門特化を急ぎすぎることだ、とカサデバールは考えている。その結果、自分ではよい論文が書けず、他の研究者が書いた論文の悪い点(あるいは不正)を指摘することもできないという。

カサデバールが、ニューヨーク市のアルバート・アインシュタイン医科大学の居心地のよいポストを離れて、ジョンズ・ホプキンス大学に来たのには理由がある。この仕事には科学の大学院教育、やがては全分野の大学院教育のあるべき形を創造するチャンスがあったからだ。

カサデバールと、生物学と教育学の教授であるグンドゥラ・ボッシュは、最近のトレンドに反して、教育を非専門化しつつある。スペシャリストの中のスペシャリストになる計画の学生に対してさえも、そうしようとしている。そのプログラムはR3イニシアチブと呼ばれるもので、R3は厳密（Rigor）、責任（Responsibility）、再現性（Reproducibility）を意味する。R3イニシアチブは、領域横断的な講座から始まる。それは哲学、歴史、論理学、倫理学、統計学、コミュニケーション、リーダーシップを含む講座だ。あるクラスは「何が真実かはどうすればわかるか」という名前で、過去のエビデンスやさまざまな領域のエビデンスを検証する。「科学的な誤りの解剖学」では、学生は探偵となって、実際の研究の不正や低質な手法のサインを探す。一方で、間違いや偶然の発見が、どのように重要な発見につながるのかも学ぶ。

2016年のある公開討論会で、カサデバールが幅の広い教育についてのビジョンを語ったところ、他のパネリストと医学誌ニューイングランド・ジャーナル・オブ・メディスン（非常に権威があり、論文撤回も多い[注17]）の編集長が、医師や科学者の教育カリキュラムはすでにぎゅうぎゅう詰めなのだから、これ以上教育時間を増やすのは無理だと反論した。それに対して、カサデバールはこう言った。「全体の時間は同じに保って、他の講義の比重を下げたらどうか。非常に専門的な知識を提供する科目は本当に必要なのか。とても細かく、専門的で、難解で、数週間たったら完全に忘れられてしまうような知識を大量に詰め込むような科目だ。特に現代は、スマートフォンの中にすべての知識が入っている。学生たちは、人間についてのあらゆる知識が詰まった機械を持っているのに、その知識をどうやって統合すればいいのか、全くわかっていない。私たちは思考や論理の教育ができていない」

医師や科学者は、自分たち自身の仕事の根本となる基礎的なロジックさえ身につけていないことも多い。2013年に、医師と科学者のグループが、ハーバード大学とボストン大学の医学部生と医師に、医療の現場でよく現れてくる問題を出した。

ある病気の有病率が1000分の1で、その病気を診断する検査の偽陽性率が5パーセントの場合、検査結果が陽性だった人が実際にその病気である確率は何%か。その人の症状や病気の兆候については何も知らないこととする。(注18)

正解は、その人が実際にその病気である確率は約2パーセントだ(正確には1・96パーセント)。正解できたのは医師と見習い医師のわずか4分の1で、最も多かった答えは95パーセントだった。この問題は、この種の検査を使って生計を立てている人にとっては非常にシンプルな問題のはずだ。簡単に説明しておこう。仮に1万人がいたら10人がその病気を持っていて、その人たちは真陽性の結果が出る。偽陽性の結果が出るのは5パーセント、つまり500人だ。陽性の結果が出た人510人のうち、わずか10人、つまり1・96パーセントだけが実際にその病気にかかっている。

この問題は直感的に解ける問題ではないが、難しい問題でもない。医学部生と医師は全員、この問題を解ける計算能力を持っている。しかし彼らは、自分の仕事のために幅広い論理思考の道具を使う能力はあるのに、使う準備ができていない。これは、ジェームズ・フリンが優秀な大学生たちに基本的な論理の問題を出した時に認識したのと同じことだ。

カサデバールは言う。「医学や基礎科学の教育で、私たちは学生に知識を詰め込んでいる。しかし、それらの分野で必要なのは、ある程度の背景知識と、思考のためのツールではないかと思う。（現在は）すべてが間違ったやり方で構成されている」

カサデバールは現在のシステムを中世のギルドと比較して、共同執筆者とともに次のように書く。「中世にヨーロッパでギルドが台頭してきたのは、職人や商人が専門的なスキルや仕事を維持し守るためだった。そうしたギルドでは、長年の見習い期間でその仕事を習得させ、非常に専門的で訓練された人材を生み出した。しかし、ギルドは保守主義を助長し、イノベーションを抑えた（注19①）」。訓練とプロを目指す意識が専門化を推し進め、知的に孤立した島々をつくり出した。

ただ一つの特定の微生物を研究する科学者だけを対象としたカンファレンスが増えている（注19②）。一方で、紙で手を切った時に体がどう反応するかについての完全な理解は妨げられている。なぜなら、免疫システムは統合的なシステムなのに、血液学や免疫学の超専門家たちが、パズルの個々のピースに集中しているからだ。

「キャリア全体を通じて、一つの細胞型について研究し続けることは可能だし、研究費を獲得して仕事を続けられる可能性も高い」とカサデバールは言う。「分野の統合を求めるプレッシャーすらない。というより、もし研究費の申請で、B細胞とマクロファージとの関わり（細菌が傷口に入ると、B細胞が細菌に付着する抗体を産生し、それをマクロファージが認識して破

*実際、分野横断的な研究は、それが究極的な専門特化を示すものではないという理由で軽蔑されることがある。科学者のダイアナ・ロータンとステファニー・ファーマンは、インサイド・ハイヤー・エド誌に、女性はより分野横断的な研究に取り組む傾向があるが、若手女性には分野横断的な研究を勧めないように言われる、と書いた。「そうすると、その女性たちが真剣に評価されなくなるからだ」

壊する）に関係する研究を提案したら、それは審査されないかもしれない。マクロファージの研究者がその申請を見たら、『このことについては知らないな。なぜB細胞なんだ？』と言うだろう。現在のシステムが、研究者を溝に閉じ込めている。研究者は互いに平行な溝の中にいて、立ち上がって隣の溝を見て、そこで何が行われているかを見ることはしない。たいていの場合、互いに関係があるのに（＊）」

　カサデバールが言う平行溝のシステムは、いくつか言葉を換えれば多くの業界に当てはまる。私がこの本のための調査をしている時、米証券取引委員会のある人物が、私が専門特化について書いていると聞いて連絡してきた。２００８年の世界金融危機で、専門特化が大きな悪影響を与えたことを知らせるためだ。その人物は言った。「証券の規制当局は証券会社を規制し、銀行の規制当局は銀行を規制し、保険の規制当局は保険会社を規制し、消費者の規制当局は消費者を規制した。でも、融資はこれらすべての市場に関係していた。商品や規制がそれぞれの分野に特化していると、『誰が全体を見るのか』が問題になる。規制を専門特化すると、システム全体の問題を見逃してしまう」

　２０１５年にカサデバールは、この35年で生物医学分野の研究費は指数関数的に伸びたが、一方で発見は減少していることを示した[注20]。生物医学の先端を行くイギリスやアメリカなどの国では、何十年もの間、寿命が延び続けてきたが、最近はピーク時より短くなっている[注21]。また、１９４０年代からインフルエンザのワクチンを手間暇かけて製造しているのに、世界で毎年数十万人がインフルエンザで死亡している。カサデバールの母は93歳で5種類の薬を飲んでいるが、どれもカサデバールが医学実習生だった1980年代にはあった薬だ。「そのうち二つは私が生まれる前からあった」と彼は言う。二つはカサデバールが生まれて間もなくできた薬だ。「もう少しましなことができないのか。信じられない」。そう言ってカサデバールはうつむき、やがてがっくりと肩を落とした。

「分野横断的なプロジェクトで研究費を申請して、その審査員がたとえばAかBにきわめて専門特化した人だった場合、その人がAとBの接点について評価する力があったら、それは幸運だ」とカサデバールは言う。「誰もが、大きな進歩は分野同士の接点で起こると認識しているのに、誰もその接点を盛り立てようとしない」

専門分野同士の接点、そしてバックグラウンドが全く異なるクリエーター同士の接点について研究は進められており、それは盛り立てる価値がある。

ノースウェスタン大学とスタンフォード大学の研究者は、クリエイティブな仕事で大きな成果を生み出したネットワークについて分析し、そのネットワークの中には「ユニバーサルな組織」があることを発見した。(注22) ここで言うユニバーサルな組織とは、チームの間の境界が緩い組織だ。経済学や環境学の研究グループでも、ブロードウェイ・ミュージカルの脚本執筆、作曲、プロデュースのチームでも、この傾向が見られた。

成功したチームを生み出したネットワークの中では、個人は組織や領域を超えて、異なるチームの間を自由に動き、新しいコラボレーションの相手を見つけていた。反対に、成功しなかったチームの土壌となったネットワークは、小さな孤立した集団に分かれていて、同じ人たち同士で何度も繰り返しコラボレーションしていた。恐らく、そのほうが効率的で居心地もよいが、クリエイティブな力は生まれなかった。「成功したチームとしなかったチームを比べると、そのチームが属しているネットワークも違うようだ」(注23)とノースウェスタン大学の物理学者で、ネットワークを研究するルイス・A・ヌネシュ・アマラルは述べた。この指摘は、個々のチームではなく、成功したチームの一群を育てた大きなエコシステムについてのものだ。

ブロードウェイのミュージカルの興行がものすごく成功したか、失敗だらけだったかを時代ごとに分析すると、その時々のスターよりも、さまざまなコラボレーションが盛んに進められたかどうかに関係していた。(注24) 1920年代は、コール・ポーター、アーヴィング・バーリン、ジョージ・ガーシュイン、ロジャース&ハマースタイン(ただし、この二人はまだコラボレーションしていなかった)ら、有名作詞・作曲家が関わった作品が数十作品も上演された。しかし、新しい作品の失敗率は90パーセントという異常に高い割合だった。この時代はチームが停滞しており、コラボレーションする相手も同じで、組織の境界を超えることはめったになかった。アマラルの共同研究者で社会学者のブライアン・ウッツィによると、新たなコラボレーションによって、クリエーターは「ある分野では一般的なアイデアを別の分野に持っていく。すると、それが突然、発明があったように見られる」(注25)。人の創造力は、基本的に「アイデアの輸出入ビジネス」であると彼は言う。

ウッツィは、インターネット以前の1970年代から始まった物理学と社会学分野における

「アイデアの輸出入」の傾向について調べた。それによると、成功したチームは全般的により多様なメンバーがいた。異なる組織から来たメンバーがいるチームは、そうでないチームよりも成功することが多かった。他の国から来たメンバーを擁するチームも同じだった。

輸出／輸入モデルと符号する状況として、海外で仕事をした研究者は、自国に戻ってきたか否かにかかわらず、その経験がない研究者に比べてより科学的にインパクトのある研究をする傾向があった。この傾向について書いた経済学者は、その一因として「鞘《さや》取り」のチャンスを挙げる。(注26) それは、あるアイデアを、それが珍しく貴重である国に持っていくチャンスだ（＊）。これはオリバー・スミシーズが言う、新しいスキルを古い問題に応用すること、あるいは古い技術を新しい問題に応用することに共通するものがある。つまり、一般的なものを一般的でない形で組み合わせる。たとえば、ヒップホップとブロードウェイ・ミュージカルとアメリカ人の伝記などだ「アレクサンダー・ハミルトンの伝記をもとにしたミュージカル『ハミルトン』はこの三つを組み合わせている」。これはショウビジネスだけで成功する戦略ではない。

ウッツィのチームは、さまざまな科学分野の１８００万本の論文を分析し、(注27) 一般的でない知識の組み合わせの重要性について調べた。一般的でない組み合わせとして分類されるのは、ある論文が、通常は一緒に現れることのない分野の論文を引用している場合だ。分析の結果、大半の論文の参考文献が一般的な組み合わせだった。つまり、他の研究で参考文献としてよく一緒に現れる学術誌から引用していた。しかし、発表後10年間、大勢の科学者が引用した「ヒット論文」について見てみると、一般的な組み合わせを大量に用いているものの、一般的でない

＊日本は世界に対して、非常に閉鎖的な時期と、非常にオープンな時期との間で揺れ動いてきた。クリエイティビティーを研究するディーン・キース・サイモントンが、日本のイノベーションの歴史について分析したところ、小説や詩作から陶器、医学まで、クリエイティビティーが爆発したのは、移民が大量に入ってきた時だった（注29）。

組み合わせも取り入れていた。

また別の国際的なグループが50万本以上の論文を調べ、過去に一緒に現れたことがない二つの学術誌を参考文献としている場合、その論文を「斬新」に分類した。(注28) 参考文献の新しい組み合わせが見られたのは10本に1本で、新しい組み合わせが複数見られたのは、20本に1本だけだった。

このグループは、論文の影響度を長期にわたって調べた。新しい組み合わせを用いていた論文は、権威の低い学術誌に掲載されることが多く、発表時は無視されがちでもあった。したがって、世界へのデビューはゆっくりだったが、3年経過すると、新しい知識の組み合わせを用いた論文は被引用数で一般的な論文を追い抜き、他の科学者からの引用が増えていった。発表から15年たつと、複数の新しい知識の組み合わせを用いていた論文は、被引用数でトップ1パーセントに入る割合が、他のものよりはるかに高くなった。

まとめると、別々の知識を結びつける研究は、研究資金を得られる可能性が低く、有名な学術誌に掲載される可能性も低く、発表時に無視されることも多いが、長期的に見ると、大ヒットとなる可能性が高い(注30)ということだ。

カサデバールは「やって見せる」人だ。一度の会話で、小説『アンナ・カレーニナ』や『フェデラリスト・ペーパーズ［アメリカ合衆国憲法の批准を推進するために書かれた論文集］』に触れ、また、アイザック・ニュートンやゴッドフリート・ライプニッツは科学者であると同時に哲学者であることや、ローマ帝国があまり革新的でなかった理由や、ホーメロスが書いた『オデュッセイア』の中の登場人物、メンターに触れながらメンタリングについて語ったりした。「努力しているんだ」とカサデバールはニヤリと笑いながら言った。「いつも部下には、自分の専門分野以外のものを読むように勧めている。すると多くの人が『そんな時間はありません』と言うので、私は『いやいや、時間はあるよ。とても大事なことだ』と答える。世界がぐっと大きくなる。それに、いつかつながりが見える時がくるかもしれない」

カサデバールのプロジェクトの一つは、あるニュース記事を読んだことから生まれた。それは、チェルノブイリの原子力発電所の事故現場に入ったロボットについての記事だった。事故から30年たっても、まだひどく汚染されている場所だ。その記事ではたまたま、ロボットが黒いカビを持ち帰ったことに触れていた。それは汚いシャワーカーテンについているようなカビで、打ち捨てられた原子炉に定着していた。「なぜ黒いカビだったのか。すると、一つのことがまた別の考えに結びついていった」。カサデバールと共同研究者は注目すべき発見をした。カビは放射線を栄養にして育っていたのだ。(注31) 放射性物質ではなく、放射線そのものだ。

カサデバールは研究室以外での経験が、今日の自分にどう役立っているのかをよく話す。11歳の時に、家族とともにキューバを離れてニューヨークのクイーンズにやって来た。16歳の時にマクドナルドで初めての仕事につき、そこで20歳まで働いた。その職歴を今でも履歴書に書いていて、ジョンズ・ホプキンス大学での面接でも、積極的にそのことを話した。私とのインタビューでもこう言った。「それは本当にすばらしい経験で、そこでの仕事で多くのことを学んだ」。たとえば、プレッシャーへの対処などだ。カサデバールの弟もマクドナルドで働いており、強盗事件があった時に短時間だが人質にとられた。「弟は2日間証言台に立ち、弁護士たちは弟の訛りをからかった。弟は裁判所を出る時には、ロースクールに行くと決めていて、今では法廷弁護士として成功している」。カサデバールはマクドナルドの次に、銀行の窓口で働いた（そこでも強盗にあった）。父親はカサデバールに、何か生活の基盤となるような、現実的なものを身につけさせたかった。だから、コミュニティー・カレッジの害虫駆除の学位が、オフィスの壁に飾られている。その隣には、権威ある全米医学アカデミーへの選出証書が並んでいる。

カサデバールはその専門分野では有名で、研究費を問題なく獲得できるし、他の誰が研究費を受け取るかを決めるのにも協力する。もし専門特化の傾向がこのまま進むのなら、彼は間違いなく勝者だ。しかし、その専門特化の傾向を打ち砕くことが、自分の人生において最も重要な仕事だとカサデバールは考えている。基礎科学が、曲がりくねった探索から、どんどん効率へと向かうようになれば、人類の大きな課題をますます解決できなくなると考えているからだ。

ラズロ・ポルガーは娘たちとチェスの実験を進める中で、自分が用いている専門特化と効率的な教育のシステムを活用して1000人の子どもたちを教育すれば、人類は「がんやエイズなどの問題」を解決できるのではないかと言った。カサデバールはイノベーションの歴史を学び、また、HIV／エイズが勃発して大流行する中で、医師・科学者となった。そういう彼は、これ以上はないくらいに熱く、ポルガーとは正反対の意見を展開する。

「私がメディカル・スクールに入った時、人間の病気で、レトロウイルスが引き起こすものはないと教えられ、またレトロウイルスは一部の動物の腫瘍に見られる珍しいものだと教えられた。1981年に新しい病気が出てきたが、その時は誰もその病気のことを知らず、1984年になって、それはレトロウイルスのHIVだとわかった。その後、1987年に最初の治療法ができて、1996年には非常に効果的な治療法が開発されたので、エイズにかかっても死ななくて済むようになった。さて、どうしてそんなに早く治療できるようになったのか。企業が突然、急いで薬をつくり始めたからなのか。そうではない。よく歴史を振り返って分析してみると、その時よりも前に、社会はレトロウイルスという珍しいもの、動物に見られる珍しいものを研究するために、苦労して稼いだおカネを投資していたことがわかる。だから、HIVがレトロウイルスだとわかった時には、プロテアーゼ（ある種の酵素）を阻害すればHIVを不活性化できると知っていた。そして、蓄えてあった大量の知識を取り出してきた。その知識は、珍しいものの研究に投資したからこそ得られたもので、それまでは何の利用価値もなかった。今、仮にアメリカの研究資金をすべてアルツハイマー病に注ぎ込んでも、解決策が得られないことは十分に考えられる。しかし、もしかしたらキュウリのミスフォールド・タンパク質［タンパク質の折り畳みの誤りで構造が異常になったタンパク質。アルツハイマー病もこれに起因する］から答えが見つかるかもしれない。でも、キュウリの研究についての研究費申請をどう書いたらよいのか。それをどこに送ればいいのか。もし、誰かがキュウリのミスフォールド・タンパク質に興味を持って、それが科学的な問いとして適切であれば、それを研究させるべきだろう。キユウリを（実験材料として）かわいそうな目に遭わせるべきだ」

カサデバールの議論を一言でまとめると、イノベーションは意図的に幅と非効率を持たせた体制で進めるべきだということだ。しかし、これは困難な戦いだ。

2006年、私がジャーナリズムの仕事を始めた時、議会上院の科学・宇宙小委員会の資金供与方針に関する公聴会(注32)を傍聴していた。この委員会の議長はテキサス州選出の上院議員、ケイ・ベイリー・ハチソンだった。ハチソンは科学者からの山ほどの研究提案をパラパラとめくり、声を出してタイトルを読み上げた。それが、新しいビジネスの種となる技術の創造に直接結びついていないと、ケリーはそれを書類の山から抜き出して、室内のメンバーに「こういったものがインドや中国との競争にアメリカが勝つ上で、具体的にどんな役に立つのか」と尋ねた。ハチソンが技術イノベーションから外れるものとして分類した分野には、生物学、地質学、経済学、考古学があった。

ルイ・パスツール（子どもの頃は絵が得意だった）はコレラにかかったニワトリの研究をし、それがワクチンの開発に結び付いたのだが、その研究をハチソンはどう評価しただろうか。あるいはアインシュタインの「重力が強いところと弱いところでは時間の進み方が異なる」という想像力に富むアイデアはどうだろう。この理論の一部が、携帯電話など、重要な技術に不可欠なものとなっている。携帯電話ではGPS衛星を活用しているが、このGPS衛星に搭載されている時計は「重力調整」されて地球の時計に合わせられている。

元MIT学部長のヴァネヴァー・ブッシュは、第二次世界大戦で米軍の科学活動全般を監督した人物で、たとえばペニシリンの大量生産やマンハッタン計画なども彼の担当だった。1945年に、ブッシュはフランクリン・ルーズベルト大統領から要請されて、成功につながるイノベーション文化についての報告書を書いた。そのタイトルは「科学、その無限のフロンティア」で、これが全米科学財団の設立につながり、そこからの資金提供で、ドップラー・レーダーや光ファイバー、ウェブブラウザやMRIなど、非常に大きな科学的発明が生まれた。この報告書でブッシュは次のように記している。「幅広い分野での科学的な進歩は、自由な知識人が自由に活動し、自分が選んだテーマに取り組むことから生まれる。その行動は未知のものを探索しようという好奇心によって動かされる」

近年、ノーベル賞授与の時期になると、ほぼ毎年のように興味深い現象が見られる。[注33] それは、ノーベル賞受賞者の誰かが、「このブレイクスルーは今日では成し遂げられない」と発言することだ。2016年には日本の生物学者の大隅良典が、ノーベル賞受賞記念講演を次のような不安を感じさせる言葉で締めくくった。「科学における真に独創的な発見は、予想もしなかった、また予期できなかった小さな発見から誕生します。（中略）科学者は今日ますます、すぐに目に見える形でその研究が応用できると証明するよう、求められるようになっています」。これは早期教育が一周回って元に戻ってきたようなものだ。科学者は非常に限定的で専門的な目標を追求しなければならず、しかも、探しもしないうちに何を見つけられるか言えなければならない。それほど、超効率的であることが求められている。

カサデバールと同様に大隅も、発見を応用することが最終的な目標であると認識している。しかし、問題はそこに到達するベストな方法は何かだ。今日では、応用だけに焦点を絞った研究組織も多い。なぜ、科学研究の世界はすべてにおいて専門特化するのだろうか。

知識人が「自由に活動すること」は、とても非効率に聞こえる。ちょうど、サッカー選手を育てようとする時に、特定のスキルを繰り返し練習させるのではなく、「自由にプレイさせる」感じだ。しかし、ブレークスルーがどうやって起きるか、あるいは2014年ワールドカップで優勝したドイツのナショナルチームに入ったメンバーがどのように育てられたかを研究した結果を見ると、「選手たちは組織だった練習よりも、（中略）自由に活動している時間のほうが長かった（注34）」

すべての超専門化の核となる部分は、効率を高めようとする善意的なものだ。スポーツのスキルの育成や、楽器の演奏方法の習得や、新しい技術への取り組みなどで、最も効率的な方法を求めようとする傾向にあるが、非効率も育てなければならない。ポルガーのような、究極的にフォーカスした効率的な育成方法は、狭い範囲の親切な学習環境にだけ適用できる。

「限界を超えようとするのであれば、そのために必要なのは、ただ探っていくことだ。それは非効率でなければならない」とカサデバールは言う。「話したり、関わり合ったりすることが全く消えてしまった。みんなランチは非効率だと思っているから、弁当を買って自分のオフィスに持ち込む。しかし、アイデアをやりとりし、ものごとのつながりを見つけるのに、ランチタイムは絶好の時間だ」

エンジニアのビル・ゴアは、デュポンを退職して、ゴアテックスを発明することになる会社を立ち上げた。会社は危機の中では組織の境界線が消え去るので、その時に最もインパクトのあるクリエイティブな仕事ができる、とゴアは考えていた。だから、設立した会社にもその考えを応用した。「自動車で相乗り通勤をする時に、よいコミュニケーションが起こる」とゴアは言う。ゴアが心を砕いたのは、「ちょっと手を出してみる時間」(注35)を新しい会社の文化の中心にすることだった。

おわりに

あなたのレンジを広げよう

トップクラスのスポーツ選手に育った人たちも、たいていは一つのスポーツに早くから特化していたわけではない。データがそれを示している。そのことを、私が話したり書いたりし始めた時、聴衆の反応（特に子どもを持つ人たちからの）はだいたい次の2通りだった。

（1）「そんなわけない」と言って単純に信じない。
（2）「じゃあ、どうすればいいのか、一言でアドバイスしてほしい」と求める。

ファン・ゴッホやアンドレ・ガイムやフランシス・ヘッセルバインのように、自分にとって最適な場所にたどり着きたいなら、実験の旅に出なければならない。そのことと、幅（レンジ）を持つことを一言のアドバイスに入れ込むとしたらどう言えばいいだろう。この三人が歩んできた道のりのように、専門特化とレンジについての私の探求も非効率で、一言のアドバイスを見つけようと思って始めたことが、この本一冊になった。

メディアで語られるイノベーションや自己発見のストーリーは、A地点からB地点までのシンプルな道筋のように聞こえる。たとえば、何らかのインスピレーションを受けてトップアスリートへの道を歩んできた、といった単純明快な説明だ。しかし、そのストーリーも、時間をかけて深く掘り下げてみると、だんだん曖昧になっていく。

タイガー・ウッズ型の道筋には、寄り道や、幅や、実験はほとんど存在しない。タイガーの育て方が人気なのは、そのやり方がシンプルで、不確実性が低く、効率が良いからだ。それに、誰もがタイガーのように他人に先んじたい。これに対して、実験を続ける道筋はシンプルなものではない。しかし、それは多くの人が歩む道で、得るものも多い。ただし、よく言われる「失敗に負けない力」以上のものが求められる。実験の中で生まれるブレークスルーには、大きな振れ幅がつきものだからだ。

ディーン・キース・サイモントンのクリエイティビティーの研究によると、優れたクリエーターは、生み出す作品が多ければ多いほど失敗作が増えていき、同時に画期的な作品を生み出す可能性も高まる。(注1)トーマス・エジソンは1000件以上の特許を持っているが、大半は取るに足らないもので、却下されたアイデアはもっとあった。エジソンは数多くの失敗をしたが、大成功した発明には、電球、蓄音機、映写機の前身などがあり、どれも世界に衝撃を与えた。

シェイクスピアには、『リア王』や『マクベス』などの作品もあるが、『アテネのタイモンの生涯』など、あまり評価されていない作品もある。彫刻家のレイチェル・ホワイトリードは、

＊「E.T.」のゲームは伝説的なまでの失敗作となり、アタリがニューメキシコ州の埋め立て地に数百万本のゲームを埋めたという、「1983年のビデオゲームの埋葬」の伝説を生み出した。2014年に、その土地がドキュメンタリー番組制作のために掘り返された。そこには実際に「E.T.」のゲームなどが埋まっていたが、数百万本規模ではなかった。

ガイムがノーベル賞とイグノーベル賞の両方を受賞したのと似たような偉業を達成した。(注2) その年の最も優れたイギリスの芸術作品に送られるターナー賞を受賞し、またイギリスで最悪の芸術家に贈られるアンチ・ターナー賞も受賞したのだ。それも、同じ年の受賞だった。

そして、任天堂について書くためにビデオゲームの歴史を調べていた時、私はハワード・スコット・ワーショウという、現在は心理療法士として働く人物を知った。ワーショウは以前アタリのゲーム・デザイナーで、とても制約の多い技術を要領よく使って、『ヤーの復讐』というゲームを制作した。これはゲーム機「アタリ2600」向けのオリジナル・タイトルとしては、1980年代前半で最もよく売れた。当時、アタリはアメリカで急成長している企業だった。それとまさに同じ年、ワーショウは映画『E.T.』のゲーム版を制作した。その時もワーショウは限られた技術で実験をした。しかし、このゲームはビデオゲーム史上最大の商業的失敗とまで言われ、アタリの突然の崩壊の原因となったとも言われている(*)。

シンプルではない実験の旅はこんな感じだ。独創的なクリエーターは何度も三振するが、大きな満塁ホームランも打つ。ただし、野球のたとえは正確ではない。ビジネス・ライターのマイケル・シモンズによると、「野球の結果は『切れた分布』になっている。バットを振って、どんなに当たりがよくても、得られる最大の得点は4点だ」(注3)。しかし、広い世界では、「打席に立てば、時には1000点をたたき出すことがある」

だからと言って、ブレークスルーが運だということではない。運も助けになるが、ブレークスルーはむしろ困難で一貫性がないものと捉えられる。誰も経験がないことをするのは、意地悪な問題に向かい合うことであり、公式もなく、完璧なフィードバックの仕組みもない。実験の旅は株式市場のようなものだ。天井知らずの値上がりを狙うのであれば、安値の時期にも耐えなければならない。イノセンティブの創業者、アルフ・ビンガムが言ったように「ブレークスルーと誤った考えは、最初はよく似ている」。

私が探求しようと決めた問いは、「超専門特化がますます求められ、また自分が本当にやりたいことがわからないうちに何になるかを決めなければいけない中で、幅（レンジ）や多様な経験や領域横断的な探求を、どうやって実現するのか」ということだ。

本書の最初のほうで、スポーツ選手や音楽家について書いた。というのも、彼らは早期の専門特化を象徴する存在だからだ。しかし、トップ選手になった人たちも、実は最初の頃に幅広い経験を積んでいて、あとから専門を決めるのが一般的だった。偉大な音楽家は驚くほど多様な道筋をたどっているが、能力を育てる上で早期の超専門特化は必要ではなく、即興演奏をする音楽ではむしろそれは稀だった。それでも、多くの大人がカネ儲けのために、音楽でもスポーツでも、なるべく早く専門特化することが不可欠だと思わせようとしている。

20世紀で最も優れたピアニストの一人と言われているスヴャトスラフ・リヒテルが、初めて正式なレッスンを受けたのは22歳の時だった。(注4) スティーブ・ナッシュはカナダ人としてはまあまあ平均的な体格で、バスケットボールを始めたのは13歳の時だったが、(注5) NBAのMVP（最優秀選手賞）を2回獲得している。私が今この原稿を書きながら演奏を聞いているプロのバイオリニストは、18歳の時に習い始めた。始める前には、「遅すぎるからやめておけ」と言われたという。彼女は今、大人の初心者の指導を大切にしている。つまり、シンプルな専門特化のストーリーは、こうした比較的親切な領域でも、そんなにピッタリ当てはまるものではない。

では、そろそろ一言でアドバイスをしよう。それは「後れを取ったと思わないこと」だ。

ローマ時代の二人の歴史家の記録によると、ユリウス・カエサルは若かった頃、アレキサンダー大王の像を見て泣き崩れたという。(注6)「アレキサンダー大王は、現在の私の年齢の頃、多くの国々を征服していたのに、私は記録に残るようなことを何もしていない」。しかし、やがてその悩みも遠い記憶となった。カエサルはローマを手中に収めた。そして、終身独裁官になったあと、仲間たちに殺された。アレキサンダー大王は、ハイライト映像に登場するような少年スポーツ選手と同じように、早くピークに達したと言っていいだろう。

自分を誰かと比べるなら、自分より若い他人ではなく、自分自身と比べよう。成長のスピードは人それぞれであり、他の人を見て後れを取ったとは思わないことだ。あなたは恐らく、自分がどこに行こうとしているのか、まだわかっていないのだろう。だから、後れを取ったと思っても、何の助けにもならない。その代わりに、ハーミニア・イバーラがマッチ・クオリティーの追求で勧めたように、実験を計画しよう。たとえば、あなた流の「土曜の朝の実験」や「金曜の夜の実験」だ。

ミケランジェロが大理石の塊に取り組んだように、あなたも自分だけの旅やプロジェクトに取り組もう。その過程では、意欲を持って学び、道を進む中で順応して、時にはそれまでの目標を捨てる。完全に方向を変えることにも躊躇しない。技術イノベーションからコミック本まで、さまざまな領域のクリエーターを対象とした研究によると、多様な経験を持つ個人は専門家のグループよりも創造に貢献するという。もし、ある分野から全く別の分野に移っても、その経験がムダになることはない。

最後にもう一つ。専門特化は、少しも悪いことではない。程度の差はあっても、みんなどこかの時点で専門を決める。

私がこのテーマに関心を持ったのは、ソーシャルメディアの記事からカンファレンスの基調講演までが、早めの専門特化こそがうまく生きるためのコツであり、さまざまな経験や実験という「ムダな時間」の削減になると訴えていたからだ。こうした議論に、一石を投じたいと思った。無数の分野の研究が示しているように、あちこちに寄り道をしながら考え、実験するほうが、特に不確実性の高い現代では力の源になる。ヘッドスタートは過剰評価されている。最高裁判事のオリバー・ウェンデル・ホルムズは、アイデアを自由に交わし合うことについて、1世紀ほど前にこう書いている。

「それは実験である。人生すべてが実験であるように(注7)」

解説

中室牧子（慶應義塾大学総合政策学部教授）

近年、日本の大学を取り巻く外部環境は急速に変化している。社会からの大学への要請は多岐にわたる一方で、国の厳しい財政状況を反映して、研究費の獲得競争は厳しさを増している。研究とは直接関係のない大学運営、入試、そして研究費の会計処理のための膨大な書類作成に時間を奪われ、本来の仕事であるはずの研究や教育に充てられる時間を捻出するのに四苦八苦している研究者は多い。無論、私も例外ではなく、研究に充てられる時間が年々少なくなっていくことにイライラしながら日々を過ごしていた。「研究と無関係の仕事は受けない」と固く決意したところへ、出版社から本書『ＲＡＮＧＥ』の解説文執筆の依頼があった。こんな決意をした直後のことなので、本来なら直ちに断るべき依頼だった。

しかし、送られてきた本書のゲラを斜め読みした私は、「今こそ、この本を読まなければならない」という気持ちが沸き起こるのを抑えられなかった。そして本書を通読した今、その直感が正しかったことを確信している。

著名なサイエンスライターである本書の著者デイビッド・エプスタインは、経済学や心理学、脳科学など様々な学問領域の研究を紐解きながら、本書の核をなすメッセージを伝えようとしている。それは、大学の研究者のみならず、行政や企業にも役立つだろう。また、専門の選択や転職など今後のキャリア形成に悩む学生やビジネスパーソン、子育て中の親や生徒・児童の指導にあたる学校や塾の教員にも有用と思われる。

質の高い幼児教育は「寄り道」「試行錯誤」を推奨

早速、私なりに本書のコアとなるメッセージをまとめてみよう。やや大胆な、私なりの翻訳となることをお許しいただきたい。

第一に、早期教育の効果は過大評価されているということだ（第1章）。本書の言う早期教育とは、幼少期から狭い分野に専門特化することを指す。例えば、ゴルフやチェスのプレイヤーとして成功した人には、幼少期に早々とその道を目指すと決め、英才教育を受けてきた人が多いという。しかし、ゴルフやチェスのように、明確なルールがあり、経験をパターン化でき、直ちに正確なフィードバックが受けられる場合は、こうした早期教育が功を奏する可能性は高いが、そうではない大多数の領域では多様な経験を通じた「寄り道」や「試行錯誤」が重要で、早く熟達するために省略できるものではなく、むしろ不可欠なものだという。つまり、一見、効率的に見える人的資本への投資は、実は非効率であり、遠回りになっている可能性を指摘している。

一方、近年の有力な経済学の研究には、幼児教育の投資対効果が高いことを示すものがある。ノーベル経済学賞を受賞した米シカゴ大学のジェームズ・ヘックマンの「ペリー幼稚園プログラム」は有名である。１９６０年代中頃にミシガン州のペリー幼稚園で質の高い幼児教育を受けた子どもたちは、受けなかった子どもたちと比較して、成人後により経済的に恵まれ、社会的に安定した生活を送っていたことが示されている。そのあとに続く様々な研究は、貧困世帯の子どもに質の高い幼児教育を受けさせた場合、学力テストなどで計測できる認知能力に与えるプラスの効果は小学校入学後に消滅するが、自制心、意欲、忍耐力といった非認知能力へのプラスの影響は長期にわたって持続することを明らかにしたものが多い。

著者が述べる「早期教育の弊害」と、近年の経済学が示す「高い幼児教育の投資対効果」の研究は相反するものなのだろうか。私はそうは考えない。著者が述べる早期教育とは、早期の専門特化である。しかし、質の高い幼児教育とは必ずしもそれを意味しない。発達心理学は、子どもの発達に関する理論的背景をもとに、幼児教育の質を計測しようとする。

例えば、私が共同研究者と行っている研究では、幼児教育の質の計測に、１９８０年代にアメリカで開発され、30カ国以上で実務や研究に広く用いられている「保育環境評価スケール」を用いている。この尺度では、狭い専門に特化した活動をするより、子どもたちの幅広い興味・関心に基づく多様な活動をするほうが、幼児教育の質は高いと判定される。むしろ、質の高い幼児教育は、多様な経験を通じた寄り道や試行錯誤を推奨しているように感じられる。

肌身で感じるマッチ・クオリティの重要性

第二に、こうした自らの興味・関心に基づくマッチ・クオリティの重要性である。マッチ・クオリティとは、端的に言うと「相性のよさ」とか「適性」を指し、労働市場におけるミスマッチに関心を持つ労働経済学の研究対象となってきた。本書では、米ノースウェスタン大学の経済学者オファー・マラマッドの「遅めの専門特化」に関する実証分析の結果が興味深い（第6章）。マラマッドの論文は、1980年にイギリスの大学を卒業した約2000人のデータを用いて、大学における専攻の決定時期が就職後の賃金や転職に与える効果を推定した。

大学での専攻がいつ決まるかは、国や制度によって異なっている。入学試験の際の学部選択によって専攻が決まることもあれば、最初の数年間は様々なことを広く学び、その後に専攻を決めるケースもある。入学時点で専攻が決まっていれば4年間で専門分野の知識や技術を深められるが、その専攻に対するマッチ・クオリティを知る機会は少ない。逆に、入学後にゆっくりと専攻を決めることができれば、マッチ・クオリティについて知る機会は多いが、専門分野の知識や技術を深める時間は短くなる。

そして、大学卒業後に就職して数年間の賃金は、専門分野の知識や技術とマッチ・クオリティの両方によって決定していると考えられ、もし労働市場におけるマッチ・クオリティのリターンが高ければ、専攻を入学後にゆっくりと決定するほうが有利になる。

このことを証明するためにマラマッドは、大学入学時点で専攻が決定しているイングランドの大卒者と、大学入学後に専攻を決定するスコットランドの大卒者が同じイギリス国内の労働市場でどのように評価されているかに着目した。その結果、イングランドの大卒者はスコットランドの大卒者と比較して、大学卒業後に就職したのちに専攻と無関係の仕事にすぐ転職する確率が高く、それが原因で賃金が低くなることがわかった。つまり、イングランドの大卒者は、大学卒業後の労働市場で、自身が大学の専攻を誤ったことを修正するコストを支払ったことになる。ちなみに、スウェーデンのウプサラ大学のピーター・フレドリクソンらは、マッチ・クオリティは初職の賃金に与える効果は小さいものの、長期的には賃金の伸び率に影響するという有名な論文を発表しており、マッチ・クオリティの影響を過小評価してはならないことがわかる。

私自身が属する慶應義塾大学総合政策学部では、学生は文理に関係なく自由に専門分野を選ぶ。こうした状況下では、マッチ・クオリティの重要性を肌身で感じることが少なくない。ある専門分野では鳴かず飛ばずで、お世辞にも意欲的とは言えなかった学生が、別の分野で見違えるように実力を発揮し、活躍している例が山のようにあるからだ。しかも、日本では競争の厳しい大学受験に合格することばかりに意識が向き、大学入学前に「自分の関心や興味、適性に合った学問分野は何だろうか」と吟味しなかった学生も多い。こうしたことを踏まえれば、日本の大学には、もう少し柔軟に学生が自らの所属学部や専攻を変更できる仕組みがあってよいのではないかと思う。

第三に、意図的に非効率さを持たせた体制でイノベーションを起こすことの重要性である。

著者は、専門に特化することで「スペシャリストがはまる罠」（第10章）に陥りやすくなり、自分のもともとの考えに反するエビデンスに抵抗を示しやすくなることを指摘する一方、領域横断的な異種交配によるクリエイティブな力が重要と説く（第12章）。

例えば、50万本以上の学術論文の中で、分野の異なる知識を組み合わせて行われた研究は、当初は評価されなくても、のちに「大ヒット」となる研究である確率が高いという。こうしたイノベーションのためには、効率的に専門に特化するのではなく、意図的に非効率な体制をつくることが重要だと著者は主張する。そして、人材育成における寄り道やお試し、実験の重要さを訴えかけ、非効率に見える回り道が様々な成功をもたらした事例を数多く紹介している。

「寄り道」や「実験」を教育にどう取り込めるか

実は、研究時間が確保できないと苛立っていた私が一番印象に残ったのはこの部分だ。時間やお金がないと、人々は効率を求めるようになりやすい。本書の中でも紹介されている、ノーベル賞を受賞した生物学者の大隈良典氏が記念講演で述べた「科学者は今日ますます、すぐに目に見える形でその研究が応用できると証明するよう、求められるようになっています」という言葉は、大学の研究に極端な効率が求められることへの危機感が現れている。

「エビデンスに基づく政策形成」（Evidence Based Policy Making）という言葉が聞かれるようになって久しい。政策の効果を厳密に測定し、限られた資源を効率的に利用しようという考え方だ。私自身は特に、教育政策分野で「エビデンスに基づく政策形成」を推進する立場である。しかし、本書の含意を踏まえれば、私たちは、教育の「成果」をどう測るかということに、よりいっそう、思慮深くあらねばならないという思いを強くした。

例えば、教育の成果を直近の学力テストの点数で計測した場合の課題だ。第4章にもあるように、テクニックに偏り、生徒が達成感を得やすい授業をして短期的に生徒の成績を上げるものの、長期的には決して高い教育効果をもたらさない教師を過大評価してしまう。

短期的な効率性を求めることと、長期的に成果を上げることは、必ずしも一致しない。日本の厳しい財政状況を考えれば、納税者である国民に対して、政策にどのような効果があるかの説明責任を果たすことが重要なのは明らかだ。しかし、諸外国と比べて様々なデータへのアクセスが困難な日本では、教育の成果を学力テストの点数など「計測しやすい」「手に入りやすい」もので把握しようとしがちである。本書が繰り返しその重要性を強調する、自分の興味・関心に基づく寄り道、お試し、そして実験――。教育にそれらを取り込む余裕を持ちながら、納税者への説明責任を果たし、次世代への投資を充実させていくことが私たちにできるだろうか。大きなチャレンジである。

謝辞

本を書くこととは、800メートル走のようなものだと思う。走っている途中は拷問のようだが、最大限の努力をすればそのうちに終わって「そんなに悪くなかったな」と思える。本当は苦しかったのだが、また走らなければならない。

この本を書いている間、本当にいろいろなことが起きた。たとえば、山ほど学んだ。また、ある日、頭がオーバーヒートしていた時に、ショウジョウコウカンチョウと、アオカケスと、ムクドリモドキが窓枠にとまった。どれも、メジャーリーグ球団の愛称になっている鳥だ。実際にはそんなことが起こるはずがない。

まず感謝したいのは、リバーヘッド・ブックスのチーム全員、特に編集者のコートニー・ヤングだ。この本のプロジェクトを一緒に進めようと合意した時、コートニーはこんなことを言って、私を少し怖気づかせた。「あなたのことをよく知らなかったら、たぶん心配になるプロジェクトだわ」。それから彼女は、スポーツ選手を育成する偉大なコーチのように振る舞った。つまり、私が幅広い活動に自由に取り組めるようにしてくれた。2年後、私が長すぎる原稿を持って現れた時、コートニーはギアを切り替えた。私が原稿をカットし、形を整える間、できるだけ早く、頻繁にフィードバックが欲しいという私の求めに応えてくれた。コートニーのフィードバックで、意地悪な学習環境がずいぶん親切になった（「はい。いいと思います。これなら魔法使いの小鬼みたいな感じはしません」。私の過剰な描写に、こんなフィードバックをくれた）。明らかに、コートニーにはレンジがある。彼女はもう少しでエンジニアになるところだった。

私のエージェント、クリス・パリスーラムにも感謝する。クリスはニューヨークシティ・マラソンで235位に入った。それはすごいことだが、彼が熱心に取り組むミッションほど重要ではない。そのミッションとは、私が推測する限りでは、ライターが自由でいられるように力を尽くすことだ。私がエージェントと一緒に仕事をするやり方は、スポーツにたとえて言うと、できる限り優れた選手をリクルートして、じゃまをしないことだ。

複雑なファクトチェックのプロセスに参加してくれた全員にも、感謝を捧げたい。特に、エミリー・クリーガーとドリュー・ベイリー、そして時間を割いてインタビューに応じてくれた方々に感謝する（繰り返しインタビューを受けてもらったこともあった）。インタビューでは、もう答えたことを私がまた聞いて、ずいぶん困らせたに違いない。日本語の翻訳で協力してくれた川又政治とタイラー・ウォーカーにも感謝する。

そして、マルコム・グラッドウェル。初めて私たちが会ったのは、MITスローン経営大学院のスポーツ・アナリティクス・カンファレンスでの、「1万時間か、スポーツ遺伝子か」という対談だった（YouTubeで視聴できる）。すばらしい議論となり、二人とも多くを持ち帰れたと思う。その翌日、マルコム・グラッドウェルは私をインターバル・トレーニングに誘い、そのあとにも誘われ、いろんな話をした(ウォームアップの間だけ)。「タイガーvsロジャー」的な話だ。この時の議論は私の頭のどこかに格納されていたが、ティルマン財団の奨学生と話していた時によみがえってきた。この経験がなければ、タイガーとロジャーのトピックを探求していたかどうかわからない。心理学者のハワード・グルーバーが言うように、「考えは完全に失われるのではなく、それが役に立つ時には復活してくる」

この本の執筆ほど、内容をまとめるのに苦労したことはなかった。どうやって情報を集めるか、何を本の中に含めるか、どこに書くかに、何度もノックアウトされそうになった。ある言葉が何度も頭をかすめた。「それはゴリラとのレスリングに似ている。自分が疲れた時にはやめられず、ゴリラが疲れた時にやめる」。どのように受け止められても、私は自分が何度も立ち上がり続けてきたことを誇りに思う。そして、私を支えてくれた家族や友人に感謝し、私が本当に多くの誘いに「たぶん来年に」と答え続けたのを許してくれたことに感謝する。好きなイベントのチケットが欲しくなかったわけではないが、「本ができるまで」と決めていた。

私のサポーターたちを紹介したい。私のきょうだいのダニエルとシャーナ。ダニエルは、第4章についての私のとりとめのない話に熱い反応を示してくれ、そのおかげで書こうという気持ちになれた。シャーナは私の1冊目の本を、すべて買い占めそうな勢いだった。両親のマークとイブ。二人は私がおかしなことをしでかすまで介入せず、止めなかった。だからこそ、生き生きと「体験期間」を過ごすことができた。「アンドレイ王子」、こう言えば本人はわかるだろう。姪のシガリート・コーファクス・エプスタイン‐パワール。そして、その父のアメイヤ。精神面で熱く支えてくれたアンドレアとジョン、そしてワイス家とグリーン家の人たち。ほかにも感謝をしたい人たちがいる。ティルマン財団とのつながりを持たせてくれたリズ・オヘリンとマイク・クリストマン。教育NPOのクラスルーム・チャンピオンズと関わるきっかけを与えてくれたスティーブ・メスラー。友人の故ケビン・リチャーズ。彼がいなかったら、私は科学ジャーナリストにはなっていなかっただろう。それから、いつでも深夜に書店まで走れる、友人のハリー・ムバン。教育NPOのチョークビートのみんな。このまま進み続けてほしい。

次の人たちにも感謝を捧げる。トオル・オカダ、アリス、ナターシャ・ロストヴァ、カトゥリアン・K・カトゥリアン、ピーター・キュンメルとモナ・キュンメル、ネート・リバー、グベッサ、ベノ・フォン・アーチンボルディ、トニー・ウェブスター、ソニーのきょうだい、トニー・ローンマン、トミー、ドク、モーリスの3人組、ブレイデン・チェイニー、ステファン・フロリダ、そして、私に書き方を教えると言い張った多くの人たち。ほかに、感謝を伝え忘れている人たちがいたら許してほしい。

私は、ついに復讐を果たしたイニーゴ・モントーヤ〔映画「プリンセス・ブライド」の登場人物〕のような気分だ。「さて、次はどうする?」。だが、この本のための調査をする前と比べて、私は「次はどうする?」に100万倍ワクワクし、怖さは減っている。前著の謝辞は次の言葉で締めくくった。「もう1冊本を書くことになったら、その本もエリザベスに捧げる」(哲学者のジョン・デューイもエリザベスに本を捧げていて、エリザベスはどっちつかずな態度だが)。

2冊目のこの本でもこう言っておくのが安全だろう。もし、もう1冊本を書くことになったら、その本も間違いなく彼女に捧げる。

原注

ここには大量の参考文献を挙げたが、それでもスペースの都合上、完全に網羅できていない。ここで文献を紹介する目的は、私の調査の軌跡を知ってもらうとともに、興味を持った読者が元々の情報源にたどり着き、金曜の夜（あるいは土曜の朝）の探求を進められるようにすることだ。本文中のコメントのかなりの部分は、私が直接インタビューした際のものだが、それ以外のコメントの出典は、本文中かこのリストに記載した。なるべく多くの文献を限られたスペースに詰め込むために、書籍や文献の副題は省略している場合がある。

はじめに　タイガー・ウッズ vs ロジャー・フェデラー

1. G. Smith, "The Chosen One," *Sports Illustrated*, December 23, 1996.（アール・ウッズはこの記事で掲載した写真を次の文献にも掲載した）。
2. この部分でのタイガー·ウッズの子ども時代に関する情報は、主に以下の文献から得た。E. Woods（with P. McDaniel, foreword by Tiger Woods）, *Training a Tiger: Raising a Winner in Golf and Life*（New York: Harper Paperbacks, 1997）（邦訳は『TRAINING A TIGER』小学館、1997年）。
3. J. Benedict and A. Keteyian, *Tiger Woods*（New York: Simon & Schuster, 2018）.
4. Smith, "The Chosen One."
5. ①～② R. Jacob, "Ace of Grace," *Financial Times*, January 13, 2006, online ed.
6. ①～② R. Stauffer, *The Roger Federer Story: Quest for Perfection*（Chicago: New Chapter Press, 2007 [Kindle ebook]）.
7. ①～④ J. L. Wertheim, *Strokes of Genius*（New York: Houghton Mifflin Harcourt, 2009 [Kindle ebook]）.
8. ①～② Stauffer, *The Roger Federer Story*.
9. K. A. Ericsson, R. T. Krampe, and C. Tesch-Römer, "The Role of Deliberate Practice in the Acquisition of Expert Performance," *Psychological Review* 100, no.3（1993）: 363–406.
10. A. Gawande, *The Checklist Manifesto*（New York: Metropolitan Books, 2010）（邦訳は『アナタはなぜチェックリストを使わないのか？』晋遊舎、2011年）。
11. イギリスがどのように選手の集め方を変えたかについては、この文献が優れた見方を示している。O. Slot, *The Talent Lab*（London: Ebury Press, 2017）.

12. さまざまなスポーツと国々の「体験期間」と遅い専門特化の傾向についての研究には、本文中に示したものも含めて、たとえば以下のものがある（本文中の練習時間のグラフの出典は、以下の最初の論文）。K. Moesch et al., "Late Specialization: The Key to Success in Centimeters, Grams, or Seconds（CGS）Sports," *Scandinavian Journal of Medicine and Science in Sports* 21, no. 6（2011）: e282–90; K. Moesch et al., "Making It to the Top in Team Sports: Start Later, Intensify, and Be Determined!," *Talent Development and Excellence* 5, no. 2（2013）:85–100; M. Hornig et al., "Practice in the Development of German Top-Level Professional Football Players," *European Journal of Sport Science* 16, no. 1（2016）: 96–105（epub ahead of print, 2014）; A. Güllich et al., "Sport Activities Differentiating Match-Play Improvement in Elite Youth Footballers—A2-Year Longitudinal Study," *Journal of Sports Sciences* 35, no. 3（2017）: 207–15（epub ahead of print, 2016）; A. Güllich, "International Medallists' and Nonmedallists' Developmental Sport Activities—A Matched-Pairs Analysis," *Journal of Sports Sciences* 35, no. 23（2017）: 2281–88; J. Gulbin et al., "Patterns of Performance Development in Elite Athletes," *European Journal of Sport Science* 13, no. 6（2013）: 605–14; J. Gulbin et al., "A Look Through the Rear View Mirror: Developmental Experiences and Insights of High Performance Athletes," *Talent Development and Excellence* 2, no. 2（2010）: 149–64; M. W. Bridge and M. R. Toms, "The Specialising or Sampling Debate," *Journal of Sports Sciences* 31, no. 1（2013）: 87–96; P. S. Buckley et al., "Early Single-Sport Specialization," *Orthopaedic Journal of Sports Medicine* 5, no. 7（2017）: 2325967117703944; J. P. Difiori et al., "Debunking Early Single Sports Specialization and Reshaping the Youth Sport Experience: An NBA Perspective," *British Journal of Sports Medicine* 51, no. 3（2017）: 142–43; J. Baker et al., " Sport-Specific Practice and the Development of Expert Decision-Making in Team Ball Sports," Journal of Applied Sport Psychology 15, no. 1（2003）: 12–25; R. Carlson, "The Socialization of Elite Tennis Players in Sweden: An Analysis of the Players' Backgrounds and Development," *Sociology of Sport Journal* 5（1988）: 241–56; G. M. Hill,"Youth Sport Participation of Professional Baseball Players," *Sociology of Sport Journal* 10（1993）: 107–14; F. G. Mendes et al., "Retrospective Analysis of Accumulated Structured Practice: A Bayesian Multilevel Analysis of Elite Brazilian Volleyball Players," *High Ability Studies*（advance online publication, 2018）; S. Black et al., "Pediatric Sports Specialization in Elite Ice Hockey Players," *Sports Health*: A Multidisciplinary Approach（advance online publication, 2018）.

（2018年のサッカーワールドカップで優勝したフランスは、数十年前にユース選手の育成方法を見直し、公式試合を減らして自由にプレイさせることを重視するとともに、遅咲きの選手が活躍できる余地をつくった。フランスのトップクラスのユース選手が経験している試合数は、アメリカの同様の選手の半分くらいかもしれない。国の育成システムに所属するフランスの子どもたちが公式試合をする時には、コーチは試合のほとんどの時間、話すことを禁止されており、若手選手を細かく管理できないようにしている。ユースの育成システムの設計に関わったルードビック・デブルーは、2018年のアスペン・インスティテュートのプロジェクト・プレイ・サミットで、「選手を（リモート）コントロールすることはない。選手たちにプレイを任せる」と説明している）

13. J. Brewer, "Ester Ledecka Is the Greatest Olympian at the Games, Even If She Doesn't Know It," *Washington Post*, February 24, 2018, online ed.
14. J. Drenna, "Vasyl Lomachenko: 'All Fighters Think About Their Legacy. I'm No Different,' " *Guardian*, April 16, 2018, online ed.
15. M. Coker, "Startup Advice for Entrepreneurs from Y Combinator," *VentureBeat*, March 26, 2007.
16. P. Azoulay et al., "Age and High- Growth Entrepreneurship," NBER Working Paper No. 24489（2018）.
17. G. Tett, *The Silo Effect: The Peril of Expertise and the Promise of Breaking Down Barriers*（New York: Simon & Schuster, 2015 [Kindle ebook]）（邦訳は『サイロ・エフェクト』文藝春秋、2016年）。
18. A. B. Jena et al., "Mortality and Treatment Patterns Among Patients Hospitalized with Acute Cardiovascular Conditions During Dates of National Cardiology Meetings," *JAMA Internal Medicine* 175, no. 2（2015）: 237–44. 次の文献も参照のこと。R.F. Redberg, "Cardiac Patient Outcomes during National Cardiology Meetings," *JAMA Internal Medicine* 175, no.2（2015）: 245.

第1章　早期教育に意味はあるか

1. ポルガー三姉妹の人生は、数多くの書籍や記事などで取り上げられている。本章での内容は、スーザン・ポルガーへのインタビューに加えて、主に以下の文献を参考にして執筆した。Y. Aviram（director）, *The Polgar Variant*（Israel: Lama Films, 2014）; S. Polgar with P. Truong, *Breaking Through: How the Polgar Sisters Changed the Game of Chess*（London: Everyman Chess, 2005）; C. Flora, "The Grandmaster Experiment," *Psychology Today*, July 2005, online ed.; P. Voosen, "Bringing Up Genius: Is Every Healthy Child a Potential Prodigy?," *Chronicle of Higher Education*, November 8, 2015, online ed.; C. Forbes, *The Polgar Sisters*（New York: Henry Holt, 1992）.
2. Polgar with Truong, *Breaking Through*.
3. *People* staff, "Nurtured to Be Geniuses, Hungary's Polgar Sisters Put Winning Moves on Chess Masters," *People*, May 4, 1987.
4. L. Myers, "Trained to Be a Genius, Girl, 16, Wallops Chess Champ Spassky for

$110,000," *Chicago Tribune*, February 18, 1993.

5. Aviram, *The Polgar Variant*.

6. W. Hartston, "A Man with a Talent for Creating Genius," *Independent*, January 12, 1993.

7. "Daniel Kahneman—Biographical,"Nobelprize.org, Nobel Media AB 2014. 私は2015年12月にカーネマンと昼食をともにし、その人生と仕事について話をする光栄に浴した。それ以外の情報は、次のカーネマンの著書から。*Thinking, Fast and Slow*（New York: Farrar, Straus & Giroux, 2011）（邦訳は『ファスト&スロー（上・下）』早川書房、2014年ほか）。

8. カーネマンが感銘を受けた以下の書籍は、今日でも意義のある本だ。Paul E. Meehl, *Clinical Versus Statistical Prediction*（Minneapolis: University of Minnesota Press, 1954）. この本をきっかけに多数の研究が実施され、専門家は経験を積むに従って自信を得るが、スキルは向上しない場合が多いことを示した。そのような研究のまとめとして、以下の文献が優れている。C. F. Camerer and E. J. Johnson, "The Process-Performance Paradox in Expert Judgment: How Can Experts Know So Much and Predict So Badly?," in *Toward a General Theory of Expertise*, ed. K. A. Ericsson and Jacqui Smith（Cambridge: Cambridge University Press, 1991）.

9. D. Kahneman and G. Klein, "Conditions for Intuitive Expertise: A Failure to Disagree," *American Psychologist* 64, no. 6（2009）: 515–26.

10. 学習環境に関するロビン・ホガースのすばらしい著書は以下の通り。*Educating Intuition*（Chicago: University of Chicago Press, 2001）.

11. L. Thomas, *The Youngest Science*（New York: Penguin, 1995）, 22.

12. カスパロフは1997年5月5日号のニューズウィーク誌の表紙を飾った。そのタイトルは「脳の最後の抵抗（The Brain's Last Stand）」。

13. カスパロフと彼の補佐役であるミグ・グリーンガードは、私の質問に親切に答えてくれた。それ以外の情報は、2017年6月15日にカスパロフがジョージタウン大学で行った講演と、カスパロフの次の著書（グリーンガードが寄稿）から。*Deep Thinking*（New York: PublicAffairs, 2017）（邦訳は『ディープ・シンキング』日経BP、2017年）。

14. S. Polgar and P. Truong, *Chess Tactics for Champions*（New York: Random House Puzzles & Games, 2006）, x.

15. ①〜② Kasparov and Greengard, *Deep Thinking*.

16. チェスでの人間とコンピューターのパートナーシップについて、以下の書籍で優れた議論を読むことができる。T. Cowen, *Average is Over*（New York: Dutton, 2013）.

17. ヘルナンデスは長時間、私の堂々巡りの議論に付き合ってくれ、フリースタイル・チェスのニュアンスについて説明し、トーナメントの資料を提供してくれた。ヘルナンデスの推計では、ウィリアムの一般的なチェスでのイロ・レーティングは1800くらいだろうという。

18. 番組名は「私の優秀な脳（My Brilliant Brain）」。

19. A. D. de Groot, *Thought and Choice in Chess*（Amsterdam: Amsterdam University Press, 2008）.

20. W. G. Chase and H. A. Simon, "Perception in Chess," *Cognitive Psychology* 4（1973）: 55–81.

21. F. Gobet and G. Campitelli, "The Role of Domain-Specific Practice, Handedness, and Starting Age in Chess," *Developmental Psychology* 43（2007）: 159–72. 個人による上達速度の違いについては、以下を参照のこと。G. Campitelli and F. Gobet, "The Role of Practice in Chess: A Longitudinal Study," *Learning and Individual Differences* 18, no. 4（2007）: 446–58.

22. トレッファートは、彼のサバンについての記録の中から映像を見せてくれた。トレッファートの以下の著書では、その研究について詳しく知ることができる。*Islands of Genius*(London: Jessica Kingsley Publishers, 2012).

23. A. Ockelford, "Another Exceptional Musical Memory," in *Music and the Mind*, ed. I. Deliège, and J. W. Davidson（Oxford: Oxford University Press, 2011）. それ以外のサバンと無調の音楽に関する情報は、以下の文献から。L. K. Miller, *Musical Savants*（Hove, East Sussex: Psychology Press, 1989）; B. Hermelin et al., "Intelligence and Musical Improvisation," *Psychological Medicine* 19（1989）: 447–57.

24. N. O'Connor and B. Hermelin, "Visual and Graphic Abilities of the Idiot-Savant Artist," *Psychological Medicine* 17（1987）: 79–90.（トレッファートはこの文献にもある「idiot-savant」という言葉を「サバン症候群」に置き換えてくれた）。以下も参照のこと。E. Winner, *Gifted Children: Myths and Realities*（New York: BasicBooks, 1996), ch. 5.

25. D. Silver et al., "Mastering Chess and Shogi by Self-Play with a General Reinforcement Learning Algorithm," *arXiv*（2017）:1712.01815.

26. ゲイリー·マーカスへのインタビューに加え、ジェノバでのAI for Good Global Summitで2017年6月7日にマーカスが行った講義を参考にした。さらに、以下の彼の論文やエッセイも参考にした。"Deep Learning: A Critical Appraisal," *arXiv*: 1801.00631; "In Defense of Skepticism About Deep Learning," Medium, January 14, 2018; "Innateness, AlphaZero, and Artificial Intelligence," *arXiv*: 1801.05667.

27. ワトソンの医療分野への挑戦について、ある批評家は「くだらない」と言ったが、その一方で、最初の期待には及ばないが価値はあるとする人たちもいる。バランスのとれた見方をするために、以下を参照のこと。D. H. Freedman, "A Reality Check for IBM's AI Ambitions," *MIT Technology Review*, June 27, 2017, online ed.

28. このがん専門医はDr. Vinay Prasadだ。彼はインタビューで私にこう語り、ツイッターにも投稿した。

29. J. Ginsberg et al., "Detecting Influenza Epidemics Using Search Engine Query Data," *Nature* 457（2009）: 1012–14.

30. "When Google Got Flu Wrong," *Nature* 494（2013）: 155–56; D. Lazer et al., "The Parable of Google Flu: Traps in Big Data Analysis," *Science* 343（2014）: 1203–05.

31. C. Argyris, "Teaching Smart People How to Learn," *Harvard Business Review*, May–June 1991.

32. B. Schwartz, "Reinforcement-Induced Behavioral Stereotypy: How Not to Teach People to Discover Rules," *Journal of Experimental Psychology*: General 111, no. 1（1982）:23–59.

33. E. Winner, "Child Prodigies and Adult Genius: A Weak Link," in *The Wiley Handbook of Genius*, ed. D. K. Simonton（Malden, MA: John Wiley & Sons, 2014）.

34. カーネマンとクラインの共著論文とホーガスの著書『*Educating Intuition*』に加えて、有用な情報源となったのは、以下の文献だ。J. Shanteau, "Competence in Experts: The Role of Task Characteristics," *Organizational Behavior and Human Decision Processes* 53(1992): 252–62.

35. Kahneman, *Thinking, Fast and Slow.*

36. P. A. Frensch and R. J. Sternberg, "Expertise and Intelligent Thinking: When Is It Worse Know Better?" in *Advances in the Psychology of Human Intelligence*, vol. 5, ed. R. J. Sternberg（New York: Psychology Press, 1989）.

37. ①〜③ E. Dane, "Reconsidering the Trade–Off Between Expertise and Flexibility," *Academy of Management Review* 35, no. 4（2010）: 579–603. エキスパートの柔軟性や柔軟性のなさについての一般的な議論に関しては、以下を参照のこと。P. J. Feltovich et al., "Issues of Expert Flexibility in Contexts Characterized by Complexity and Change," in *Expertise in Context*, ed. P. J. Feltovich et al.（Cambridge, MA: AAAI Press/MIT Press, 1997）; F. Gobet, *Understanding Expertise*（Basingstoke: Palgrave Macmillan, 2016）.

38. R. Root-Bernstein et al., "Arts Foster Scientific Success: Avocations of Nobel, National Academy, Royal Society and Sigma Xi Members," *Journal of Psychology of Science and Technology* 1, no. 2（2008）: 51–63; R. Root-Bernstein et al., "Correlations Between Avocations, Scientific Style, Work Habits, and Professional Impact of Scientists," *Creativity Research Journal* 8, no. 2（1995）: 115–37.

39. S. Ramón y Cajal, *Precepts and Counsels on Scientific Investigation*（Mountain View, CA: Pacific Press Publishing Association, 1951）.

40. A. Rothenberg, A Flight from Wonder: *An Investigation of Scientific Creativity*（Oxford: Oxford University Press, 2015）.

41. D. K. Simonton, "Creativity and Expertise: Creators Are Not Equivalent to Domain-

Specific Experts!," in *The Science of Expertise*, ed. D. Hambrick et al.（New York: Routledge, 2017 [Kindle ebook]）.

42. Steve Jobs's 2005 commencement address at Stanford: https://news.stanford.edu/2005/06/14/jobs-061505.

43. J. Horgan, "Claude Shannon: Tinkerer, Prankster, and Father of Information Theory," *IEEE Spectrum* 29, no. 4（1992）: 72–75. シャノンについてさらに詳しくは、以下を参照のこと。J. Soni and R. Goodman, *A Mind at Play*（New York: Simon & Schuster, 2017）.

44. ①〜② C. J. Connolly, "Transition Expertise: Cognitive Factors and Developmental Processes That Contribute to Repeated Successful Career Transitions Amongst Elite Athletes, Musicians and Business People"（PhD thesis, Brunel University, 2011）.

第2章　「意地悪な世界」で不足する思考力

1. R. D. Tuddenham, "Soldier Intelligence in World Wars I and II," *American Psychologist* 3, no. 2（1948）: 54–56.

2. J. R. Flynn, *Does Your Family Make You Smarter?*（Cambridge: Cambridge University Press, 2016）, 85.

3. J. R. Flynn, *What Is Intelligence?*（Cambridge: Cambridge University Press, 2009）.

4. J. R. Flynn, "The Mean IQ of Americans: Massive Gains 1932 to 1978," *Psychological Bulletin* 95, no. 1（1984）: 29–51; J. R. Flynn, "Massive IQ Gains in 14 Nations," *Psychological Bulletin* 101, no. 2（1987）: 171–91. フリン効果とその反響についての優れた入門書には、以下のものがある。I. J. Deary, *Intelligence: A Very Short Introduction*（Oxford: Oxford University Press, 2001）.

5. フリンへのインタビューに加えて、フリンの著書が参考になった。特に、以下の本の100ページに及ぶ補遺は有用だった。*Are We Getting Smarter?*（Cambridge: Cambridge University Press, 2012）（邦訳は『なぜ人類のIQは上がり続けているのか?』太田出版、2015年）。

6. M. C. Fox and A. L. Mitchum, "A Knowledge-Based Theory of Rising Scores on 'Culture-Free' Tests," *Journal of Experimental Psychology* 142, no. 3（2013）: 979–1000.

7. O. Must et al., "Predicting the Flynn Effect Through Word Abstractness: Results from the National Intelligence Tests Support Flynn's Explanation," *Intelligence* 57（2016）: 7–14. 私がこれらの結果を初めて見たのは、ロシアのサンクトペテルブルクで開かれたInternational Society for Intelligence Research（ISIR）の2016年の年次会議でのことだ。ISIRは私を、コンスタンス・ホールデン記念講演の講演者として招いてくれた。ビザの取得を4回試みたのちにロシアに到着した。会議はエネルギーに満ちた、それでも礼儀正しい

議論であふれており、その中にフリン効果についての議論があった。ここでの情報により、土台となる知識を得ることができた。

8. J. R. Flynn, *What Is Intelligence?*

9. E. Dutton et al., "The Negative Flynn Effect," *Intelligence* 59（2016）: 163–69. たとえば、スウェーデンでの傾向を見るなら、フリンの著書『*Are We Getting Smarter?*』を参照のこと。

10. この箇所の主な情報源は、以下のルリヤ自身の著書である。*Cognitive Development: Its Cultural and Social Foundations*（Cambridge, MA: Harvard University Press, 1976）（邦訳は『認識の史的発達（1976年）』明治図書出版、1976年）。

11. E. D. Homskaya, *Alexander Romanovich Luria: A Scientific Biography*（New York: Springer, 2001）.

12. フリンの著書『*Does Your Family Make You Smarter?*』および、以下の本の第22章。R. J. Sternberg and S. B. Kaufman, eds., *The Cambridge Handbook of Intelligence*（Cambridge: Cambridge University Press, 2011）.

13. 「木を見る」現象についての詳しい説明が、以下の書籍の「weak central coherence」についてのパートで見られる。U. Frith, *Autism: Explaining the Enigma*（Malden, MA: Wiley- Blackwell, 2003）.

14. S. Scribner, "Developmental Aspects of Categorized Recall in a West African Society," *Cognitive Psychology* 6（1974）: 475–94. ルリヤの発見から発展した研究については、以下の文献を参照のこと。M. Cole and S. Scribner, *Culture and Thought*（New York: John Wiley & Sons, 1974）.

15. Google Books Ngram Viewerを使って検索。以下も参照のこと。J. B. Michel et al., "Quantitative Analysis of Culture Using Millions of Digitized Books," *Science* 331（2011）: 176–82.

16. Flynn, *Does Your Family Make You Smarter?*

17. S. Arbesman, *Overcomplicated*（New York: Portfolio, 2017）, 158–60.

18. C. Schooler, "Environmental Complexity and the Flynn Effect,"in *The Rising Curve*, ed. U. Neisser（Washington, DC: American Psychological Association, 1998）. 以下も参照のこと。A. Inkeles and D. H. Smith, *Becoming Modern: Individual Change in Six Developing Countries*（Cambridge, MA: Harvard University Press, 1974）.

19. S. Pinker, *The Better Angels of our Nature*（New York: Penguin, 2011）（邦訳は『暴力の人類史（上・下）』青土社、2015年）。

20. Flynn, *Are We Getting Smarter?*

21. Flynn, *How to Improve Your Mind*（Malden, MA: Wiley- Blackwell, 2012）. フリンは私にテストと回答を提供してくれた。

22. R. P. Larrick et al., "Teaching the Use of Cost-Benefit Reasoning in Everyday Life," *Psychological Science* 1, no. 6（1990）: 362–70; R. P. Larrick et al., "Who Uses the Cost-Benefit Rules of Choice?," *Organizational Behavior and Human Decision Processes* 56（1993）: 331–47.（本文脚注のホーガスのコメントは、ホーガスの著書の『Educating Intuition』222ページより）。

23. J. F. Voss et al., "Individual Differences in the Solving of Social Science Problems," in *Individual Differences in Cognition*, vol. 1, ed. F. Dillon and R. R. Schmeck（New York: Academic Press, 1983）; D. R. Lehman et al., "The Effects of Graduate Training on Reasoning," *American Psychologist* 43, no. 6（1988）: 431–43.

24. "The College Core Curricnlum" University of Chicago, https://college.uchicago.edu/academics/college-core-curriculum.

25. M. Nijhuis, "How to Call B.S. on Big Data: A Practical Guide," *The New Yorker*, June 3, 2017, online ed.

26. J. M. Wing, "Computational Thinking," *Communications of the ACM 49*, no. 3（2006）: 33–35.

27. B. Caplan, *The Case Against Education*（Princeton, NJ: Princeton University Press, 2018), 233–35.

28. J. R. Abel and R. Deitz, "Agglomeration and Job Matching among College Graduates." *Regional Science and Urban Economics* 51(2015): 14–24.

29. A. J. Toynbee, *A Study of History, vol. 12, Reconsiderations*（Oxford: Oxford University Press, 1964), 42.（邦訳は『図説歴史の研究（1·2·3）』学研マーケティング、1976年ほか）。

30. Center for Evidence-Based Medicine video, "Doug Altman— Scandal of Poor Medical Research," https://www.youtube.com/watch? v= ZwDNPldQO1Q.

31. 前出のLarrickとLehmanの研究に加えて、以下の文献を参照のこと。D. F. Halpern, "Teaching Critical Thinking for Transfer Across Domains," *American Psychologist* 53, no. 4（1998）: 449–55; W. Chang et al., "Developing Expert Political Judgment," *Judgment and Decision Making* 11, no. 5（2016）: 509–26.

32. "Case Studies: Bullshit in the Wild," Calling Bullshit, https://callingbullshit.org/case_studies.html.

第3章　少なく、幅広く練習する効果

この章の参考文献は数が多くなり、やむを得ず短縮して記載している。この章の参考文献について以下に補足する。

オスペダーレでの生活と音楽について最も詳しく調査をしたのは、ジェーン·L·バルダフ-ベルデスだった。その研究成果の一部は著書の中で見ることができる。たとえば、『*Women Musicians of Venice*（Oxford: Oxford University Press, 1996）』などだ。しかし、がんで亡くなったため、彼女はほとんど著作を完成させられなかった。まだ、仕事の真っ最中だった。取材をする中で、彼女が研究ファイルをデューク大学の図書館、デービッド·M·ルーベンスタイン希少書·原稿図書館に残していったことを知った。同図書館とスタッフのおかげで、私はバルダフ-ベルデスが残した48個の箱に入った資料を見ることができた。そこには元々の資料の翻訳や、古い楽器の写真、音楽家の名簿や、他の歴史家とのやりとりの記録などが入っていた。それらの箱からは、彼女の情熱があふれ出ていた。この章で書かれている内容で、彼女の研究結果をもとにした情報のいくつかは、初めて公表されるものだと思う。私がただ願うのは、好奇心旺盛なライターがやって来て、その資料を活用することと、それを彼女が喜んでくれることだ。私はこの章をジェーン·L·バルダフ-ベルデスに捧げる。

1. J. Kerman and G. Tomlinson, *Listen*（*Brief Fourth Edition*).（Boston: Bedford/St. Martin's, 2000), chaps. 7 and 9.（ビバルディが「押しも押されもしない王者（undisputed champion)」という表現は117ページから）。
2. 以下の書籍は、本章を通じて、18世紀のヨーロッパの音楽に関して重要な情報源となった。P. A. Scholes, ed., *Dr. Burney's Musical Tours in Europe, vol. 1, An Eighteenth- Century Musical Tour in France and Italy*（Oxford: Oxford University Press, 1959).
3. E. Selfridge-Field, "Music at the Pietà Before Vivaldi," *Early Music* 14, no. 3（1986）: 373–86; R. Thackray, "Music Education in Eighteenth Century Italy," reprint from *Studies in Music* 9（1975）: 1–7.
4. E. Arnold and J. Baldauf–Berdes, *Maddalena Lombardini Sirmen*（Lanham, MD: Scarecrow Press, 2002).
5. J. Spitzer and N. Zaslaw, *The Birth of the Orchestra*（Oxford: Oxford University Press, 2004), 175. Also: Scholes, ed., *Burney's Musical Tours in Europe,* vol. 1, 137.
6. A. Pugh, *Women in Music*（Cambridge: Cambridge University Press, 1991).
7. Hester L. Piozzi, *Autobiography, Letters and Literary Remains of Mrs. Piozzi*（*Thrale*)（Tredition Classics, 2012 [Kindle ebook]).
8. ①〜② Arnold and Baldauf–Berdes, *Maddalena Lombardini Sirmen.*
9. コーリの文章は「*Pallade Veneta*」という（ほとんど忘れ去られている）定期刊行物に1687年に掲載された。*Pallade Veneta*は手紙の形式で批評を載せていた。この定期刊行物について詳しくは、以下の文献を参照のこと。E. Selfridge- Field, *Pallade Veneta: Writings on Music in Venetian Society, 1650–1750*（Venice: Fondazione Levi, 1985）.
10. ①〜② J. L. Baldauf–Berdes,"Anna Maria della Pietà: The Woman Musician of Venice

Personified," in *Cecilia Reclaimed*, ed. S. C. Cook and J. S. Tsou（Urbana: University of Illinois Press, 1994）.

11. 以下の書籍も貴重な情報源となった。この本は元々の文書をスキャンして構成したものだ。作者のミッキー·ホワイトはイギリスの元スポーツ写真家で、ビバルディのファンであり、ベニスに移住してピエタの膨大な資料の調査を自分のミッションとした。M. White, *Antonio Vivaldi: A Life in Documents*（*with CD-ROM*）（Florence: Olschki, 2013）, 87.

12. Baldauf–Berdes, "Anna Maria della Pietà."

13. ルソーは音楽を独習した。ルソーのコメントは有名な自伝『告白』から。

14. この作者不明の詩（c. 1740）はバルダフ-ベルデスとM·シベラが、R. Giazotto, *Vivaldi*（Turin: ERI, 1973）から翻訳した。

15. Lady Anna Riggs Miller, *Letters from Italy Describing the Manners, Customs, Antiquities, Paintings, etc. of that Country in the Years MDCCLXX and MDCCLXXI, vol.2*（Printed for E. and C. Dilly, 1777）, 360-61.

16. D. E. Kaley, "The Church of the Pietà"（Venice: International Fund for Monuments, 1980）.

17. バルダフ-ベルデスが過去の資料の調査からまとめた、音楽家と楽器の多数のリストの一つから。本書に掲載したものは、デューク大学ルーベンスタイン図書館に収められているバルダフ-ベルデスのコレクションの48箱中一番目の箱に入っている。

18. Baldauf–Berdes, *Women Musicians of Venice*（Oxford: Oxford University Press, 1996）.

19. Scholes, ed., *Burney's Musical Tours in Europe*, vol. 1.

20. Arnold and Baldauf–Berdes, *Maddalena Lombardini Sirmen*.

21. ピエタの名簿に名前が載っていた多くのの孤児たちの中で、ペグリーナ·デラ·ピエタは、BBC Fourの番組『*Vivaldi's Women*』の中で取り上げられ、ミッキー·ホワイトが巧みに紹介していた。

22. R. Rolland, *A Musical Tour Through the Land of the Past*（New York: Henry Holt, 1922）.

23. M. Pincherle, "Vivaldi and the 'Ospitali' of Venice," *Musical Quarterly* 24, no. 3（1938）: 300–312.

24. D. Arnold. "Venetian Motets and Their Singers," *Musical Times* 119（1978）: 319–21.（ここで言及されている曲は「エクスルターデ」という曲だが、著者はモーツアルトの代表的宗教曲として取り上げている）。

25. Arnold and Baldauf–Berdes, *Maddalena Lombardini Sirmen*.

26. 1989年にバルダフ-ベルデスがGladys Krieble Delmas財団に向けて書いた研究提案書で、彼女はこの件などについて触れ、フィーリエが忘れ去られつつある例として挙げている。バルダフ-ベルデスが出版する計画だったそのシリーズは、残念ながら彼女が完成させられなかった研究の一つだ。

27. Baldauf–Berdes, "Anna Maria della Pietà."

28. G. J. Buelow, ed., *The Late Baroque Era*（Basingstoke: Macmillan, 1993）.

29. R. Lane, "How to Choose a Musical Instrument for My Child," Upperbeachesmusic.com, January 5, 2017.

30. M. Steinberg, "Yo-Yo Ma on Intonation, Practice, and the Role of Music in Our Lives," *Strings*, September 17, 2015, online ed.

31. J. A. Sloboda et al., "The Role of Practice in the Development of Performing Musicians," *British Journal of Psychology* 87（1996）: 287–309.以下の文献も参照のこと。G. E. McPherson et al., "Playing an Instrument," in *The Child as Musician*, ed. G. E. McPherson（Oxford: Oxford University Press, 2006）（「若手学習者の中で最も上達した人たちの何人かは、さまざまな楽器を経験していたことがわかった」）; J. A. Sloboda and M. J. A. Howe, "Biographical Precursors of Musical Excellence," *Psychology of Music* 19（1991）: 3–21.（「特別に優れている子どもたちは、最初に選んだ楽器では平均的な子どもたちよりも練習量が少なく、三番目に選んだ楽器では平均的な子どもたちよりもはるかに多く練習していた」）。

32. S. A. O'Neill, "Developing a Young Musician's Growth Mindset," in *Music and the Mind*, ed. I. Deliège and J. W. Davidson（Oxford: Oxford University Press, 2011）.

33. Sloboda and Howe, "Biographical Precursors of Musical Excellence."

34. A. Ivaldi, "Routes to Adolescent Musical Expertise," in *Music and the Mind*, ed. Deliège and Davidson.

35. P. Gorner, "Cecchini's Guitar Truly Classical," *Chicago Tribune*, July 13, 1968.（この公演の前日に、スタッズ・ターケルがセッチーニにインタビューしている。音楽についての二人のすばらしい対話を、以下のウェブサイトで読むことができる。http://jackcecchii.com/Interviews.html）

36. T. Teachout, Duke: *A Life of Duke Ellington*（New York: Gotham Books, 2013）.

37. Kerman and Tomlinson, *Listen*, 394.

38. L. Flanagan, *Moonlight in Vermont: The Official Biography of Johnny Smith*（Anaheim Hills, CA: Centerstream, 2015）.

39. F. M. Hall, *It's About Time: The Dave Brubeck Story.*（Fayetteville: University of Arkansas Press, 1996）.

40. ①～② M. Dregni, *Django: The Life and Music of a Gypsy Legend*（Oxford: Oxford University Press, 2004 [Kindle ebook]）. これ以外で、ジャンゴの人生について貴重な情報を提供してくれるのは次の2冊だ。C. Delaunay, *Django Reinhardt*（New York: DaCapo,

1961）（この本の裏表紙で、『*The Making of Jazz*』の著者、ジェームズ·リンカン·コリアーは、ジャンゴを「間違いなく、最も重要なギタリスト」だと評した）; *Guitar Player* magazine（November 1976）はジャンゴ特集号で、伝説的なミュージシャンたちがジャンゴと過ごした時代を振り返っている。

41. 以下の作品には、ジャンゴ·ラインハルトの若い時代の演奏が収められており、指のケガの前と後の両方の演奏が聴ける。The 5-CD set "Django Reinhardt— Musette to Maestro 928–1937: The Early Work of a Guitar Genius"（JSP Records, 2010）

42. シアトルのポップ·カルチャー博物館のシニアキュレーター、ジェイコブ·マクマリーは、同博物館のコレクションで、この点を裏づけてくれた。

43. "Django Reinhardt Clip Performing Live（1945）," YouTube, www.youtube.com/watch?v=aZ308aOOX04（YouTube動画の日付は間違っている。正しくは1938年のショートフィルム「Jazz'Hot'」に収められていたもの。

44. このコメント、および他のバーリナーのコメントは以下の文献から。P. F. Berliner, *Thinking in Jazz*（Chicago: University of Chicago Press, 1994）.

45. C. Kalb, "Who Is a Genius?," *National Geographic*, May 2017.

46. *Guitar Player*, November 1976.

47. Dregni, *Django*.

48. A. Midgette, "Concerto on the Fly: Can Classical Musicians Learn to Improvise," *Washington Post*, June 15, 2012, online ed.

49. このコメントと、きょうだいをバイオリンで殴った話は、以下の文献から。S. Suzuki, *Nurtured by Love,* trans. W. Suzuki（Alfred Music, 1993 [Kindle ebook]）（日本語の原書は『愛に生きる』講談社、1966年ほか）。

50. J. S. Dacey, "Discriminating Characteristics of the Families of Highly Creative Adolescents,"*Journal of Creative Behavior* 23, no. 4（1989）: 263–71. グラントはこの研究について、以下の文献で言及している。"How to Raise a Creative Child. Step One: Back Off," *New York Times*, Jan. 30, 2016.

第4章　速く学ぶか、ゆっくり学ぶか

1. この授業の様子は、Trends in International Mathematics and Science Study（TIMSS）の映像と書き起こし、分析から。ここで用いているビデオのタイトルは「M-US2 Writing Variable Expressions」。

2. 先生は実際には間違って「2ドル」と言っていた。ここでは論旨を明確にするため訂正した。

3. ①〜② J. Hiebert et al., "Teaching Mathematics in Seven Countries," National Center

for Education Statistics, 2003, chap. 5.

4. E.R.A. Kuehnert et al. "Bansho: Visually Sequencing Mathematical Ideas," *Teaching Children Mathematics* 24, no. 6 (2018) : 362–69.

5. L. E. Richland et al., "Teaching the Conceptual Structure of Mathematics," *Educational Psychology* 47, no. 3 (2012) : 189–203.

6. N. Kornell and J. Metcalfe, "The Effects of Memory Retrieval, Errors and Feedback on Learning," in *Applying Science of Learning in Education*, V.A. Benassi et al., ed. (Society for the Teaching of Psychology, 2014) ; J. Metcalfe and N. Kornell, "Principles of Cognitive Science in Education," *Psychonomic Bulletin and Review* 14, no. 2 (2007) : 225–29.

7. T. S. Eich et al., "The Hypercorrection Effect in Younger and Older Adults," Neuropsychology, Development and Cognition. Section B, Aging, *Neuropsychology and Cognition* 20, no. 5 (2013) : 511–21; J. Metcalfe et al., "Neural Correlates of People's Hypercorrection of Their False Beliefs," *Journal of Cognitive Neuroscience* 24, no. 7 (2012) : 1571–83.

8. N. Kornell and H. S. Terrace, "The Generation Effect in Monkeys," *Psychological Science* 18, no. 8 (2007) : 682–85.

9. N. Kornell et al., "Retrieval Attempts Enhance Learning, but Retrieval Success (Versus Failure) Does Not Matter," *Journal of Experimental Psychology*: Learning, Memory, and Cognition 41, no. 1 (2015) : 283–94.

10. H. P. Bahrick and E. Phelps, "Retention of Spanish Vocabulary over 8 Years," *Journal of Experimental Psychology*: Learning, Memory, and Cognition 13, no. 2 (1987) : 344–49.

11. L. L. Jacoby and W. H. Bartz, "Rehearsal and Transfer to LTM," *Journal of Verbal Learning and Verbal Behavior* 11 (1972) : 561–65.

12. N. J. Cepeda et al., "Spacing Effects in Learning," *Psychological Science* 19, no. 11 (2008) : 1095–1102.

13. H. Pashler et al., "Organizing Instruction and Study to Improve Student Learning," *National Center for Education Research*, 2007.

14. S. E. Carrell and J. E. West, "Does Professor Quality Matter?," *Journal of Political Economy* 118, no. 3 (2010) : 409–32.

15. M. Braga et al., "Evaluating Students' Evaluations of Professors," *Economics of Education Review* 41 (2014) : 71–88.

16. R. A. Bjork, "Institutional Impediments to Effective Training," in *Learning, Remembering, Believing: Enhancing Human Performance*, ed. D. Druckman and R. A. Bjork (Washington, DC: National Academies Press, 1994), 295–306.

17. C. M. Clark and R. A. Bjork, "When and Why Introducing Difficulties and Errors Can Enhance Instruction," in *Applying the Science of Learning in Education*, ed. V. A. Benassi et al.（Society for the Teaching of Psychology, 2014 [ebook]）.

18. C. Rampell, "Actually, Public Education is Getting Better, Not Worse," *Washington Post*, September 18, 2014.

19. G. Duncan and R. J. Murnane, *Restoring Opportunity*（Cambridge, MA: Harvard Education Press, 2014 [Kindle ebook]）.

20. D. Rohrer and K. Taylor, "The Shuffling of Mathematics Problems Improves Learning," *Instructional Science* 35（2007）: 481–98.

21. M. S. Birnbaum et al., "Why Interleaving Enhances Inductive Learning," *Memory and Cognition* 41（2013）: 392–402.

22. C. L. Holladay and M.A. Quiñones, "Practice Variability and Transfer of Training," *Journal of Applied Psychology* 88, no. 6（2003）: 1094–1103.

23. N. Kornell and R. A. Bjork, "Learning Concepts and Categories: Is Spacing the 'Enemy of Induction'?," *Psychological Science* 19, no. 6（2008）: 585–92.

24. M. Bangert et al., "When Less of the Same Is More: Benefits of Variability of Practice in Pianists," *Proceedings of the International Symposium on Performance Science*（2013）: 117–22.

25. ビョークは以下の本で、この提案をしている。Daniel Coyle, *The Talent Code*（New York: Bantam, 2009）.

26. 例として、以下を参照のこと。M.T.H. Chi et al., "Categorization and Representation of Physics Problems by Experts and Novices," *Cognitive Science* 5, no. 2（1981）: 121–52; J. F. Voss et al., "Individual Differences in the Solving of Social Science Problems," in *Individual Differences in Cognition*, vol. 1, ed. R. F. Dillon and R. R. Schmeck（New York: Academic Press, 1983）.

27. D. Bailey et al., "Persistence and Fadeout in Impacts of Child and Adolescent Interventions," *Journal of Research on Educational Effectiveness* 10, no. 1（2017）: 7–39.

28. S. G. Paris, "Reinterpreting the Development of Reading Skills," Reading *Research Quarterly* 40, no. 2（2005）: 184–202.

第5章　未経験のことについて考える方法

1. A. A. Martinez, "Giordano Bruno and the Heresy of Many Worlds," *Annals of Science* 73, no. 4（2016）: 345–74.

2. ケプラーが受け継いだ世界観についての背景知識と、ケプラーのアナロジーについては、以下の文献を参考にした。D. Gentner et al.,"Analogical Reasoning and Conceptual Change: A Case Study of Johannes Kepler,"*Journal of the Learning Sciences* 6, no. 1（1997）：3–40; D. Gentner,"Analogy in Scientific Discovery: The Case of Johannes Kepler," in *Model-Based Reasoning: Science, Technology, Values*, ed. L. Magnani and N. J. Nersessian（New York: Kluwer Academic/Plenum Publishers, 2002）, 21–39; D. Gentner et al., "Analogy and Creativity in the Works of Johannes Kepler,"in *Creative Thought: AnInvestigation of Conceptual Structures and Processes*, ed. T. B. Ward et al.（Washington, DC: American Psychological Association, 1997）.

3. D. Gentner and A. B. Markman, "Structure Mapping in Analogy and Similarity," *American Psychologist* 52, no. 1（1997）：45–56. ケプラーは新しく発表された磁力に関する新しい文献も読んだ：A. Caswell, "Lectures on Astronomy," *Smithsonian Lectures on Astronomy*, 1858（British Museum collection）.

4. J. Gleick, *Isaac Newton*（New York: Vintage, 2007）.

5. ①～② A. Koestler, *The Sleepwalkers: A History of Man's Changing Vision of the Universe*（New York: Penguin Classics, 2017）.

6. B. Vickers, "Analogy Versus Identity," in: *Occult and Scientific Mentalities in the Renaissance*, ed. B. Vickers（Cambridge: Cambridge University Press, 1984）.

7. Gentner et al., "Analogy and Creativity in the Works of Johannes Kepler."; E. McMullin, "The Origins of the Field Concept in Physics," *Physics in Perspective* 4, no. 1（2002）：13–39.

8. M. L. Gick and K. J. Holyoak, "Analogical Problem Solving," *Cognitive Psychology* 12（1980）：306–55.

9. ①～④ M. L. Gick and K. J. Holyoak, "Schema Induction and Analogical Transfer," *Cognitive Psychology* 15（1983）：1–38.

10. ①～② T. Gilovich, "Seeing the Past in the Present: The Effect of Associations to Familiar Events on Judgments and Decisions," *Journal of Personality and Social Psychology* 40, no. 5（1981）：797–808.

11. カーネマンのストーリーは、著書の『*Thinking, Fast and Slow*（New York: Farrar, Straus & Giroux, 2011）』に収められている。また、以下の文献にも、内的視点と外的視点の解説を交えて描かれている。D. Kahneman and D. Lovallo,"Timid Choices and Bold Forecasts,"*Management Science* 39, no. 1（1993）：17–31.

12. D. Lovallo, C. Clarke, and C. Camerer,"Robust Analogizing and the Outside View," *Strategic Management Journal* 33, no. 5（2012）：496–512.

13. M. J. Mauboussin, *Think Twice: Harnessing the Power of Counterintuition*（Boston:

Harvard Business Review Press, 2009).

14. L. Van Boven and N. Epley, "The Unpacking Effect in Evaluative Judgments: When the Whole Is Less Than the Sum of Its Parts," *Journal of Experimental Social Psychology* 39 (2003) : 263–69.

15. A. Tversky and D. J. Koehler, "Support Theory," *Psychological Review* 101, no. 4 (1994) : 547–67.

16. B. Flyvbjerg et al., "What Causes Cost Overrun in Transport Infrastructure Projects?" *Transport Reviews* 24, no. 1 (2004) : 3–18.

17. B. Flyvbjerg, "Curbing Optimism Bias and Strategic Misrepresentation in Planning," *European Planning Studies* 16, no. 1 (2008) : 3–21. 費用は10億ポンド近くなっていた: S. Brocklehurst, "Going off the Rails,"*BBC Scotland*, May 30, 2014, online ed.

18. Lovallo, Clarke, and Camerer, "Robust Analogizing and the Outside View."

19. T. Vanderbilt, "The Science Behind the Netflix Algorithms That Decide What You'll Watch Next," Wired.com, August 7, 2013; C. Burger, "Personalized Recommendations at Netflix," Tastehit.com, February 23, 2016.

20. F. Dubin and D. Lovallo, "The Use and Misuse of Analogies in Business," Working Paper (Sydney: University of Sydney, 2008).

21. 以下の文献で BCGの試みについて触れている。D. Gray, "A Gallery of Metaphors," *Harvard Business Review*, September 2003.

22. B. M. Rottman et al., "Causal Systems Categories: Differences in Novice and Expert Categorization of Causal Phenomena," *Cognitive Science* 36 (2012) : 919–32.

23. M. T. H. Chi et al., "Categorization and Representation of Physics Problems by Experts and Novices," *Cognitive Science* 5, no.2 (1981) : 121–52.

24. Koestler, *The Sleepwalkers*.

25. N. Morvillo, *Science and Religion: Understanding the Issues* (Malden, MA: Wiley-Blackwell, 2010).

26. Koestler, *The Sleepwalkers*.

27. K. Dunbar, "What Scientific Thinking Reveals About the Nature of Cognition," in *Designing for Science*, ed. K. Crowley et al. (Mahwah, NJ: Lawrence Erlbaum Associates, 2001).

28. "How Scientists Really Reason," in *The Nature of Insight*, ed. R. J. Sternberg and J. E. Davidson (Cambridge, MA: MIT Press, 1995), 365–95.

第6章　グリットが強すぎると起こる問題

1. ファン·ゴッホの生涯を調べるにあたっては、多くの情報を利用した。まず、ファン·ゴッホが書いた手紙とファン·ゴッホ宛ての手紙がある。英訳された900通以上の手紙（現存するすべてのもの）がウェブサイト「Vincent van Gogh: The Letters」（vangoghletters.org）で公開されている。このサイトはファン・ゴッホ美術館とオランダ歴史研究所（Huygens Institute for the History of the Netherlands）の共同プロデュースで運営されている。しかし、この多数の手紙の中でどれを読むべきかは、以下の優れた書籍がなければ、見当がつかなかっただろう。Steven Naifeh and Gregory White Smith, *Van Gogh: The Life*（New York: Random House, 2011）（邦訳は『ファン・ゴッホの生涯（上・下）』国書刊行会、2016年）。ネイフとスミスは大変な労力をかけて、検索可能なデータベース「vangoghbiography.com/notes.php」も編纂した。このサイトは本章を執筆するうえでも、とても参考になった。これ以外で参考になった文献を二つ挙げる。N. Denekamp et al., The Vincent van Gogh Atlas（New Haven, CT: Yale University Press and the Van Gogh Museum, 2016）（邦訳は『ゴッホの地図帖』講談社、2016年）; J. Hulsker, *The Complete Van Gogh*（New York: Harrison House/H. N. Abrams, 1984）. 最後に、二つの美術展を挙げる。シカゴ美術館「Van Gogh's Bedrooms」(2016)、サンクトペテルブルク(ロシア）エルミタージュ美術館「the impressionism and post-impressionism collections」。
2. Naifeh and Smith, Van Gogh: The Life.
3. ファン·ゴッホから弟テオへの手紙、1884年6月。
4. ①〜③ Naifeh and Smith, *Van Gogh:The Life.*
5. ファン·ゴッホから弟テオへの手紙、1877年9月。
6. Émile Zola, *Germinal*, trans. R. N. MacKenzie（Indianapolis: Hackett Publishing, 2011）.
7. ファン·ゴッホから弟テオへの手紙、1880年6月。
8. ファン·ゴッホから弟テオへの手紙、1880年8月。
9. Naifeh and Smith, *Van Gogh: The Life.*
10. ①〜② ファン·ゴッホから弟テオへの手紙、1882年3月（翻訳：Johanna van Gogh-Bonger)。
11. Naifeh and Smith, *Van Gogh: The Life.*
12. ファン·ゴッホから弟テオへの手紙、1882年8月。この日に描かれた絵は「スヘフェニンゲンの海の眺め」。この絵はファン·ゴッホ美術館から2002年に盗まれたが、その後10年以上たって発見された。
13. G. Albert Aurierによるレビュー。タイトルは「*Les isolés*: Vincent van Gogh」。
14. 正確には39.84歳。データは「*Our World in Data*（ourworldindata.org)」から。

15. *The Great Masters*（London: Quantum Publishing, 2003）.

16. J. K. Rowling, text of speech, "The Fringe Benefits of Failure, and the Importance of Imagination," *Harvard Gazette*, June 5, 2008, online ed.

17. T. W. Schultz, "Resources for Higher Education," *Journal of Political Economy* 76, no. 3（1968）: 327–47.

18. O. Malamud, "Discovering One's Talent: Learning from Academic Specialization," *Industrial and Labor Relations* 64, no. 2（2011）: 375–405.

19. O. Malamud, "Breadth Versus Depth: The Timing of Specialization in Higher Education," *Labour* 24, no. 4（2010）: 359–90.

20. D. Lederman, "When to Specialize?," *Inside Higher Ed*, November 25, 2009.

21. Malamud, "Discovering One's Talent."

22. S. D. Levitt, "Heads or Tails: The Impact of a Coin Toss on Major Life Decisions and Subsequent Happiness," NBER Working Paper No. 22487（2016）.

23. *Freakonomics* のラジオ番組「The Upside of Quitting」（2011年9月30日）。

24. C. K. Jackson, "Match Quality, Worker Productivity, and Worker Mobility: Direct Evidence from Teachers," *Review of Economics and Statistics* 95, no. 4（2013）: 1096–1116.

25. A. L. Duckworth et al., "Grit: Perseverance and Passion for Long-Term Goals," *Journal of Personality and Social Psychology* 92, no. 6（2007）: 1087–1101.（新入生は1223人だったので、ダックワースはほぼ全員を調査したことになる）。この論文のTable 3（表3）には、ウエストポイントとナショナル・スペリング・ビー、アイビーリーグの学生の成績、成人向け教育の結果におけるグリットの分散が、まとめて示されている。加えて、ダックワースは研究の成果を、以下の著書で非常にわかりやすくまとめた。*Grit: The Power of Passion and Perseverance*（New York: Scribner, 2016）（邦訳は『やり抜く力』ダイヤモンド社、2016年）。

26. D. Engber, "Is 'Grit' Really the Key to Success?," *Slate*, May 8, 2016.

27. A. Duckworth, "Don't Grade Schools on Grit," *New York Times*, March 26, 2016.

28. Duckworth et al., "Grit: Perseverance and Passion for Long-Term Goals."

29. M. Randall, "New Cadets March Back from 'Beast Barracks'at West Point," *Times Herald-Record*, August 8, 2016.

30. R. A. Miller, "Job Matching and Occupational Choice," *Journal of Political Economy* 92, no.6（1984）: 1086–1120.

31. S. Godin, *The Dip: A Little Book That Teaches You When to Quit*(and When to Stick)(New York: Portfolio, 2007 [Kindle ebook])（邦訳は『ダメなら、さっさとやめなさい！』マガ

ジンハウス、2007年)。

32. G. Cheadle (Brig. Gen. USAF [Ret.]), "Retention of USMA Graduates on Active Duty," white paper for the USMA Association of Graduates, 2004.

33. ①〜② この研究論文は、士官の育成と維持についての六つのパートからなる論文の一つである。C. Wardynski et al., "Towards a U.S. Army Officer Corps Strategy for Success: Retaining Talent,"Strategic Studies Institute, 2010.

34. A. Tilghman, "At West Point, Millennial Cadets Say Rigid Military Career Tracks Are Outdated," *Military Times*, March 26, 2016.

35. D. Vergun, "Army Helping Cadets Match Talent to Branch Selection," *Army News Service*, March 21, 2017.

36. 以下のウェブサイトで、自分のグリット・スコアを他の成人のスコアと比較することができる。https://angeladuckworth.com/grit-scale/.

37. S. Cohen, "Sasha Cohen: An Olympian's Guide to Retiring at 25," *New York Times*, February 24, 2018.

38. Gallup's *State of the Global Workplace* report, 2017.

第7章 「いろいろな自分」を試してみる

1. ヘッセルバインの人生については、ヘッセルバイン本人への複数回のインタビューのほか、彼女の著書、彼女をよく知っている人たちからの協力をもとに執筆した。ヘッセルバインの以下の著書は、特に「医師にも、弁護士にも、女流飛行士にも、熱気球の操縦士にもなれます」という引用などで有用だった。My Life in Leadership (San Francisco: Jossey-Bass, 2011)(邦訳は『あなたらしく導きなさい』海と月社、2013年)。

2. E. Edersheim, "The Woman Drucker Said Was the Best CEO in America," *Management Matters Network*, April 27, 2017.

3. J. A. Byrne, "Profiting from the Nonprofits," *Business Week*, March 26, 1990.

4. ビル・クリントン大統領が自由勲章を授与した時、ヘッセルバインが「up」や「down」などの階層を表す言葉を使うのを嫌うことを知って、クリントンはユーモラスに(「come up」ではなく)「come forward (前に来て)」メダルを受け取るようにと言った。

5. *Good Morning America*, April 26, 2016.

6. Phil Knight, *Shoe Dog* (New York: Scribner, 2016).

7. これらのダーウィンの生涯についての細かなエピソードは、「*The Autobiography of Charles Darwin*」で読むことができ、その注釈付きの無料版が Darwin-online.org.uk に掲載されている。

8. ケンブリッジ大学の「Darwin Correspondence Project（www.darwinproject.ac.uk）」では、J. S. Henslow教授からの紹介の手紙など、豊富な情報が掲載されている。

9. ①〜③ *The Autobiography of Charles Darwin.*

10. ウェブサイトwww.michaelcrichton.com のバイオグラフィーより。

11. J. Quoidbach, D. T. Gilbert, and T. D. Wilson, "The End of History Illusion," *Science* 339, no. 6115（2013）: 96–98.

12. B.W. Roberts et al., "Patterns of Mean-Level Change in Personality Traits Across the Life Course,"*Psychological Bulletin* 132, no. 1（2006）: 1-25. 以下も参照のこと。B. W. Roberts and D. Mroczek, "PersonalityTrait Change in Adulthood," *Current Directions in Psychological Science* 17, no. 1（2009）: 31–35. 性格の変化に関するより一般向けの（かつ無料の）説明を、以下の文献で読むことができる。M. B. Donnellan, "Personality Stability and Change," in *Noba Textbook Series: Psychology*, ed. R. Biswas-Diener and E. Diener（Champaign, IL: DEF Publishers, 2018）, nobaproject.com.

13. W. Mischel, *The Marshmallow Test*（New York: Little, Brown, 2014 [Kindle ebook]）（邦訳は『マシュマロ・テスト』早川書房、2015年）。

14. 正田は研究で受賞した機会も活用して、さらに同じ指摘を繰り返した。ワシントン大学の2015年6月2日のプレスリリースには、次のように記されている。「正田はこの名誉を喜ぶ一方で、近年のメディアでのこの研究の取り上げられ方に懸念を示し、親が自分で実験をして、子供の将来を占えると考えるのは間違っていると述べた」。さらに正田は「私たちが発見している関係は完璧からは程遠い。まだ多くの修正の余地がある」と付け加えた。

15. ①〜② Y. Shoda et al., eds., *Persons in Context: Building a Science of the Individual*（New York: Guilford Press, 2007 [Kindle ebook]）.

16. T. Rose, *The End of Average: How We Succeed in a World That Values Sameness*（New York: HarperOne, 2016 [Kindle ebook]）（邦訳は『平均思考は捨てなさい』早川書房、2017年）。

17. T. W. Watts, "Revisiting the Marshmallow Test," *Psychological Science* 29, no. 7（2018）: 1159–77.

18. H. Ibarra, *Working Identity*（Boston: Harvard Business Review Press, 2003）（邦訳は『ハーバード流　キャリア・チェンジ術』翔泳社、2003年）。

19. P. Capell, "Taking the Painless Path to a New Career," *Wall Street Journal Europe*, January 2, 2002.

20. "What You'll Wish You'd Known," www.paulgraham.com/hs.html.

21. W. Wallace, "Michelangelo: Separating Theory and Practice," in *Imitation, Representation and Printing in the Italian Renaissance*, ed. R. Eriksen and M. Malmanger（Pisa and Rome: Fabrizio Serra Editore, 2009）.

22. ①〜② *The Complete Poems of Michelangelo*, trans. J. F. Nims（Chicago: University of Chicago Press, 1998）: poem 5（painting）; p. 8（half unfinished）.
23. "Haruki Murakami, The Art of Fiction No. 182." *The Paris Review*, 170（2004）.
24. H. Murakami, "The Moment I Became a Novelist," *Literary Hub*, June 25, 2015.
25. ウェブサイト patrickrothfuss.com のバイオグラフィーより。
26. Interview with Maryam Mirzakhani, *Guardian*, August 12, 2014, republished with permission of the Clay Mathematics Institute.
27. A. Myers and B. Carey, "Maryam Mirzakhani, Stanford Mathematician and Fields Medal Winner, Dies," *Stanford News*, July 15, 2007.
28. "A new beginning," Chrissiewellington.org, March 12, 2012.
29. T. Patterson にフィンスターが語った言葉。Howard Finster: *Stranger from Another World*（New York: Abbeville Press, 1989）.

第8章　アウトサイダーの強み

1. K. R. Lakhani, "InnoCentive.com（A)," HBS No. 9-608-170, Harvard Business School Publishing, 2009. See also: S. Page, *The Difference*（Princeton, NJ: Princeton University Press, 2008）.
2. T. Standage, *An Edible History of Humanity*（New York: Bloomsbury, 2009）.
3. "Selected Innovation Prizes and Rewards Programs," Knowledge Ecology International, KEI Research Note, 2008: 1.
4. J. H. Collins, *The Story of Canned Foods*（New York: E. P. Dutton, 1924）.
5. Standage, *An Edible History of Humanity.*
6. *Collaborative Innovation: Public Sector Prizes*におけるクラギンのプレゼンテーションより。2012年6月12日、ワシントンDC。The Case Foundation and The Joyce Foundation.
7. J. Travis, "Science by the Masses," *Science* 319, no. 5871（2008）: 1750–52.
8. C. Dean, "If You Have a Problem, Ask Everyone," *New York Times*, July 22, 2008. See also: L. Moise interview with K. Lakhani, "5 Questions with Dr. Karim Lakhani," *InnoCentive Innovation Blog*, Jul 25, 2008.
9. K. R. Lakhani et al., "Open Innovation and Organizational Boundaries," in A. Grandori, ed., *Handbook of Economic Organization*（Cheltenham: Edward Elgar, 2013）.
10. S. Joni, "Stop Relying on Experts for Innovation: A Conversationwith Karim Lakhani," *Forbes*, October 23, 2013, online ed.

11. Kaggle Team, "Profiling Top Kagglers: Bestfitting, Currently #1 in the World," No Free Hunch（official Kaggle blog）, May 7, 2018.

12. 1962年12月17日のシカゴ大学広報部の文書（No. 62-583）より。

13. D. R. Swanson, "On the Fragmentation of Knowledge, the Connection Explosion, and Assembling Other People's Ideas," Bulletin of the American Society for *Information Science and Technology* 27, no. 3（2005）: 12–14.

14. K. J. Boudreau et al., "Looking Across and Looking Beyond the Knowledge Frontier," *Management Science* 62, no. 10（2016）: 2765–83.

15. D. R. Swanson, "Migraine and Magnesium: Eleven Neglected Connections," Perspectives in Biology and Medicine 31, no. 4（1988）: 526–57.

16. L. Moise interview with K. Lakhani, "5 Questions with Dr. irregular heart rhythm Karim Lakhani."

17. ジルがこの時見た論文は以下のもの。F. Deymeer et al., "Emery-Dreifuss Muscular Dystrophy with Unusual Features," Muscle and Nerve 16（1993）: 1359–65.

18. イタリアの調査チームはすぐに結果を発表した（そしてジルに感謝を述べた）。G. Bonne et al., "Mutations in the Gene Encoding Lamin A/C Cause Autosomal Dominant Emery-Dreifuss Muscular Dystrophy," *Nature Genetics* 21, no. 3（1999）: 285–88.

第9章　時代遅れの技術を水平思考で生かす

1. 任天堂の歴史を書くにあたって、特に参考になった文献は以下の通り。F. Gorges with I. Yamazaki, *The History of Nintendo, vol. 1, 1889–1980*（Triel-sur-Seine: Pix'N Love, 2010）; F. Gorges with I. Yamazaki, *The History of Nintendo, vol. 2, 1980–1991*（Trielsur-Seine: Pix'N Love, 2012）; E. Voskuil, *Before Mario: The Fantastic Toys from the Video Game Giant's Early Days*（Châtillon: Omaké Books, 2014）; J. Parish, Game Boy World 1989（Norfolk, VA: CreateSpace, 2016）; D. Sheff, *Game Over: How Nintendo Conquered the World*（New York: Vintage, 2011）.

2. 本章の横井のコメントの出典については、本文中の脚注を参照のこと。

3. Gorges with Yamazaki, *The History of Nintendo, vol. 2, 1980–1991*.

4. E. de Bono, *Lateral Thinking: Creativity Step by Step*（New York: HarperCollins, 2010）.

5. 横井の特許にはシンプルなものも多いが、イノベーション史における宝の山である。この特許（U.S. no. 4398804）および他の特許も、Google Patents で見ることができる。

6. B. Edwards, "Happy 20th b-day, Game Boy," *Ars Technica*, April 21, 2009.

7. ①～③ 以下のウェブサイトより。shmuplations.com（translation）,"Console Gaming

Then and Now: A Fascinating 1997 Interview with Nintendo's Legendary Gunpei Yokoi,"techspot.com, July 10, 2015.

8. 詳しくは、以下の書籍を参照のこと。D. Pink, *Drive*（New York: Riverhead, 2011）.
9. 岡田智による『*Before Mario*』のまえがきから。
10. IGN staff, "Okada on the Game Boy Advance," IGN.com, Sep. 13, 2000.
11. M. Kodama, *Knowledge Integration Dynamics*（Singapore: World Scientific）: 211.
12. C. Christensen and S. C. Anthony, "What Should Sony Do Next?," *Forbes*, August 1, 2007, online ed.
13. F. Dyson, "Bird and Frogs,"*Notices of the American Mathematical Society* 56, no. 2（2009）: 212–23.（ダイソンは数学分野ではカエルかもしれないが、優れたライターでもある）。
14. M. F. Weber et al., "Giant Birefringent Optics in Multilayer Polymer Mirrors," *Science* 287（2000）: 2451–56; R. F. Service, "Mirror Film Is the Fairest of Them All," *Science* 287（2000）: 2387–89.
15. R. Ahmed et al., "Morpho Butterfly-Inspired Optical Diffraction, Diffusion, and Bio-chemical Sensing," *RSC Advances* 8（2018）: 27111–18.
16. アウダカークの2016年10月14日のTEDxHHLにおける講演から。
17. W. F. Boh, R. Evaristo, and A. Ouderkirk, "Balancing Breadth and Depth of Expertise for Innovation: A 3M Story," Research Policy 43（2013）: 349–66.
18. アウダカークの2016年10月14日のTEDxHHLにおける講演から。
19. G. D. Glenn and R. L. Poole, *The Opera Houses of Iowa*（Ames: Iowa State University Press, 1993）. この状況について詳しくは、以下の文献を参照のこと。R. H. Frank, *Luxury Fever*（New York: The Free Press, 1999）, ch. 3.
20. B. Jaruzelski et al.,"Proven Paths to Innovation Success," *Strategy+ Business*, winter 2014, issue 77 preprint.
21. E. Melero and N. Palomeras, "The *Renaissance Man* Is Not Dead! The Role of Generalists in Teams of Inventors,"*Research Policy* 44（2015）: 154–67.
22. Superman or the Fantastic Four? Knowledge Combination and Experience in Innovative Teams, "*Academy of Management Journal* 49, no. 4（2006）: 723–40.
23. C. L. Tilley, "Seducing the Innocent: Fredric Wertham and the Falsifications That Helped Condemn Comics," *Information and Culture* 47, no. 4（2012）: 383-413.
24. M. Maruthappu et al., "The Influence of Volume and Experience on Individual Surgical Performance: A Systematic Review," *Annals of Surgery* 261, no. 4（2015）: 642–47; N. R. Sahni et al., "Surgeon Specialization and Operative Mortality in the United States: Retrospective Analysis," BMJ 354（2016）: i3571; A. Kurmann et al., "Impact of Team

Familiarity in the Operating Room on Surgical Complications," *World Journal of Surgery* 38, no. 12（2014）: 3047–52; M. Maruthappu, "The Impact of Team Familiarity and Surgical Experience on Operative Efficiency," *Journal of the Royal Society of Medicine* 109, no. 4（2016）: 147–53.

25. "A Review of Flightcrew- Involved Major Accidents of U.S. Air Carriers, 1978 Through 1990," National Transportation Safety Board, Safety Study NTSB/SS-94/01, 1994.
26. A. Griffin, R. L. Price, and B. Vojak, *Serial Innovators: How Individuals Create and Deliver Breakthrough Innovations in Mature Firms*（Stanford, CA: Stanford Business Books, 2012 [Kindle ebook]）（邦訳は『シリアル・イノベーター』プレジデント社、2014年）。
27. D. K. Simonton, *Origins of Genius*（Oxford: Oxford University Press, 1999）.
28. Howard Gruber: H. E. Gruber, *Darwin on Man: A Psychological Study of Scientific Creativity*（Chicago: University of Chicago Press, 1981）.
29. ①〜② T. Veak, "Exploring Darwin's Correspondence,"*Archives of Natural History* 30, no. 1（2003）: 118–38.
30. H. E. Gruber, "The Evolving Systems Approach to Creative Work," *Creativity Research Journal* 1, no.1（1988）: 27–51.
31. R. Mead, "All About the Hamiltons," *The New Yorker*, February. 9, 2015.

第10章　スペシャリストがはまる罠

1. イェール大学の歴史学の教授、ポール·セービンによる以下の著書では、優れた背景知識と分析を読むことができた。*The Bet* (New Haven, CT : Yale University Prass / 2013). その分析の一部が、以下の記事で紹介されている。C. R. Sunstein, "The Battle of Two Hedgehogs,"*New York Review of Books,* December 5, 2013.
2. P. Ehrlich, *Eco-Catastrophe!*（San Francisco: City Lights Books, 1969）.
3. G. S. Morson and M. Schapiro, *Cents and Sensibility*（Princeton, NJ: Princeton University Press, 2017 [ebook]）.
4. この部分と、この段落における他の統計（栄養不良の人々の割合、餓死者の数、出生率、人口増の経過）は *Our World in Data*から。この優れたデータベースは、オックスフォード大学の経済学者、マックス·ローズが設立した。たとえば、1人1日当たりのカロリーが掲載されているページは以下の通り。https://slides.our worldindata.org/hunger- and-food-provision/#/kcalcapitaday-by-world-regions-mg-png.
5. United Nations, Department of Economic and Social Affairs, Population Division, "World Population Prospects: The 2017 Revision, Key Findings and Advance Tables,"

Working Paper No. ESA/P/WP/248.

6. P. R. Ehrlich and A. H. Ehrlich, *The Population Explosion*（New York: Simon & Schuster, 1990）（邦訳は『人口が爆発する！』（新曜社、1994年）。

7. K. Kiel et al., "Luck or Skill? An Examination of the Ehrlich- Simon Bet," *Ecological Economics* 69, no. 7（2010）：1365–67.

8. テトロックは以下の著書で、研究結果について詳しい（そして、ウイットに富んだ）説明をしている。*Expert Political Judgment: How Good Is It? How Can We Know?*（Princeton, NJ: Princeton University Press, 2005）.

9. Tetlock, *Expert Political Judgment*.

10. P. E. Tetlock et al., "Bringing Probability Judgments into Policy Debates via Forecasting Tournaments," *Science* 355（2017）：481–83.

11. G. Gigerenzer, *Risk Savvy*（New York: Penguin, 2014）（邦訳は『賢く決めるリスク思考』インターシフト、2015年）。

12. ①〜② J. Baron et al., "Reflective Thought and Actively Open-Minded Thinking," in *Individual Differences in Judgment and Decision Making*, ed. M. E. Toplak and J. A. Weller（New York: Routledge, 2017 [Kindle ebook]）.

13. J. A. Frimer et al., "Liberals and Conservatives Are Similarly Motivated to Avoid Exposure to One Another's Opinions," *Journal of Experimental Social Psychology* 72（2017）：1–12.

14. Online Privacy Foundation, "Irrational Thinking and the EU Referendum Result"（2016）.

15. D. Kahan et al., "Motivated Numeracy and Enlightened Self-Government," *Behavioural Public Policy* 1, no. 1（2017）：54–86.

16. D. M. Kahan et al., "Science Curiosity and Political Information Processing," *Advances in Political Psychology* 38, no. 51（2017）：179–99.

17. Baron et al., "Reflective Thought and Actively Open-Minded Thinking."

18. H. E. Gruber, Darwin on *Man: A Psychological Study of Scientific Creativity*, 127.

19. *The Autobiography of Charles Darwin*.

20. J. Browne, *Charles Darwin: A Biography, vol. 1, Voyaging*（New York: Alfred A. Knopf, 1995）, 186.

21. アインシュタインのハリネズミぶりに関しては多くの文献で言及されているが、その一つがこれ。Morson and Schapiro, *Cents and Sensibility*.

22. G. Mackie, "Einstein's Folly," *The Conversation*, November 29, 2015.

23. C. P. Snow, *The Physicists,*（London: Little, Brown and Co., 1981）. アインシュタインはこの考え方を以下でも表している。H. Dukas and B. Hoffmann eds., Albert Einstein, *The Human Side: Glimpses from His Archives*（Princeton, NJ: Princeton University Press, 1979）, 68.

24. W. Chang et al., "Developing Expert Political Judgment: The Impact of Training and Practice on Judgmental Accuracy in Geopolitical Forecasting Tournaments,"*Judgment and Decision Making* 11, no. 5（2016）: 509–26.

第11章　慣れ親しんだ「ツール」を捨てる

1. Max Bazerman教授は2016年10月に、ハーバード・ビジネススクールで、「カーター・レーシング」のケーススタディーの学習の様子を2日間にわたり私に見学させてくれた（このケーススタディー自体は、1986年にJack W. BrittainとSim B. Sitkinによって作成された）。

2. F. Lighthall, "Launching the Space Shuttle Challenger: Disciplinary Deficiencies in the Analysis of Engineering Data," *IEEE Transactions on Engineering Management* 38, no. 1（1991）: 63–74.

3. R. P. Boisjoly et al. "Roger Boisjoly and the Challenger Disaster,"*Journal of Business Ethics* 8, no. 4（1989）: 217–230. ボジョレーの「よい状態からは程遠い」というコメントは、大統領調査委員会の1986年2月25日の公聴会議事録から。

4. J. M. Logsdon, "Was the Space Shuttle a Mistake?," *MIT Technology Review*, July 6, 2011.

5. 大統領調査委員会の公聴会議事録。本章で取り上げた情報とコメントは、以下のウェブサイトで見ることができる。https://history.nasa.gov/rogersrep/genindex.htm. アラン・マクドナルドは、調査とシャトルの打ち上げ続行について、以下の著書で説明をしている。*Truth, Lies, and O-Rings*（Gainesville: University Press of Florida, 2009）.

6. Diane Vaughan, *The Challenger Launch Decision: Risky Technology, Culture, and Deviance at NASA*（Chicago: University of Chicago Press, 1996）.この本では、意思決定における「逸脱の通常化」について探求している。

7. NASAの現役および元マネジャーへのインタビュー、特に2017年にNASAのジョンソン宇宙センターを訪問した時のインタビューは、この言葉の意味合いを理解するうえで重要だった。NASAのポータルサイト、APPEL Knowledge Servicesも、とても有用だった。驚くほどの情報が集められており、NASAの「Lessons Learned（学んだ教訓）」システムへのリンクも張られている。

8. K. E. Weick, "The Collapse of Sensemaking in Organizations: Gulch Disaster," *Administrative Science Quarterly* 38, no. 4（1993）: 52; K. E. Weick, "Drop Your Tools: An

Allegory for Organizational Studies," *Administrative Science Quarterly* 41, no. 2（1996）: 301–13; K. E. Weick, "Drop Your Tools: On Reconfiguring Management Education," *Journal of Management Education* 31, no. 1（2007）: 5–16.

9. R. C. Rothermel, "Mann Gulch Fire: A Race That Couldn't Be Won," Department of Agriculture, Forest Service, Intermountain Research Station, General Technical Report INT-299, May 1993.
10. K. E. Weick, "Tool Retention and Fatalities in Wildland Fire Settings," in *Linking Expertise and Naturalistic Decision Making,* ed. E. Salas and G. A. Klein（New York: Psychology Press, 2001 [Kindle ebook]）.
11. USDA, USDI, and USDC, *South Canyon Fire Investigation*（Report of the South Canyon Fire Accident Investigation Team）, U.S. Government Printing Office, Region 8, Report 573-183, 1994.
12. ①〜② Weick,"Tool Retention and Fatalities in Wildland Fire Settings."
13. ①〜④ Weick,"Drop Your Tools: An Allegory for Organizational Studies."
14. J. Orasanu and L. Martin, "Errors in Aviation Decision Making," *Proceedings of the HESSD*'98（Workshop on Human Error, Safety and System Development）（1998）: 100–07; J. Orasanu et al., "Errors in Aviation Decision Making," Fourth Conference on Naturalistic Decision Making, 1998.
15. Weick, "Tool Retention and Fatalities in Wildland Fire Settings."
16. M. Kohut, "Interview with Bryan O'Connor," NASA's ASK（*Academy Sharing Knowledge*）magazine, issue 45（January 2012）.
17. Transcript, Hearings of the Presidential Commission on the Space Shuttle Challenger Accident Vol. 4, February 25, 1986.
18. 第48救助隊の何人かのメンバーが、背景知識や裏づけのための貴重な情報を提供してくれた。
19. C. Grupen, *Introduction to Radiation Protection*（Berlin: Springer, 2010）, 90. Shafer's entire original message is preserved at https://yarchive.net/air/perfect_ safety.html.
20. K. S. Cameron and S. J. Freeman, "Cultural Congruence, Strength, and Type: Relationships to Effectiveness," *Research in Organizational Change and Development* 5（1991）: 23–58.
21. K. S. Cameron and R. E. Quinn, *Diagnosing and Changing Organizational Culture, 3rd Edition*（San Francisco: Jossey-Bass, 2011）（邦訳は『組織文化を変える』ファーストプレス、2009年）。
22. S. V. Patil et al., "Accountability Systems and Group Norms: Balancing the Risks of

Mindless Conformity and Reckless Deviation," *Journal of Behavioral Decision Making* 30 (2017) : 282–303.

23. G. Kranz, *Failure Is Not an Option* (New York: Simon & Schuster, 2000) . 以下も参照のこと。M. Dunn, "Remaking NASA one step at a time," Associated Press, October 12, 2003.

24. ①〜② S. J. Dick, ed., *NASA's First 50 Years* (Washington, DC: NASA, 2011 [ebook]). フォン·ブラウンの毎週のレポートが、以下のウェブサイトに保存されている。https://history.msfc.nasa.gov/vonbraun/vb_weekly_notes.html.

25. R. Launius, "Comments on a Very Effective Communications System: Marshall Space Flight Center's Monday Notes," *Roger Launius's Blog*, February 28, 2011.

26. ①〜② Columbia Accident Investigation Board, "History as Cause: Columbia and Challenger," in *Columbia Accident Investigation Board Report*, vol. 1, August 2003.

27. スタンフォード大学は、グラビティ·プローブBに関する大量の情報をウェブサイトeinstein.stanford.edu で保存しており、専門的な情報と一般向けの情報の両方を見ることができる。技術的に深く探求したいのであれば、*Classical and Quantum Gravity*誌のグラビティ·プローブBの特集号 (vol. 32, no. 22 [November 2015]) が参考になる。

28. T. Reichhardt, "Unstoppable Force," *Nature* 426 (2003) : 380–81.

29. NASA Case Study, "The Gravity Probe B Launch Decisions," NASA, Academy of Program/Project and Engineering Leadership.

30. ジェビデンは健全な緊張感について、以下の文献でも論じている。R. Wright et al., eds., *NASA at 50: Interviews with NASA's Senior Leadership* (Washington, DC: NASA, 2012).

31. J. Overduin, "The Experimental Verdict on Spacetime from Gravity Probe B," in Vesselin Petkov, ed., *Space, Time, and Spacetime* (Berlin: Springer, 2010).

32. E.M. Anicich et al., "Hierarchical Cultural Values Predict Success and Mortality in High-Stakes Teams," *Proceedings of the National Academy of Sciences of the United States of America* 112, no. 5 (2015) : 1338–43.

33. この言葉をつくった心臓専門医は Eric Topol (なお、心臓発作をまさに起こしている患者の場合、ステントが命を救うことがある)。

34. K. Stergiopoulos and D. L. Brown, "Initial Coronary Stent Implantation With Medical Therapy vs Medical Therapy Alone for Stable Coronary Artery Disease: Meta-analysis of Randomized Controlled Trials," *Archives of Internal Medicine* 172, no. 4 (2012) : 312–19.

35. G. A. Lin et al., "Cardiologists' Use of Percutaneous Coronary Interventions for Stable Coronary Artery Disease," *Archives of Internal Medicine* 167, no. 15 (2007) : 1604–09.

36. A. B. Jena et al.,"Mortality and Treatment Patterns among Patients Hospitalized with Acute Cardiovascular Conditions during Dates of National Cardiology Meetings," *JAMA Internal Medicine* 175, no. 2（2015）: 237–44. 以下も参照のこと。A. B. Jena et al., "Acute Myocardial Infarction during Dates of National Interventional Cardiology Meetings," *Journal of the American Heart Association* 7, no. 6（2018）: e008230.

37. R. F. Redberg, "Cardiac Patient Outcomes during National Cardiology Meetings," *JAMA Internal Medicine* 175, no. 2（2015）: 245.

38. R. Sihvonen et al., "Arthroscopic Partial Meniscectomy Versus Sham Surgery for a Degenerative Meniscal Tear," *New England Journal of Medicine* 369（2013）: 2515–24. 裏づけのエビデンスを示した複数の研究へのハイパーリンクが、以下の文献に記されている。D. Epstein, "When Evidence Says No, But Doctors Say Yes," *ProPublica*, February 22, 2017.

第12章　意識してアマチュアになる

1. スミシーズは自身の研究とノートについて、ノーベル賞受賞記念講演「Turning Pages」（2007年12月7日）で話している。また、ノースカロライナ大学は60年分以上のスミシーズのノートをデジタル化して、本人の音声による解説もつけて、オンライン上に保存している（スミシーズは、人は常に、土曜日でもノートを持ち歩くべきだと私に言った）。これらの記録は私のインタビュー前の準備でとても役立った。URLは、smithies.lib.unc.edu/notebooks.

2. A. Clauset et al., "Data-Driven Predictions in the Science of Science," *Science* 355（2017）: 477–80.

3. P. McKenna, "Nobel Prize Goes to Modest Woman Who Beat Malaria for China," *New Scientist*, November 9, 2011, online ed.

4. 錬金術師で著述家の葛洪が、4世紀、晋の時代に書いた「緊急時のための処方の手引き」。屠はノーベル賞受賞記念講演「Artemisinin—A Gift from Traditional Chinese Medicine to the World」（2007年12月7日）で関連知識を紹介している。また、以下の文献で、上記の手引きの16世紀版の写真を掲載している。Tu,"The Discovery of Artemisinin（Qinghaosu）and Gifts from Chinese Medicine," *Nature Medicine* 17, no. 10（2011）: 1217–20.

5. Bhatt et al., "The Effect of Malaria Control on Plasmodium falciparum in Africa Between 2000 and 2015," *Nature* 526（2015）207–11.

6. G. Watts, "Obituary: Oliver Smithies," *Lancet* 389（2017）: 1004.

7. ガイムはノーベル賞受賞記念講演「Random Walk to Graphene」（2010年12月8日）で、その発見について詳しく語った。講演内の部分ごとのタイトルには「ゾンビ・マネジメント」「退屈よりは間違っていたほうがいい」「スコッチテープの伝説」などがあった。

8. C. Lee et al., "Measurement of the Elastic Properties and Intrinsic Strength of Monolayer Graphene," *Science* 321 (2008) : 385–88.

9. E. Lepore et al., "Spider Silk Reinforced by Graphene or Carbon Nanotubes," *2D Materials* 4, no. 3 (2017) : 031013.

10. J. Colapinto, "Material Question," *The New Yorker*, December 2014, online ed.

11. ①〜② Sarah Lewis's fascinating book on creativity: *The Rise: Creativity, the Gift of Failure, and the Search for Mastery* (New York: Simon & Schuster, 2014).

12. "U. Manchester's Andre Geim: Sticking with Graphene—For Now," *ScienceWatch newsletter* interview, August 2008.

13. Lewis, *The Rise*.

14. Max Delbrück interviews with Carolyn Harding in 1978, California Institute of Technology Oral History Project, 1979.

15. ①〜② E. Pain, "Sharing a Nobel Prize at 36," *Science*, online ed. career profiles, February 25, 2011.

16. A. Casadevall, "Crisis in Biomedical Sciences: Time for Reform?," Johns Hopkins Bloomberg School of Public Health Dean's Lecture Series, February 21, 2017, www.youtube.com/watch? v=05Sk-3u90Jo. 以下も参照のこと。F. C. Fang et al., "Misconduct Accounts for the Majority of Retracted Scientific Publications," *Proceedings of the National Academy of Sciences of the USA* 109, no. 42 (2012) : 17028–33.

17. "Why High-Profile Journals Have More Retractions," *Nature*, online ed., September 17, 2014.

18. A. K. Manrai et al., "Medicine's Uncomfortable Relationship with Math," *JAMA Internal Medicine* 174, no. 6 (2014) : 991–93.

19. ①〜② A. Casadevall and F. C. Fang, "Specialized Science,"*Infection and Immunity* 82, no. 4 (2014) : 1355–60.

20. A. Bowen and A. Casadevall, "Increasing Disparities Between Resource Inputs and Outcome, as Measured by Certain Health Deliverables, in Biomedical Research," *Proceedings of the National Academy of Sciences of the USA* 112, no. 36 (2015) : 11335–40.

21. J. Y. Ho and A. S. Hendi, "Recent Trends in Life Expectancy Across High Income Countries," *BMJ* (2018), 362:k2562.

22. R. Guimerà et al., "Team Assembly Mechanisms Determine Collaboration Network Structure and Team Performance," *Science* 308 (2005) : 697–702.

23. "Dream Teams Thrive on Mix of Old and New Blood," *Northwestern Now*, May 3, 2005.

24. B. Uzzi and J. Spiro, "Collaboration and Creativity," *American Journal of Sociology* 111, no. 2（2005）: 447–504.

25. 2012年6月のTEDxNorthwesternUでの、ブライアン・ウッツィの講演「Teaming Up to Drive Scientific Discovery」から。

26. C. Franzoni et al., "The Mover's Advantage: The Superior Performance of Migrant Scientists,"*Economic Letters* 122, no. 1（2014）: 89–93. 以下も参照のこと。A. M. Petersen, "Multiscale Impact of Researcher Mobility,"*Journal of the Royal Society Interface* 15, no. 146（2018）: 20180580.

27. B. Uzzi et al., "Atypical Combinations and Scientific Impact," *Science* 342（2013）: 468–72.

28. J. Wang et al., "Bias Against Novelty in Science," *Research Policy* 46, no. 8（2017）: 1416–36.

29. D. K. Simonton, "Foreign Influence and National Achievement: The Impact of Open Milieus on Japanese Civilization," *Journal of Personality and Social Psychology* 72, no. 1（1997）: 86–94.

30. K. J. Boudreau et al., "Looking Across and Looking Beyond the Knowledge Frontier: Intellectual Distance, Novelty, and Resource Allocation in Science," *Management Science* 62, no. 10（2016）: 2765–83.

31. E. Dadachova et al., "Ionizing Radiation Changes the Electronic Properties of Melanin and Enhances the Growth of Melanized Fungi," *PLoS ONE* 2, no. 5（2007）: e457.

32. たとえば、以下のような記事を書いた。D. Epstein, "Senatorial Peer Review," *Inside Higher Ed*, May 3, 2006; D. Epstein,"Science Bill Advances,"*Inside Higher Ed*, May 19, 2006. これらの公聴会で興味深かったのは、ニューハンプシャー州選出の上院議員で工学博士号を持つジョン・スヌヌの言動だ。いつもは予算に関しては強硬なタカ派なのに、ハチソンに正面から反対して、技術の応用先が明確でないものに資金を提供すべきだとして、こう主張した。「経済的なメリットがはっきりしているなら、資金を提供するべきではない。そういう研究には、ベンチャーキャピタルのコミュニティーが出資する」

33. Clauset et al., "Data-Driven Predictions in the Science of Science."

34. M. Hornig et al., "Practice and Play in the Development of German Top-Level Professional Football Players," *European Journal of Sport Science* 16, no. 1（2016）: 96–105.

35. J. Gifford, *100 Great Business Leaders*（Singapore: Marshall Cavendish Business, 2013）.

おわりに　あなたのレンジを広げよう

1. この研究（エジソンの特許など）について、S. B. Kaufman and C. Gregoire, *Wired to Create*（New York: Perigee, 2015）の10章で、優れた議論が展開されている。シェイクスピアの演劇の「人気」スコアに基づいた分析が、以下の文献で見られる。D. K. Simonton, "Popularity, Content, and Context in 37 Shakespeare Plays," Poetics 15（1986）: 493–510.

2. W. Osgerby, "Young British Artists," in *ART: The Whole Story*, ed. S. Farthing（London: Thames & Hudson, 2010）.

3. M. Simmons, "Forget the 10, 000-Hour Rule," *Medium*, October 26, 2017.

4. W. Moskalew et al., *Svetik: A Family Memoir of Sviatoslav Richter*（London: Toccata Press, 2015）.

5. "My Amazing Journey—Steve Nash," NBA.com, 2007–08 Season Preview.

6. C. Pelling, *Plutarch and History*（Swansea: Classical Press of Wales, 2002）.

7. Abrams v. United States, 250 U.S. 616（1919）（Holmes dissenting opinion）.

著者紹介

デイビッド・エプスタイン David Epstein

アメリカの科学ジャーナリスト。ネットメディアのプロパブリカ記者、元スポーツ・イラストレイテッド誌シニア・ライター。同誌でスポーツ科学、医学、オリンピック競技などの分野を担当し、調査報道で注目を集める。記事の受賞歴も多い。コロンビア大学大学院修士課程修了(環境科学、ジャーナリズム)。著書に『スポーツ遺伝子は勝者を決めるか? アスリートの科学』(早川書房)がある。

訳者紹介

東方 雅美 Masami Toho

翻訳者、ライター。慶應義塾大学法学部卒業。米バブソン大学経営大学院修士課程修了(MBA)。日経BPやグロービスなどでの勤務を経て独立。主な翻訳書に『LEAP ディスラプションを味方につける絶対王者の5原則』『シリアル・イノベーター 「非シリコンバレー型」イノベーションの流儀』(ともにプレジデント社)などがある。

RANGE〈レンジ〉
知識の「幅」が最強の武器になる

2020年3月30日　第1版第1刷発行
2023年3月10日　第1版第10刷発行

著者　デイビッド・エプスタイン
訳者　東方 雅美
発行者　村上 広樹
発行　株式会社日経BP
発売　株式会社日経BPマーケティング
〒105-8308 東京都港区虎ノ門4-3-12
https://bookplus.nikkei.com/
ブックデザイン　遠藤 陽一
DTP・制作　河野 真次
編集担当　沖本 健二
印刷・製本　中央精版印刷株式会社

ISBN 978-4-8222-8877-8　Printed in Japan

本書籍に関するお問い合わせ、ご連絡は下記にて承ります。
https://nkbp.jp/booksQA